스마일수술

옮긴이

김국영 김응수 민지상 배신우 이성준 황규연

Small Incision Lenticule Extraction

SMILE : Principles, Techniques, Complication Management, and Future Concepts

Editor
Walter Sekundo

 Springer

 군자출판사

스마일수술

첫째판 1쇄 인쇄 | 2023년 3월 13일
첫째판 1쇄 발행 | 2023년 3월 22일

지 은 이 Walter Sekundo
옮 긴 이 김국영, 김응수, 민지상, 배신우, 이성준, 황규연
발 행 인 장주연
출 판 기 획 임경수
책 임 편 집 김지수
편집디자인 조원배
표지디자인 김재욱
발 행 처 군자출판사(주)
　　　　　등록 제4-139호(1991. 6. 24)
　　　　　본사 (10881) **파주출판단지** 경기도 파주시 회동길 338(서패동 474-1)
　　　　　전화 (031) 943-1888　　　팩스 (031) 955-9545
　　　　　홈페이지 | www.koonja.co.kr

First published in English under the title
Small Incision Lenticule Extraction (SMILE); Principles, Techniques, Complication
Management, and Future Concepts
edited by Walter Sekundo, edition: 1
Copyright © Springer International Publishing Switzerland, 2015 *
This edition has been translated and published under licence from
Springer Nature Switzerland AG.
Springer Nature Switzerland AG takes no responsibility and shall not be made liable for
the accuracy of the translation.

ISBN 979-11-5955-991-4 (93510)

정가 100,000원

스마일수술

옮긴이

김국영 김응수 민지상 배신우 이성준 황규연

목차

Part III   스마일수술과 관련된 임상과학

저자 소개

Mark Bischoff is Director, Research and Development for Refractive Lasers, at Carl Zeiss Meditec AG. He joined ZEISS in 2002, where he has worked on the development project for the femtosecond laser system VisuMax and the SMILE procedure. In 2004, he became manager of this project and in 2006 head of the systems engineering team. Since 2008, he has been the director of R&D for refractive lasers. Mark Bischoff received his doctorate in physics in 2000 from the Friedrich Schiller University Jena. He then joined the manufacturer of femtosecond fiber lasers, IMRA America, Inc. in Ann Arbor, MI (USA), before he went to the University of Jena as postdoc and leader of an industry project.

Jodhbir S. Mehta is Head of the Tissue Engineering and Stem Cell Group at the Singapore Eye Research Institute and Head of the Corneal Service and Senior Consultant in the Refractive Service of the Singapore National Eye Center (SNEC). He has academic affiliations with DUKE-NUS GMS.

He has won 25 national and international awards including those at AAO and ARVO. His interests lie in corneal transplantation—penetrating keratoplasty, lamellar keratoplasty, endothelial keratoplasty, femtosecond laser technology, corneal imaging, corneal infections, corneal refractive surgery, keratoprosthesis surgery, ocular drug delivery systems, and corneal genetics. He has authored over 210 peer-reviewed publications and 9 book chapters and given over 210 oral and poster presentations. His research work has developed nine patents, two of which have been commercialized and licensed to companies.

Leonardo Mastropasqua is Full Professor, Diseases of the Visual System, Faculty of Medicine and Surgery, "G. d'Annunzio" University of Chieti-Pescara. Currently, he is Head of the National High-Technology Center in Ophthalmology and the Center of Excellence in Ophthalmology, National President of the Ophthalmology Society of Italian Universities (SOU), President of the Italian Council of University Professors of Ophthalmology, Scientific Advisor of the Directive Council of the Italian section of IAPB (International Agency for the Prevention of Blindness), and Board Member of the EUCORNEA Society.

He has authored over 240 original scientific articles, book chapters, and monographs in ophthalmology, 125 of which are published in peer-reviewed journals included in the *Journal Citation Reports*.

His principal fields of interest include refractive surgery, corneal pathologies and surgery, cataract surgery, glaucoma, and advanced ophthalmic imaging. He does more than 4,000 surgical procedures per year (anterior and posterior segment) and approximately 2,000 refractive procedures.

Marcus Blum was born 1 August 1960 in Kassel and grew up in Karlsruhe, Germany. After military service, he started his medical education at the University of Heidelberg and was trained in the Department of Ophthalmology at Heidelberg (by Prof. H.E. Völcker). In 1994, he took the board exam and moved to Jena as a fellow (under Prof. J. Strobel). He was appointed Associate Professor at the University of Jena in 1999. Dr. Blum was involved in building up a technology network focusing on new technologies for ophthalmology in Jena. In 2001, he became head of the Ophthalmology Department at the HELIOS Klinikum Erfurt. He is clinical investigator for Carl Zeiss Meditec.

Ekktet Chansue, MD is the Medical Director of TRSC International LASIK Center in Bangkok, Thailand. After finishing his Cornea, External Disease and Refractive Surgery fellowship in St. Louis, MO, in 1993, he taught at the Ramathibodi Hospital Faculty of Medicine, Mahidol University, Bangkok, for several years. Dr. Chansue performed the first LASIK in Thailand (and probably in South East Asia) in 1994 and has since performed more than 30,000 LASIKs. Dr. Chansue also performed the first ReLEx® SMILE in Thailand in 2010. He designed the Chansue ReLEx® Dissector, an instrument to aid in the separation and freeing of the lenticule during the ReLEx® procedure.

Sri Ganesh is Chairman and Managing Director, Nethradhama Hospital Pvt. Ltd, Bangalore

He received his basic medical education from Bangalore University and completed his postgraduate training at Regional Institute of Ophthalmology, Bangalore. He did observership in Phacoemulsification and Lasik at Sheppard Eye Centre, LV, Nevada, USA.

He is recognized for his expertise in cataract and refractive surgery and has performed over 50 live surgeries at various national and international conferences. He has a special interest in latest technology such as the femtosecond laser-assisted cataract surgery and all femtosecond laser refractive correction (ReLEx SMILE).

He was conferred Honorary Doctorate *"Doctor of Science"* by the Rajiv Gandhi University of Health Sciences (RGUHS) for his contribution to society in the field of ophthalmology during the 16th Annual Convocation of RGUHS in March 2014.

He has also received many awards at various academic conferences and has publications in national and international peer-reviewed journals.

Kimiya Shimizu received an M.D. in ophthalmology from Kitasato University School of Medicine in 1976 and a Ph.D. in ophthalmology from Tokyo University in 1984. From 1985 to 1998, he worked as a director of Musashino Red Cross Hospital. He is currently a professor and chairman of ophthalmology at Kitasato University School of Medicine, where he specializes in cataract and refractive surgery.

Anders Ivarsen is consultant and assistant professor within the cornea and refractive section in the Department of Ophthalmology in Aarhus, Denmark.

He received his Ph.D. on refractive surgery in 2004. He has been working actively in the field of refractive surgery since 2000 and started performing SMILE procedures as early as 2011.

Anders Ivarsen has participated in several studies on SMILE and has contributed to more than 10 papers on refractive lenticule extraction.

Rupal Shah is the Group Medical Director, New Vision Laser Centers-Centre for Sight, a leading chain of vision correction centers in India. She has been a pioneer of various vision correction techniques. She was the first person to perform single-incision ReLEx and SMILE procedures in the world. Over 1200 ophthalmologists have performed their first LASIK, Femto-LASIK, or SMILE procedures under her mentorship. She has performed surgery at more than 30 different locations around the world. She practices in both Vadodara and Mumbai, India. She has several publications in peer-reviewed journals and has written many book chapters.

Bertram Meyer is a specialist in laser refractive surgery since 1992 and has performed SMILE procedures since 2010. He works in private clinics in Cologne and in Dubai. He has given continuous and regular lectures and updates during the annual meetings of DOG, DOC, DGII, and European Society of Cataract and Refractive Surgeons (ESCRS) about Femto-Lasik and ReLEx® SMILE. He has been a member of the Advisory Board for Refractive Laser Surgery for Carl Zeiss Meditec for many years.

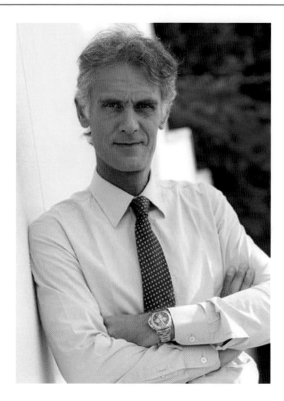

Jose L. Güell is Founding Partner of IMO and Director of the Cornea and Refractive Surgery Department. He is Associate Professor of Ophthalmology at the Autonoma University of Barcelona, Scientific Coordinator and Professor of the Anterior Segment activities at the European School for Advanced Studies in Ophthalmology (ESASO), Lugano, Past President of EuCornea (European Society of Cornea and Surface Disease), and Specialist and Past President of the ESCRS. He has published around 190 articles on corneal surgery and diseases and refractive surgery in national and international journals and has given lectures around the world during the last 20 years.

Dan Z. Reinstein is the Medical Director of London Vision Clinic, Adjunct Professor of Ophthalmology at Columbia University Medical Center, New York, and Professeur Associe en Ophtalmologie at the Centre Hospitalier National d'Ophtalmologie des Quinze-Vingts, Paris. He is a graduate of Cambridge University. Professor Reinstein's research focuses on using Artemis VHF digital ultrasound to improve refractive surgery, in particular using the corneal epithelium for keratoconus screening and therapeutic corneal refractive surgery. He is also the lead consultant to Carl Zeiss Meditec, for whom he has developed Laser Blended Vision for correcting presbyopia and has contributed to the development of ReLEx® SMILE. His research has led to over 115 peer-reviewed publications, 30 book chapters, and 500 international presentations and lectures. He was awarded the Waring Medal in 2006 and received the Kritzinger Award in 2013.

Apostolos Lazaridis is a specialist of Ophthalmology at the first Department of Ophthalmology of the National and Kapodistrian University of Athens, Greece and a research associate at the Department of Ophthalmology, Philipps University of Marburg, Germany. Dr. Lazaridis studied Medicine in Aristotle University of Thessaloniki, Greece. After a clinical traineeship in Ophthalmology at the University of Berlin (Charité Campus Virchow), he started his ophthalmology residency training at Ophthalmology Clinic Dr. Georg, Bad Rothenfelde, Germany and continued as research fellow at the Institute of Experimental Ophthalmology, University of Münster, Germany. Dr. Lazaridis completed his residency training and dissertation at the Department of Ophthalmology, Philipps University of Marburg, Germany. He became a board-certified ophthalmologist in 2014 and a fellow of the European Board of Ophthalmology (FEBO) in 2015. His clinical, surgical and research activity focuses on corneal refractive surgery, keratoplasty, keratoconus and corneal wound healing.

Jesper Hjortdal is Clinical Professor and Consultant at the Department of Ophthalmology, Aarhus University Hospital. He graduated from Aarhus University in 1988 and started basic and clinical research in corneal optics, biomechanics, and refractive surgery in 1990. In 1992 he was Visiting Research Associate at Stanford University, USA. He completed his PhD study in 1995 and became Doctor of Medicine in 1998. In 1998, Jesper Hjortdal finished specialists training in Ophthalmology and was in 2000-2001 Honorary Fellow to the Cornea and External Diseases at Moorfields Eye Hospital, London. Jesper Hjortdal is president for the Danish Ophthalmological Society for the European Eye Bank Association.

Jesper Hjortdal has published more than 130 papers. In 2013 he received the Waring Medal for Editorial Excellence (best paper in Journal of Refractive Surgery 2012).

Jon Dishler, MD, FACS, is an American Board Certified Ophthalmologist who is recognized for his contributions to refractive surgery for over 30 years. Awarded numerous patents and publications, Dr. Dishler also built one of the first FDA approved excimer laser systems. He has been a clinical investigator for multiple FDA trials, most recently as the US Medical Monitor for the SMILE procedure. Jon has contributed both as a clinical site and scientific consultant on this project. Dr. Dishler realized that the lenticules removed in the SMILE procedure provided a unique opportunity to study the femtosecond laser tissue interaction in humans. With the help of co-authors, sample tissue was imaged using a new method of scanning electron microscopy (eSEM), the results of which are presented in this text.

Kathleen S. Kunert is senior consultant at the Eye Hospital, Helios Klinikum Erfurt, and holds a position as professor of clinical optometry at the University of Applied Sciences Ernst-Abbe Jena in cooperation with ZVA Knechtsteden. She obtained her degree in human medicine from the Universität Leipzig in 1996 followed by a 3 year postdoctoral fellowship at the Schepens Eye Research Institute and Cornea Department of Ophthalmology, Harvard Medical School, Boston, USA. In 2005, she qualified as a specialist for ophthalmology and was trained at the University Eye Hospital Charité, Campus Virchow, Berlin, and the Eye Hospital, Helios Klinikum Erfurt.

She published numerous papers with special focus on dry eye, ocular allergy, femtosecond laser systems used for refractive correction of different eye diseases, and studies on accommodation and presbyopia.

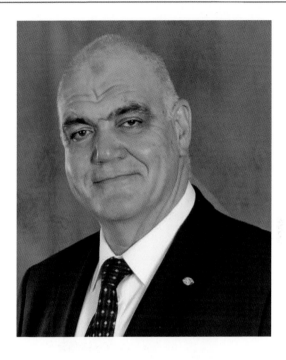

Ibrahim Osama is a clinical Professor of Ophthalmology and Immediate Past President of Alexandria University, being the first elected president (2011–2014). He completed a Fellowship in Corneal and Refractive Surgery at Emory Eye Clinic, USA, and was chief of Corneal and Refractive Unit, Magrabi Eye Centers, Saudi Arabia. He supervised and discussed more than 70 master's and doctoral theses for 30 years and promoted refractive surgery all over the Arab world and the Middle East, helping establish many centers. He is an active member of almost all prestigious ophthalmic societies in the world. He has been actively involved as a principal investigator and consultant for many clinical studies and research projects. He is the recipient of MEACO Distinction Award for 2012, Lifetime Achievement Award by the American Academy of Ophthalmology (AAO, 2013), and Casebeer Award by the International Society of Refractive Surgery (ISRS, 2012).

Walter Sekundo is Professor and Chairman, Department of Ophthalmology, Philipps University of Marburg, Germany. He studied Medicine in Frankfurt (Germany), New Orleans, and Durham (USA). He was a resident at the University of Bonn in Germany and a Fellow in Corneal and Refractive Surgery at Moorfields Eye Hospital (UK) and Ocular Pathology at the University of Glasgow, UK. He also holds a degree of "Health Care Manager." Prof. Sekundo has published over 100 original papers, over 25 book chapters, and given over 300 presentations at national and international meetings. He is a reviewer for 11 ophthalmic journals and a Board Member of "Der Ophthalmologe." Prof. Sekundo has performed over 20,000 surgical procedures in the entire field of ophthalmology and has been repeatedly named as one of the 30 top eye surgeons in Germany. He was the first surgeon in the world to have performed FLEx and SMILE.

Moones Fathi Abdalla works as medical and research director of the International Femto-Lasik Centre (IFLC), Dusit Thani Lakeveiw, Cairo. He is also employed as refractive surgery consultant and surgeon trainer at Royal Vision Center, Alexandria, and cornea and refractive consultant at Cornea Center, Alexandria. Moones Fathi Abdalla started performing SMILE since 2010. He has performed over 7000 SMILE procedures, trained more than 35 surgeons in doing SMILE, and contributed in many studies concerning SMILE.

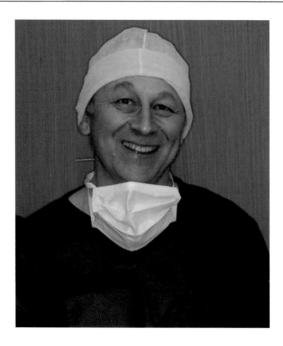

Jean-François Faure is an ophthalmologist specialized in laser refractive surgery (myopia, hyperopia, astigmatism, and presbyopia), cataract surgery, glaucoma surgery, eyelid surgery, and botulinum toxin injections in the treatment of blepharospasm and wrinkle correction.

He is a member of the following Scientific Societies:

SFO (French Society of Ophthalmology)

ASCRS (American Society of Cataract and Refractive Surgery)

ESCRS (European Society of Cataract and Refractive Surgery)

SAFIR (French Society of Intraocular Implants and Refractive Surgery)

EUCORNEA (European Society of Cornea and Ocular Surface Disease Specialists)

역자 서문

2011년 국내에 스마일수술이 처음 도입된 후 임상에서 사용된 지도 10년이 넘었습니다. 그간 한국인에서의 노모그램, 기존 라식과 라섹수술에 관한 비교평가, 안정성 등 다양한 논의가 있어 왔으나, 이제는 스마일수술이 각막굴절수술의 한 축을 이루고 있음은 부인할 수 없다고 생각합니다.

의사로서 환자에게 양질의 의료를 제공하려면 임상경험이 최우선된다고 생각합니다. 하지만 과학 지식 없이 경험으로만 축적된 의료지식은 완전하다고 볼 수 없습니다. 스마일수술의 경우도 마찬가지라 생각됩니다. 아직 국내에 한글로 된 스마일수술 교과서가 없어 외국 교과서와 논문, 학회그리고 선배 의사들의 가르침을 통해 학습할 수 밖에 없었습니다. 이에 스마일수술에 관심이 많고 좀 더 체계적인 토대를 이루고 싶은 안과의사들이 모여, 스마일수술의 대가인 Walter Sekundo가 작성한 교과서를 번역하게 되었습니다. 안타깝게도 번역서에 그치지만, 이 책을 토대로 국내 임상의사들의 경험과 지혜가 담긴 더 훌륭한 한글교과서가 편찬되기를 기대해 봅니다.

역자 일동

Part I

기본 원리

스마일수술에서의 펨토초레이저 각막절개도

Mark Bischoff and Gregor Strobrawa / 민지상

목차

2002년에 ZEISS에서 렌티큘 추출을 통한 시력 교정 기술 개발을 시작했을 때 많은 전문가들은 해당 교정 절차가 불가능하다고 생각했으며, 이러한 전문가들의 회의론은 근거 없는 것이 아니었다.

각막 절제 수술(ablative procedures) (라식 , 굴절교정레이저각막절제술)에서 의료용 엑시머 레이저는 단일 펄스(single pulse)로 약 $1\ \mu m$ 두께의 조직 층을 절제한다는 점을 고려하였을 때 처음에 펨토초레이저를 사용하여 비슷한 정밀도로 각막 내부에서 렌티큘을 만드는 것은 상상하기 어려웠다. 결국 펨토초 레이저 초점의 축 길이(Rayleigh length)는 수 마이크로미터이기 때문에 언뜻 보기에 원하는 절삭 정확도에 비해 길게 될 가능성이 제기되었다. 하지만 해당 평가는 결함이 있었으며, 이 장에서는 그 결함에 대해 설명하고자 한다. 또한 라식 및 굴절교정레이저각막절제술과 비교하여 렌티큘 추출의 중요한 특징을 설명할 예정이다. 우리는 임상의가 물리-기술적 원리를 이해하는 것이 중요하다고 생각하여 레이저 치료 기계의 기술적인 특정에 대해 서술하고자 한다.

레이저의 안과에서의 적용은 오랜 역사가 있다. 후발 백내장으로 알려진 후낭 혼탁의

첫번째 치료[레이져 후낭 절개술(laser posterior capsulotomy)]는 1979년에 펄스 적외선 레이저를 이용하여 시행되었다. 현재까지도 널리 시행되고 있는 이 술기는 짧은 파장의 적외선 레이저 펄스가 안내 렌즈의 후방에 위치한 목표물에 초점이 맞춰지며, 이 곳에서 안구 조직내 혈장 기포가 형성되어 후낭의 파괴를 유발한다. 펄스 길이는 일반적으로 수 나노초(약 4 ns)이므로 펨토초 레이저 각막절제의 펄스보다 약 10,000배 더 길다. 1980년대에 극초단 광 펄스(ultrashort light pulses)를 생성하는 기술이 극적으로 발전했다. 결과적으로 사용 가능한 펨토초 레이저는 방대한 수의 매우 중요한 과학적 발견을 가능하게 했을 뿐만 아니라 의학적 레이저 사용 또한 가능하게 하였다. 하지만 안정적인 다이오드 펌핑 레이저(diode-pumped solid-state lasers)가 개발되고 나서야 일상적인 의료기기 적용이 가능하게 되었다. 1980년대 말에는 안구내 국소 효과가 있는 적외선 레이저 펄스의 국소 효과와 스캐닝 엑시머 레이저(scanning excimer lasers)로 알려진 자동 레이저 빔 제어를 결합하는 개념이 대두되었다. 2001년 IntraLase, Inc. (미국 어바인)는 최초의 펨토초 레이저 각막절제기를 시장에 출시했다. 이를 통해 컴퓨터 보조적인 개별 플라즈마 기포(plasma bubbles)의 자동 스캔이 가능하게 하여 각막 내부에 정확한 절개를 할 수 있었다.

플랩의 절개는 약 100만개의 플라즈마 기포의 층상 정렬이 필요하다. 각각의 초단파 레이저 펄스는 먼저 초점 부위에 플라즈마를 생성하여 그곳의 조직 물질을 분해한다(1차 효과). 이 후 플라즈마가 팽창하여 기포가 된 후 주변 조직 구조를 늘리고 기계적으로 분리하게 된다[1]. 이 분리는 종종 조직 절단과 유사하게 조직의 층상구조를 따라 진행된다. 이러한 조직 2차 절단 효과는 펄스 에너지가 높을수록 더욱 두드러진다. 이 장의 초입부에서 언급된 질문은 조직 분리가 발생하는 정밀도에 대해 기본 메커니즘을 고려하여야 한다. 이 메커니즘에 따르면 조직에 절개를 만드는 것은 단일 레이저 펄스가 아니라 평방 밀리미터당 10,000-100,000 펄스가 모여 만드는 효과이다. 따라서 단일 레이저 초점의 축 길이의 특징인 축길이(Rayleigh) 길이가 펨토초 레이저 각막절개의 정밀도로 해석될 수 없다. 축 방향 절단 정밀도는 단순하게 생각했던 것과는 다르게 매우 많은 개별 레이저 펄스의 축방향의 정밀도를 합한 것이다. 따라서 매우 좋은 임상 결과는 절단 정밀도의 적절성과 밀접한 관계가 있다는 것은 의심의 여지가 없다.

물리 공학적인 관점에서 보면 조직 절개의 특징을 "정밀도(precision)"라고 부적절하게 구별하는 경향이 있다. 이를 대신하여 "윤곽 정확도(contour accuracy)" 및 "거친 정도(Roughness)"가 있다. 이들은 엑시머 레이저와 펨토초 레이저의 각막절제를 비교하는 데 적절한 요소라고 할 수 있다(그림 1-1).

예를 들어 엑시머 레이저의 절삭 특징은 절삭 후 표면의 거친 정도가 낮은 것이다. 최첨단 펨토초 레이저 각막 절삭기는 이제 낮은 펄스 에너지와 높은 레이저 조사 밀도(표면 적당 레이저 조사 횟수)가 가능하여 절삭 후 표면 거칠기가 낮다. 예를 들어, 직경 7 mm의 렌티큘의 경우, 각 절단면은 약 430만 개의 레이저에 의해 3 μm 간격의 레이저 조사로 이

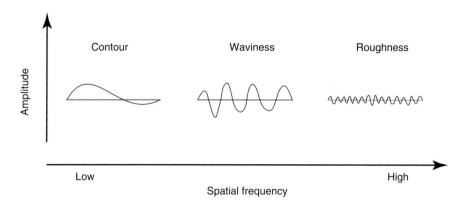

그림 1-1. 윤곽 편차(Contour deviation) 및 거칠기(roughness)는 절단 표면을 특징을 결정하는 유용한 매개변수이다. 그들은 매우 낮고 매우 높은 공간 주파수로 의도된 모양의 편차를 측정한다. 중간 공간 주파수의 편차는 "파상(waviness)"으로 해석될 수 있다.

루어진다. 이는 동일한 면적을 형성하는 100번의 엑시머 레이져 조사와 비교할 수 있다. 밀도가 매우 다른 레이저 조사 패턴으로 이러한 표면으로 조사한다고 가정하면, 엑시머 레이저로 작업하는 경우 편차가 발생해 표면이 물결 모양으로 나타날 수 있음을 예상할 수 있다. 따라서 생성된 절단면의 높이 오류는 위치에 따라 천천히 변경된다(기술적 용어: 낮은 공간 주파수). 이러한 "등고선 편차(contour deviation)" 특성은 가장 낮은 공간 주파수의 한계 경우를 설명하는 데 사용된다. 표면 윤곽의 부정확성은 구형, 원주, 그리고 구면 수차를 유발한다. 스캔 패턴의 세분화는 특히 거칠기와 물결 모양을 유발한다. 하지만 엑시머 레이저의 경우 추가적으로 가능한 오류가 있을 수 있다. 이는 공기와 절삭할 대상 조직의 특성을 포함한다. 엑시머 레이저의 절삭 과정의 이러한 상호적인 특성은 절삭 과정 중 오차의 누적을 이어지며, 계획된 굴절 교정의 양이 클수록 증가한다. 따라서 이러한 오류는 절삭 깊이와 광학부의 크기에 따라 증가한다.

하지만 스마일수술에서는 교정의 양이 절대 정밀도에 직접적인 영향을 미치지 않는다. 따라서 결국 교정의 양이 1D인지 10D인지는 거의 차이가 없다. 또한 교정의 양이 매우 적은 경우 (<1D)의 경우에는 렌티큘의 상하측 절개 사이가 매우 가깝기 때문에 두 절개 사이의 상호작용으로 이어질 수 있다. 수술의 질 측면에서 이러한 영향을 피하기 위해서는 기포의 크기를 최소화하고 낮은 펄스의 에너지를 이용하는 것이 필요하다. 따라서 펠스 에너지 측면에서 시장에 출시된 펨토초 레이저 각막 절삭기를 비교하는 것은 렌티큘 형성에 대한 근본적 적합성에 대한 논의가 가능하게 한다. IntraLase는 기질 조직 디스크를 만들어 굴절 교정을 하는 첫번째 시도를 보고하였으나, 이후 추가적인 임상 시험을 통해 추가적인 연구가 진행되지는 않았다[2].

1.1   펨토초레이저 각막절개도을 사용하는 펄스에너지가 다양한 이유

특정 펨토초 레이저 각막에 대한 펄스 에너지를 원하는 만큼 낮게 설정하는 것은 불가
능하다. 이러한 시스템의 각각 최소 펄스 에너지는 빔 초점[초점 영역당 펄스 에너지(pulse
energy per focus area)]에서 플라즈마 형성에 필요한 조사 강도를 생성하는 능력에 의해 결
정된다. 이 강도를 매체의 광자 밀도로 상상할 수도 있으며, 이 밀도는 정상적인 조건에서
투명한 조직이 모든 화학 결합이 끊어지고 레이저 초점에서 플라즈마가 형성되기에 충분
한 방사선(비선형)을 흡수하도록 도달해야 한다. 따라서 이것은 아주 작은 공간에 가능한
많은 광자를 동시에 집중시키는 것이다. 이것은 초단파 펄스의 극단적 초점에 의해 이루
어진다. 초점 양은 빔 콘 각도(Beam cone angle)가 증가함에 따라 감소하고, 가능한 가장
큰 빔 콘 각도는 가능한 가장 낮은 펄스 에너지에서 플라즈마 형성의 달성에 유리하다. 광

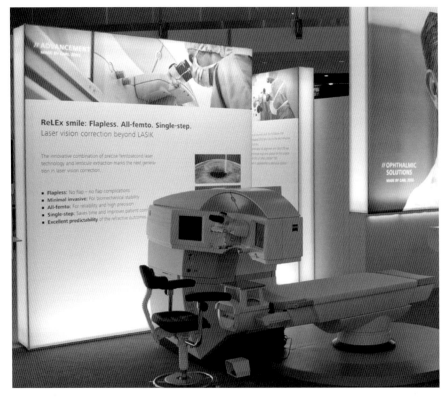

그림 1-2. 비쥬맥스 펨토초 레이저 각막절개기계. 최대의 절단 정밀도, 효율성 및 편안함을 제공하
기 위해 전면 대물 렌즈(full-field objective lenses)를 사용합니다(출처: ZEISS, 2012 at WOC
Abu Dhabi)

학 공학에서는 빔 콘 각도(조리개 각도) 대신 "수치적 조리개"라는 용어를 사용하는 것이 일반적이다(그림 1-2).

현재의 펨토초 레이저 각막 절제술은 사용하는 광학 시스템에 따라 두 가지 범주로 나눌 수 있다. 첫 번째는IntraLase 및 비쥬맥스(VisuMax®) 같은 전체 필드 대물 렌즈가 있는 장비이다. 두 번째는 부분 필드 대물 렌즈와 함께 작동하고 대물렌즈를 이동하지 않고 실제 치료 필드의 작은 부분만 처리할 수 있는 Ziemer에서 만든 장비가 포함된다. 실제로 큰 전체 필드 대물 렌즈의 경우 높은 조리개 각도(큰 빔 콘 각도)가 있어 상당히 비용이 들고 인체 해부학적 제한점(코, 광대뼈)이 있으나 부분 필드 대물 렌즈는 비교적 작고 비용 효율적이다. 부분 필드 대물 렌즈는 이러한 이점이 있지만 절단 표면을 형성할 때 자유도가 떨어진다. 따라서 부분 필드 대물 렌즈 시스템은 렌티큘 형성에 적합하지 않은 경향이 있다. 적절한 대물렌즈와 더불어 적절한 빔 제어도 정밀한 돔 모양의 곡률의 렌티큘 제작에 필요하다.

1.2   스마일수술에서 렌티큘의 절개 모양과 정밀도

렌티큘 형성을 위한 절개는 1948년 José I Barraquer Moner 초기 연구의 초기 개척연구 [3], 1988년 Munnerlyn 등의 이론적 연구[4], Swinger 등과 Lai [5, 6]의 각막 실질내 절삭의 초기 연구를 기본 원칙을 기초로 이루어진다. 또한 2002년부터 동료들과 협력하여 개발해온 특정 기술 실행에 대한 ZEISS의 작업을 기반으로 한다[7-9]. 굴절교정레이저각막절제술과 라식에 대한 경험은 부수적인 역할을 했다. 그 이유는 이 두 수술에서 각막 절제 특성에 대한 경험적 지식의 적용은 여러가지 이유로 실제 일어나지 않았기 때문이다. Sekundo와 Blum [10]의 선구적인 연구로 시작하여 점차 개선된 방법으로 임상에 적용할 수 있게 되었다. 또한 뛰어난 굴절 수술 분야의 임상의들이 이 연구에 기여했으며, 그들 중 일부는 이 책의 집필에도 공헌하였다.

이제 렌티큘 형성을 위한 절개 기술의 현재 디자인에 대해 살펴보겠다. (그림 1-3)은 스마일수술 절차에서 생성된 기존의 절개창의 주요 특징을 보여준다.

캡 단면은 항상 각막 표면과 평행하게 이루어지며 두께가 다를 수 있다(자세한 내용은 12장 참조). 굴절 효과는 캡 컷과 더 깊은 렌티큘 컷 사이의 상호 작용으로 인해 발생한다. 렌티큘 컷은 위 절개부의 기포로 인한 레이저 빔의 그림자 효과를 피하기 위해 레이저 각막절제술에 의해 먼저 수행된다. 두 절개는 일반적으로 약 렌티큘의 가장자리에 길이 10-15 µm의 사이드 컷에 의해 서로 연결된다. 사이드 컷은 렌티큘 추출의 완성도에 대한 임상의의 제어를 증가시키기 때문에 임상적으로 입증되었다. 각막 전면과 캡 컷의 단면이 평행한 것은 흡인 소실 같은 수술 중의 합병증이 있는 경우나 후속 굴절 수술이 필요한 경

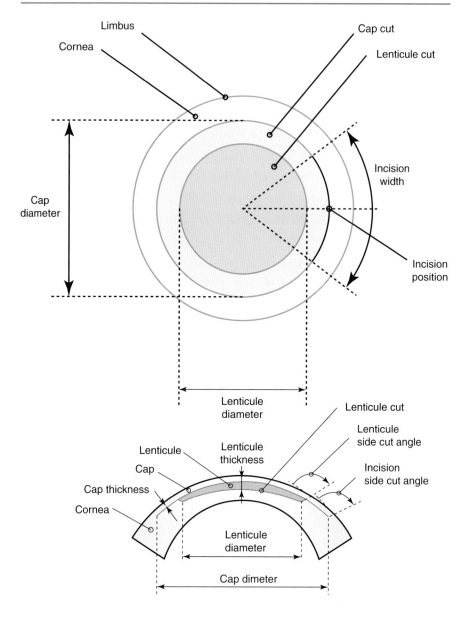

그림 1-3. 근시수술용 스마일수술과 관련된 매개변수. **(a)** 위에서 각막을 본 렌티큘과 캡이 이미 절단된 개략도. **(b) (a)**와 같이 각막을 위에서 보았을 경우이며, 개구 절개opening incision 폭, 렌티큘 직경, 캡 두께, 최소 렌티큘 두께, 캡 직경, 캡 및 렌티큘 측면 절단 각도와 같은 많은 매개변수를 사용자가 직접 선택할 수 있다. 렌티큘 두께, 잔여 베드 두께 및 렌티큘 모양(레이블 없음)과 같은 기타 매개변수는 사용자가 입력한 매니페스트 및 목표 굴절 값과 수술 전 각막 곡률을 기반으로 비쥬맥스 Laser Keratome 소프트웨어에 의해 계산된다(이 그림에서는 종횡비가 수정되었다).

그림 1-4. 근시 교정을 위한 전형적인 렌티큘의 단면, 정확한 종횡비로 표시되지만 선명도를 위해 약 25:1 스케일로 표시(구형sphere = -5 디옵터, 원주cylinder = 0 디옵터, 직경 = 6 mm, 최소 렌티큘 두께 = 15 μm, 측면 절단 각도 = 90°). 곡률은 그림과 같으며 렌티큘은 평평하거나 평행한 표면으로 절단되지 않는다.

우에 매우 유리하며, 각막의 생체역학적 안정성 측면에서도 매우 유리한 것으로 입증되었다.

각막 전면과 캡 컷의 평행 위치는 또한 드문 경우의 합병증(흡인 손실) 또는 후속 교정에서 매우 유리하며 각막의 생체역학적 안정성 측면에서도 매우 유리한 것으로 입증되었다.

현재는 스마일수술을 시행하는 대부분의 임상의는 각막 전면에 단 하나의 접근 절개(2-4 mm)로 수술을 진행한다(5장과 10장 참조). 중요한 여러가지 특성을 나타내기 위해 렌티큘은 거의 항상 축 방향(광축)으로 진행한다(예: 그림 1-3). 그러나 실제 렌티큘 모양에 잘못된 이미지가 있는 경우가 있다. (그림 1-4)는 실제의 종횡비로 전형적인 렌티큘의 매우 정확한 구조를 보여준다.

구면 교정 외에도 시력 교정에는 종종 난시 교정도 포함된다(임상 결과는 8장 참조). 렌티큘 컷의 경우 절개가 구형이 아니라 타원형이어야 함을 의미한다. 이러한 경우 수술을 하는 임상의는 절개를 할 때 일반적인 원형 나선 경로가 아닌 렌티큘의 절개부에서 스캔 되는 타원형 나선 경로를 관찰할 수 있다. 이것은 각 타원체의 형태이다. 결과적으로 발생하는 렌티큘의 초기 타원형 진행 방향은 측면 절단으로 완성되는 특수 전환 영역을 통해 원형 가장자리로 다시 변형된다. 렌티큘 두께의 굴절 교정량 의존성은 Munnerlyn의 이론에 따라 위에서 언급한 이론적 한계값을 따르며, 이에 따라 경험 법칙은 다음과 같다. 6 mm 영역에서 1 D 교정은 약 13 μm 조직 두께에 해당한다. 근시 교정에서 이러한 값은 렌티큘의 중심 두께로 나타난다. 원시 교정에서는 광학 영역의 가장자리에서 렌티큘의 두께로 나타난다. 렌티큘의 총 두께는 10-15 μm의 렌티큘의 최소 두께를 추가하여 계산되며, 이는 엑시머 레이저와 빠른 비교에서 라식 또는 굴절교정레이저각막절제술에 비해 스마일의 조직 제거가 약간 더 높음을 시사한다. 그러나 교정값에 대한 선형 종속성을 추가하여 조직 절삭이 광학영역의 직경에 대한 2차 종속성을 보여준다는 점을 고려해야 한다. 이것은 광학 영역의 측면 진행을 위해 스마일수술과 라식 사이의 적절한 비교에 사용되는 매개변수에 관한 질문을 야기한다. 이와 관련하여 다른 결론에 도달할 수 있다. 그러나 궁

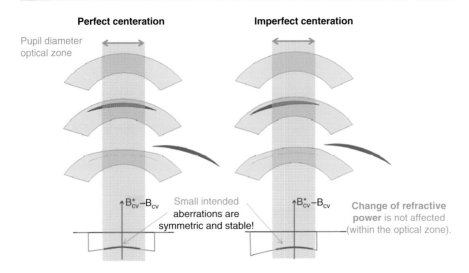

그림 1-5. 기질 내부의 렌티큘의 회전 탈중심화의 광학 효과는 이동하는 콘택트 렌즈와 유사하다. 이는 릴렉스 스마일수술(ReLEx®) 소프트웨어의 절단 표면 설계뿐만 아니라 일반적인 방법 때문이다. 그림에서 유도된 굴절력 변화(B* CV −B CV)는 스마일수술의 탈중심화에 민감하지 않은 것으로 나타났다. 광학 영역(녹색)과 각막 용적(회색)은 수술 전 상태(위), 렌티큘이 절단된(가운데), 렌티큘이 추출된(아래) 상태로 표시된다. 왼쪽은 완벽한 중심화, 오른쪽은 탈중심화를 나타낸다.

극적으로 일상적인 임상에서 중요한 문제는 환자 각막의 안정성을 불필요하게 손상시키지 않으면서 밝은 환경에서 전체 광학 영역에서 가능한 최상의 굴절 교정을 얻어 모든 밝은 환경에서 양호한 시력을 제공하는 것이다. 스마일수술이 기존의 굴절 수술에 비해 이러한 점에서 유리한 것은 의심의 여지가 없다(그림 1-5)[11].

1.3   중심화 정확도(Centering Accuracy)

비쥬맥스 장치에서 임상의가 일반적으로 달성한 중심화에 대한 정확도가 스마일수술 절차에서 충분한지 종종 질문을 받는다. 스마일수술 이후 센터링에 대한 임상 데이터는 챕터 14에 나와 있으며, 이론적인 배경을 이 챕터에서 설명하고자 한다. 실제로 이 질문은 상당히 타당하다고 생각된다. 왜냐하면 라식과 굴절교정레이저각막절제술을 사용한 많은 임상의들의 임상 경험은 라식과 굴절교정레이저각막절제술 모두에서 탈중심화로 인해 임상적으로 관련된 고차 수차가 유도될 위험이 있기 때문이다. 스마일수술의 렌티큘 형성에는 근본적인 차이가 있다. 렌티큘의 탈중심화는 비교적 적은 양의 고차 수차를 유발한다. 렌티큘 추출 및 라식, 굴절교정레이저각막절제술 같은 절삭 수술이 이와 같이 완전히 다른 이유는 조직의 다양한 특성과 비교하여 앞서 진술한 엑시머 절제의 민감도에 있다. 즉, 엑시머 레이저 절삭의 탈중심화가 있는 곳에서는 항상 고위 수차가 발생하게 된다. 이는 주로 작업 영역 가장자리 주변의 절삭 오류로 인해, 절삭 효율의 왜곡(투영 오류) 및 변동에 인해 발생한다. 이러한 것은 최첨단 엑시머 레이져를 이용한 굴절교정레이저각막절제술과 라식에서도 부분적으로 조절이 가능하지만 스마일수술에서는 완전히 배제된다. 비교적 유리한 생체역학적 상황 외에도 이것은 스마일수술에서 굴절 교정의 매우 우수한 예측 가능성에 확실히 기여한다.

이 장에서 우리는 많은 물리-기술적 문제를 다루었고 이 범위 내에서 가능한 한 스마일수술이 기술적으로 작동하는 방법과 이유를 설명했다. 또한 충분한 절단 정밀도로 렌티큘을 생성할 수 있는 이유, 모양 및 조직 내에서 준비해야 하는 중심화 정확도 수준에 대해 설명했다. 다음 장에서는 환자 각막에서 발생하는 렌티큘의 생성 및 추출의 매혹적인 생물의학적 과정을 살펴보자.

참고문헌

1. Riau AK, Poh R, Pickard DS, Park CHJ, Chaurasia SS, Metha JS (2014) Nanoscale heliumion microscopic analysis of collagen fiber changes following femtosecond laser dissection of human cornea. J Biomed Nanotechnol 10:1552-1562.
2. Ratkay-Traub I, Ferincz IE, Juhasz T, Kurtz RM, Krueger RR (2003) First clinical results with the femtosecond neodymium-glass laser in refractive surgery. J Refract Surg 19:94-103.
3. Barraquer J (1949) Queratoplastia refractiva. Estud Inform Oftalmol 10:2-21.
4. Munnerlyn CR, Koons SI, Marshall J (1988) Photorefractive keratectomy: a technique for laser refractive surgery. J Cataract Refract Surg 14(1):46-52.
5. Swinger CA, Krumeich JH, Cassiday D (1986) Planar lamellar refractive keratoplasty. J Refract Surg 2(1):17-24
6. Lai ST. Ophthalmic surgical laser and method. US 5,984,916 (filed 1993) 7. Bendett M, Bischoff M, Gerlach M, Muehlhoff D Apparatus and method for ophthalmologic surgical procedures using a femtosecond fiber laser. US 7,131,968 (filed 2003).
7. Muehlhoff D, Gerlach M, Sticker M, Lang C, Bischoff M, Bergt M Device for forming curved cuts in a transparent material. EP 1648360 (filed 2004).
8. Bischoff M, Sticker M, Stobrawa G Behandlungsvorrichtung zur operative Fehlsichtigkeitskorrektur eines Auges. DE102006053120 (filed 2006).
9. Sekundo W, Kunert K, Russmann C, Gille A, Bissmann W, Stobrawa G, Sticker M, Bischoff M, Blum M (2008) First efficacy and safety study of femtosecond lenticule extraction for the correction of myopia: six-month results. J Cataract Refract Surg 34(9):1513-1520.
10. Reinstein DZ, Archer TJ, Randleman J (2013) Bradley's mathematical model to compare the relative tensile strength of the cornea after PRK, LASIK, and small incision lenticule extraction. J Cataract Refract Surg 29(7):454-460.

ReLEx® 수술 후의 상처 치유

2

Yu-Chi Liu, Donald T-H Tan, and Jodhbir S. Mehta / 민지상

목차

2.1   펨토초 레이저의 기본 원리

펨토초 레이저(Femtosecond laser)는 적외선 스펙트럼에 가까운 파장의 펄스를 방출하고 펨토초 단위로 측정할 수 있는 지속 시간을 방출하는 고체 레이저 소스로 구성된다[1]. 펨토초의 정의는 10 -15초이며, 아르곤 플루오라이드 엑시머 레이저의 193 um 파장의 빛에 의해 생성되는 광절제와 달리 펨토초 레이저에서 사용되는 1,053 um 파장의 빛은 광파괴로 알려진 다른 조직 상호작용을 생성한다. 광파괴 과정에서 플라즈마(자유 전자 및 이온), 음향 충격파, 열 에너지 및 공동 버블이 생성된다[2](그림 2-1). 레이저 유도 광학 파괴라고 하는 이 광파괴 과정은 본질적으로 소량의 조직을 기화시킨다[3]. 광파괴의 임계값은 레이저의 강도와 반비례하다. 펄스의 지속 시간이 짧을수록 레이저 스폿의 직경이 작을수록 광파괴에 필요한 에너지가 낮아진다. 펨토초 레이저는 원하는 깊이에서 다양한 모양의 각막 절단을 생성할 수 있으며, 레이저 반점의 정확한 초점을 허용하는 각막 투명도가 이를 위한 가장 기본적 요구 사항이다[1]. 각막 표면은 레이저의 기준면이다. 더 높은 개

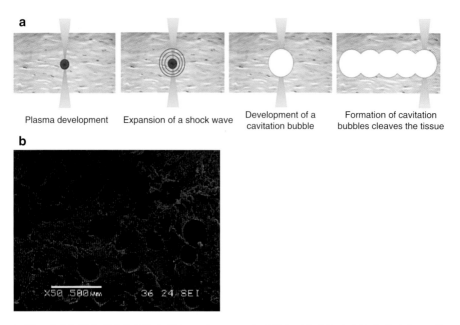

그림 2-1. **(a)** 각막 기질에서 광파괴(photodisruption) 과정의 그림. **(b)** 사진 중에 생성된 공동화 기포 cavitation bubble를 보여주는 주사형 전자 현미경 사진 Scanning electron microscopic micrograph

구수를 가진 렌즈는 직경과 부피 면에서 더 초점을 맞춘 레이저 스폿을 생성하여 층상 절단의 깊이 정확도와 전반적인 정밀도를 향상시킨다. ReLEx®에 사용되는 비쥬맥스 시스템(Carl Zeiss Meditec AG, Jena, Germany)은 낮은 펄스 에너지와 높은 펄스 주파수(500 kHz)와 함께[5] 높은 개구수 렌즈를 사용한다[4]. 낮은 펄스 에너지는 일반적으로 불투명한 기포층, 부수적인 열 손상, 각막 염증, 미만성 층상 각막염 및 일시적인 빛 감도와 같은 부작용이 적다[6-8].

2.2   ReLEx® 후의 상처 치유

각막 상처 치유는 레이저 시력 교정의 안전성, 유효성 및 안정성에 중요한 영향을 미친다[9, 10]. 상처 치유 반응의 생물학적 차이는 일부 환자(과교정, 과소교정, 퇴행 및 불규칙한 난시)에서 굴절 수술의 예측 가능성에 영향을 미치는 주요 요인으로 생각된다[9]. 각막 상처 치유는 또한 펨토초라식(Femtosecond laser keratomileusis) 후 각막 혼탁, 근시 퇴행 및 상피 내생과 관련이 있는 것으로 보고되었다[11-13].

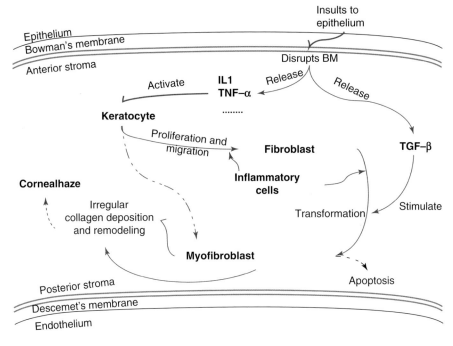

그림 2-2. 각막 상처 치유 연쇄반응의 그림

  각막 상처 치유는 일련의 복잡한 경로를 포함한다. 분자 및 세포 수준에서 인터루킨 (IL)-1, 종양 괴사 인자-α (TNF-α), 표피 성장 인자 및 혈소판 유래 성장 인자와 같은 사이 토카인 및 성장 인자가 손상된 상피에서 방출된다[14-16]. 이러한 손상은 절개, 펨토초 레이 저 노출 또는 기타 조작이 원인일 수 있다[10]. 방출된 사이토카인과 성장 인자는 기질 각막 세포의 세포자멸사를 매개하고[17], 그 다음 몇 시간 내에 남아 있는 기질 각막세포의 증식 과 이동을 통해 기질 세포성을 회복한다[18, 19]. 24시간 이내에 염증 세포가 이동하여 세포 사멸 세포를 식세포화하고 각막세포의 섬유아세포로의 변형을 촉진시킨다[10]. 이후 성장 인자-β (TGF-β) 및 기타 사이토카인을 변형시키면 섬유아세포에서 근원섬유아세포로의 분화가 유도되고[19], 근섬유아세포의 출현은 각막 표면의 불규칙성과 각막 혼탁에 연관된 아주 중요한 생물학적 사건이다[20, 21](그림 2-2). 각막 상처 치유 반응 동안 근섬유모세포 전구체 세포자멸사와 근섬유모세포 발달 사이의 균형은 각막 혼탁 발생 여부를 결정하는 중요한 결정 요인이다[22]. 또한 각막 무혈성 또는 각막 "혈관신생 특권" 상태의 유지는 각 막 투명도에 중요하다[23, 24]. 각막 무혈성의 유지는 혈관신생 인자와 항혈관신생 인자의 생 성 사이의 미세한 균형에 달려 있다[9]. 각막 무혈성을 유지하는 데 중요한 역할을 한다고 생각되는 최초의 물질 중 하나는 색소 상피 유래 인자(PEDF)이다[25].

2.2.1   ReLEx®후의 각막 상처 치유와 염증반응: 동물 모델 연구

ReLEx® 후 각막 상처 치유 및 염증 반응을 조사한 연구는 많지 않다. 우리는 수술 1일 후 ReLEx®와 펨토초라식 후 초기 각막 상처 복구 및 염증 반응을 비교했다[26].

우리는 ① 활성화된 각막세포에 의해 생성되고 각막 상처 치유 과정에서 세포 접착, 성장, 이동 및 분화에 중요한 역할을 하는 섬유 브로넥틴의 발현이 펨토초라식보다 ReLEx®에서 각막 절개선에 덜 발현된다는 사실을 입증하였다[27]. 교정값이 커질수록 그 차이는 더 두드러진다. 이는 펨토초라식에서 엑시머 레이저의 더 높은 에너지가 있는 경우 피브로넥틴 염색의 강도를 증가되었기 때문이다. 또한 펨토초라식에서는 1.0 mm 블렌드 영역을 포함하는 더 넓은 치료 영역이 수행된다(ReLEx®에서는 기존의 블렌드 영역이 필요하지 않음). 손상 후 염증성 침윤에 역할을 하는 CD11b 양성 세포(단핵구의 표지자)의 수에서도 유사한 경향이 나타났다. 이러한 결과는 펨토초라식에서 엑시머 레이저 치료가 더 높은 정도의 염증을 유발함을 의미한다. 또한, 렌티큘이 제거되지 않은 경우 ReLEx® 후 각막에서 레이저 수직 또는 층판 절단면을 따라 볼 수 있는 CD11b 양성 세포가 없음을 발견했다. 이는 ReLEx® 이후의 염증 반응이 주로 레이저가 아닌 외과적 절개에서 비롯됨을 나타낸다. ② TUNEL 양성 세포(세포자멸 세포를 나타냄)가 각막 중앙과 플랩 주변에서 검출되었으며, 이는 손상된 상피가 없는 상태에서도 펨토초 레이저 에너지가 여전히 각막세포 사멸을 유도함을 시사한다. 펨토초라식 그룹에서 더 많은 세포자멸 세포가 관찰되었지만 펨토초라식 그룹과 ReLEx® 사이의 세포자멸 세포 수에는 큰 차이가 없었다. ③ 세포증식 표지자인 Ki-67은 두 군 모두에서 각막 중심의 상피보다는 플랩 변연의 상피 세포에 주로 존재하였다. 이는 상피가 손상되거나 변위된 부위에서 주로 증식 활성이 관찰되었음을 나타낸다. 플랩 가장자리 주변의 Ki-67 발현에는 두 그룹 사이에 유의미한 차이가 관찰되지 않았다.

Dong 등[28]은 토끼 모델을 이용하여 스마일수술과 펨토초라식 후 조기 각막 상처 치유 및 염증 반응을 평가 및 비교하였다. 이들은 ① TUNEL 양성 세포가 수술 후 4시간 및 24시간에 스마일수술과 펨토초라식 수술 후 층상 경계면에서 검출되었다고 보고했다. 통계적으로 유의하게 적은 수의 TUNEL 양성 기질 세포가 수술 후 4시간 및 24시간에 펨토초라식 그룹보다 스마일수술 그룹에서 관찰되었다. ② 수술 후 3일과 1주에 펨토초라식 그룹에 비해 스마일수술 그룹의 기질에서 Ki67 양성 세포가 통계적으로 유의하게 더 적었다. 또한 스마일수술은 기질 각막세포 증식을 덜 자극했다. ③ CD11b 양성 세포는 수술 후 1일, 3일 및 1주에 스마일수술 그룹에서 현저히 적었다. 저자들은 이를 다음과 같은 이유 때문일 수 있다고 가정했다: 스마일수술의 작은 절개는 손상 부위의 염증 세포를 끌어들이기 위해 더 적은 사이토카인을 생성하는 점, 엑시머 레이저와 비교하였을 때 펨토초 레이져를 이용한 기질내 박리가 조직 손상이 덜하다는 점, 스마일수술 후 수술 경계면에

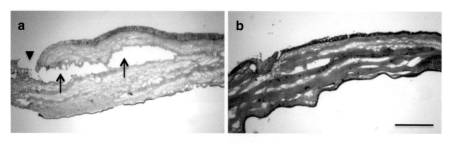

그림 2-3. 헤마톡실린-에오신H&E 염색으로 염색된 토끼 각막의 광학현미경 단면 조직학적 표본에서 작은 절개(화살표머리)와 층판 박리 상처(화살표)가 **(a)** 수술 1일차에 관찰되었으나, **(b)** 수술 후 1주에 거의 치유됨. 원배율: 100×, 눈금 막대 100 μm

괴사 파편이 덜 존재한다는 점.

또한 우리는 토끼 모델에서 스마일수술에 따른 초기 각막 상처 치유 염증 반응을 연구하였다. 수술 1일차에 작은 수직 절개와 층상 박리 상처가 관찰되었으나(그림 2-3 (a)), 둘다 수술 1주차에 거의 치유되었다(그림 2-3 (b)). CD11b 양성 세포는 수술 후 1일째에 뚜렷하게 나타나며, 층판 절개면(그림 2-4 (b))보다 수직 절개 부위(그림 2-4 (a))주변에 더 많았다. 이는 수직 절개가 상피와 기저막을 관통하기 때문으로 생각할 수 있다. 건강하고 손상되지 않은 정상 각막에서 기저막은 사이토카인과 결합하는 기능을 할 수 있으며[29], 이는 기저막이 세포 또는 눈물액에 의해 생성되는 신호 분자에 대한 물리적 장벽으로 작용할 수 있다[30]. 따라서 장벽이 손상되면 기본 기질이 신호 분자에 노출되고 염증 세포 침윤이 증가한다. 더욱이, 작은 절개를 통해 기구를 삽입하여 렌티큘의 전면 및 후면을 박리하고 렌티큘을 추출하는 것과 같은 절개 주위의 외과적 조작은 기저막에 대한 더 많은 자극으로 인해 염증 세포를 유인하여 사이토카인을 유발할 수 있다. 또한 스마일수술 후 비교적 빈번한 수술 후 합병증인 부주의로 인한 절개 부위의 경미한 상피 찰과상 또는 작은 파열 때문일 수도 있다[31]. 수술 1주일 후 CD11b 발현이 현저히 감소했다. 하지만(그림 2-4 (c), (d)) 이는 Dong 등에 의해 보고된 것과 다르며[28], 이 연구에서는 수술 1일 후에 비해 1주 후 중심 각막에서 CD11b 양성 세포의 증가를 보였다. 그러나 CD11b는 호중구, 단핵구, 대식세포의 표면에 발현되는 초기 염증 표지자로 각막 손상 후 24시간 이내에 상처 부위에 유인되고 3일 후 림프구로 대체되는 것으로 보고되었다[32]. 우리는 예전에 CD11b의 발현이 렌티큘 추출의 외과적 외상과 관련이 있음을 보고한 바가 있고, 두 연구 사이의 결과의 차이는 렌티큘 추출의 수술 기법의 차이로 설명될 수 있다. 피브로넥틴의 발현은 수술 1일차에 절개부 주변과 추출된 렌티큘 평면을 따라 나타났으며(그림 2-5 (a), (b)), 수술 후 1주차에 이 두 부위의 염색 강도가 증가하였다(그림 2-5 (c), (d)). 토끼 상처 치유 모델에 대한 연구에 따르면 각막 절개 1일 후 피브로넥틴이 수술 부위에 나타났다.

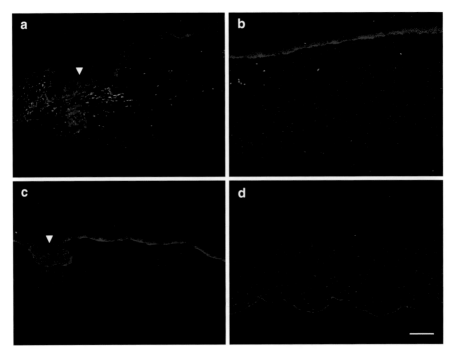

그림 2-4. 토끼 각막 1일(a, b) 및 1주(c, d)에서 CD11b의 발현을 보여주는 면역조직화학 염색에서 -4.0 D 스마일수술 후 절개부(a, c; 화살촉) 및 추출된 렌티큘 평면(b, d). CD11b-양성 세포는 1일째에 강하게 관찰되었고, (b) 층상 절단면보다 (a)절개부 주위에 더 강하게 관찰되었고 (c, d) 수술 후 1주에 유의하게 감소했다. 원배율: 200×, 눈금 막대 100 μm

다음 1-2주 동안 증가된 피브로넥틴은 결손 부위를 덮기 위한 상피 세포 혹은 각막세포의 이동을 지원하는 임시 기질을 제공한다[33, 34]. 2주 후 상처 치유 반응이 완료되고 피브로넥틴의 발현이 감소하기 시작했다[33]. 이것은 왜 스마일수술 후 1주차에 작은 수직 절개부와 추출된 렌티큘 평면 모두에서 피브로넥틴의 발현이 더 뚜렷하게 나타났는지 설명한다. 열충격 단백질 47(HSP47)은 스트레스 단백질이며 콜라겐 특이 분자 샤프론(chaperon) 으로 발현되며, 세포에 가해지는 스트레스에 반응하여 유도된다[35, 36]. 주로 수직 절개 부위에 나타났다가 스마일수술 후 1주일에 소실되는 CD11b의 염색 패턴과 달리, HSP47의 발현은 수술 1일차에 각막 전체에서 관찰되고(그림 2-6 (a), (b)), 수술 1주후 상당히 감소한다(그림 2-6 (c), (d)). 레이저 유도 세포 스트레스는 각막의 전체 층과 작은 절개 부위에 영향을 줄 수 있다.

생체 내 공초점 현미경(IVCM)의 특징인 각막 후방 산란광 강도(Corneal backscatter light intensity, LI) 깊이 그래픽(Z-스캔)은 굴절 수술 후 각막 기질 반응, 각막 세포 활성화 및 객관적인 haze 등급을 평가하는 데 사용되는 것으로 보고되었다[37-39]. 생체 내 공초점

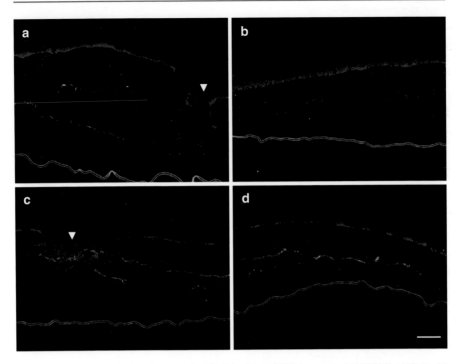

그림 2-5. 토끼 각막 1일(**a, b**) 및 1주(**c, d**)에서 피프로넥틴(fibronectin)의 발현을 보여주는 면역조직화학염색에서 -4.0 D 스마일수술 후 절개부(**a, c**; 화살촉)와 추출된 렌티큘(**b, d**). 피프로넥틴의 발현은 1일째(**a, b**)에 절개 부위와 추출된 렌티큘 평면 주위에 나타났고, 이 두 부위의 염색 강도는 수술 1주차에 더 커졌다(**c, d**). 원배율: 200×, 눈금 막대 100 μm

현미경 (IVCM)의 기능 중 하나인 각막 후방 산란 광도 깊이 그래픽은 굴절 후 각막 기질 반응, 각막 세포 활성화 및 객관적인 혼탁 정도를 평가하는 데 사용되는 것으로 알려져 있다. 우리는 또한 Image J 소프트웨어를 사용하여 반사 수준을 반정량화하여 토끼 모델에서 펨토초라식 및 ReLEx® 후 초기 각막 상처 치유 및 염증 반응을 평가하고 비교하기 위해 IVCM을 사용했다[26]. 두 그룹 간의 반사 수준 차이는 펨토초라식 그룹에서 더 높은 반사 수준이 있었으나, 높은 수준의 굴절 교정(>6.0 D 근시 교정)에서만 유의미한 차이가 있었다(그림 2-7). 이는 교정 값이 높을수록 더 많은 조직을 절제해야 하고 엑시머 레이저에 더 오래 노출되어 각막에 더 많은 에너지를 전달해야 하기때문으로 생각된다. 반대로, ReLEx® 절차에서 ReLEx® 또는 스마일수술에서 레이저 에너지는 단지 약 0.58 J (미공개 데이터는 Carl Zeiss Meditec의 데이터임)의 에너지로 다른 모양의 렌티큘을 절단하는데, 이는 시행할 때마다 크게 다르지 않았다[26].

레이저 절단 에너지 수준(레이저 절단 에너지 지수), 반점 크기 및 간격 설정을 포함하여 스마일수술 후 각막 상처 치유 및 염증 반응 정도에 영향을 미치는 다른 요인도 있다[40].

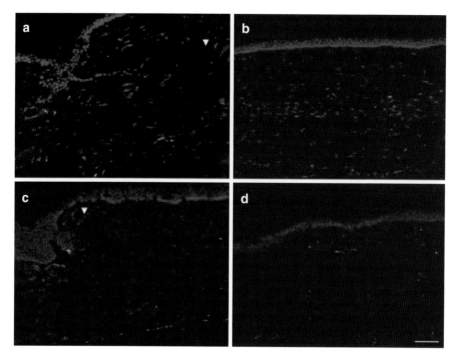

그림 2-6. 토끼 각막 1일(a, b) 및 1주(c, d)에서 HSP47의 발현을 보여주는 면역조직화학 염색에서 -4.0 D 스마일수술 후 절개부(a, c; 화살촉)와 추출된 렌티큘(b, d). HSP47 양성 세포는 각막 전체에 걸쳐 관찰되었으나 수술 후 1주일에 유의하게 감소하였다. 원배율: 200×, 눈금 막대 100 μm

여러 연구에서 상처 치유 결과를 해석할 때 이러한 매개변수를 고려해야 한다.

스마일수술은 광범위한 근시를 치료하는 안전하고 효율적인 전략으로 보고되었으며 [41], 다양한 두께의 렌티큘을 절단하기 위한 에너지 수준은 시도한 교정에 따라 크게 다르지 않지만 수술의 용이성에는 차이가 있다. 교정값에 따라 다른 두께의 렌티큘의 추출은 수술 후 상처 치유 및 염증 반응에 여전히 영향을 미칠 수 있다. 낮은 정도의 근시 교정에서는 렌티큘이 얇기 때문에 렌티큘의 앞쪽 표면의 묘사와 박리가 어려울 수 있다. 렌티큘 박리의 초반부인 렌티큘의 전면 박리 시 렌티큘의 후면을 침범하면 렌티큘이 전방 각막캡에 달라붙어 추출이 어려워 수술이 어려울 수 있다[42]. 또한, 렌티큘이 얇기 때문에 낮은 정도의 근시 교정시 렌티큘을 추출하는 것이 더 어렵다. 이러한 요인으로 인해 증가된 조작은 염증 과정의 더 큰 범위로 이어질 수 있다. 스마일수술 교정의 다양한 힘에 따른 상처 치유 및 염증 반응을 평가하기 위한 연구가 현재 진행 중이다.

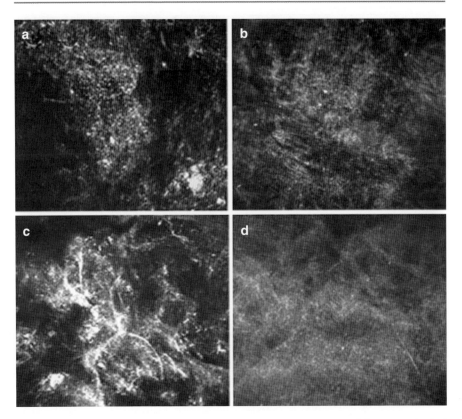

그림 2-7. 플랩 인터페이스(펨토초라식) 또는 캡 인터페이스(스마일수술)의 **(a)** -3.0 D 펨토초라식, **(b)** -3.0 D 스마일수술, **(c)** -9.0 D 펨토초라식, **(d)** -9.0 D SMILE1일 후 토끼 각막의 생체 내 공초점 현미경 사진. 무세포의 인터페이스에는 빛 반사가 있었고, 펨토초라식이 스마일수술보다 더 높은 반사율이 있었으며, 교정량이 많은 경우에서만 유의미하였다**(c, d)**.

2.2.2   임상연구

굴절 수술에서 각막 상처 치유의 후유증은 각막 혼탁, 상피 내 성장 및 퇴행과 같은 바람직하지 않은 합병증을 유발할 수 있다[6, 11-13, 43, 44]. 1,500개 이상의 스마일수술 절차를 평가한 대규모 연구에서는[31], 미량 각막 혼탁(grade 0.5-1)이 스마일수술 (127/1,574안, 8.1%) 후 3개월 발생하는 가장 흔한 수술 후 합병증이라고 보고했다. 수술 후 각막 혼탁이 있었던 127안 중 10안은 수술 전후 합병증이 있었고, 6안에서는 렌즈체 추출이 어려웠고 4안에서는 절개 부위가 약간 찢어졌다. 이러한 수술 전후 합병증은 염증성 사이토카인 방출을 더 많이 유발하여 각막 혼탁을 유발할 수 있다. 10안(10/1,574안, 0.6%)에서 절개 부위 부근에 몇 개의 섬 모양의 상피세포가 보였고, 이 중 5안은 술 후 약 1년 후에 자연적으로 상피세포의 증식이 사라졌다. 5안(0.3%)에서 하나 이상의 경계면이 있는 환자는 수술 1주 후에 침윤되었다. 미생물 조사를 위해 샘플을 채취했지만 특정 병원체를 식별할 수 없었다. 4안(0.3%)은 수술 후 첫 주에 경계면 염증을 경험했으며 덱사메타손 점안액으로 성공적으로 치료되었다.

Agca 등은[45] 한쪽 눈에 스마일수술을 다른 쪽 눈에 펨토초라식을 시행한 환자 30명을 대상으로 한 무작위 임상 연구를 진행하였고, 측정된 모든 깊이에서 평균 후방 산란 광강도가 펨토초라식 그룹보다 스마일수술 그룹에서 유의하게 더 높았다고 보고했다. 수술 후 1주에서 3개월 사이의 내원에서 저자들은 스마일수술 그룹에서 수술 후 초기에 이러한 각막 후방 산란 증가가 반드시 시력 감소, 합병증 발생률 증가 또는 염증 증가를 초래하지는 않지만 스마일수술 이후의 다른 치유 반응을 반영하였다. 하지만 이러한 차이가 긍정적이거나 부정적인 영향을 미치는지는 아직 알려지지 않았다.

Kamiya 등은[46] 또한 일시적인 경계면 혼탁이 스마일수술에서 가장 흔한 부작용이었지만, 이는 경미하고 시간이 지나면 소실된다고 보고했다. 이 저자들은 또한 이러한 가벼운 정도의 경계면 혼탁이 펨토초라식에 비해 스마일수술 또는 ReLEx®에서 수술 후 초기 기간(특히 수술 후 1주)에 시력 회복이 약간 지연되는 경향을 설명할 수 있다고 주장하였다.

굴절교정레이저각막절제술 후 고도 근시 환자의 각막 혼탁과 근시 퇴행을 제한하기 위해 국소 스테로이드 치료가 시행하였다[47]. 라식 환자의 경우 국소 스테로이드가 1주차에 각막 혼탁의 발생을 유의하게 감소시켰지만, 고도의 근시에서 굴절 안정성 감소와 관련이 있었다는 대규모 임상 연구에서 보고되었다[48]. 마찬가지로 스마일수술 후 근시 퇴행을 관찰하는 대규모 및 장기 추적 데이터는 현재 없지만 국소 스테로이드는 스마일수술 후 퇴행 예방에 유익한 역할을 제공하지 않을 수 있으며, 레이저의 종류, 레이저 에너지, 스마일수술의 염증 반응은 라식과 더 유사하고 굴절교정레이저각막절제술과 다르다. 현재 스마일수술에 이어 국소 스테로이드 사용에 대한 표준 프로토콜은 없다. 대부분의 기관에서는 1주일 동안 하루 4번 국소 스테로이드 요법을 사용하고 다음 주에는 용량을 줄여가며 사용한다[31, 41, 49]. 일부 기관에서는 더 짧은 기간 동안 수술 후 스테로이드를 사용한다[50]. 그러나 렌티큘 추출이 어려운 경우 절개 부위에 광범위한 조작이 발생하면 고용량 스테로이드가 필요할 수 있다.

2.3 결론

각막 상처 치유 과정은 ReLEx® 후 수술 후 시각적 결과, 합병증 및 각막 생체 역학적 변화에 큰 영향을 미친다. ReLEx®는 새롭게 등장한 기법이기 때문에 문헌에 대한 연구는 아직 부족하지만, 현재까지는 수술 후 상처 치유 및 염증 반응이 보고되었다. 토끼 스마일수술 모델을 기반으로 스마일수술 연구에 따르면 스마일수술은 1주일 이내에 치유되는 작은 상피 절개를 남긴다. 적출된 렌티큘면 자체와 남아있는 기질층은 염증반응이 거의 없고, 염증반응은 주로 레이저 자체보다는 렌티큘을 추출하기 위한 조작에 의한 것으로 생각된다. 각막 혼탁이나 상피 내 성장과 같은 상처 치유 장애 또는 염증 반응으로 인한 수술 후 합병증은 낮은 것으로 보고되었으며, 주로 어려운 렌즈 렌즈 추출과 같은 수술 전후 합병증과 관련이 있다. 그러나 더 큰 규모의 장기 추적 임상 연구가 필요하다.

참고문헌

1. Buratto L, Slade SG, Tavolato M (2012) Chap 4: LASIK: the evolution of refractive surgery. SLACK Incorporated, Thorofare, p 37.
2. Sugar A (2002) Ultrafast (femtosecond) laser refractive surgery. Curr Opin Ophthalmol 13(4):246-249.
3. Vogel A, Schweiger P, Freiser A et al (1990) Intraocular Nd:YAG laser surgery: light-tissue interactions, damage range, and reduction of collateral effects. IEEE J Quantum Electron 26:2240-2260.
4. Pepose JS (2008) Comparing femtosecond lasers. Cataract Refract Surg Today 45-51.
5. Lubatschowski H (2008) Overview of commercially available femtosecond lasers in refractive surgery. J Refract Surg 24:S102-S107.
6. Santhiago MR, Wilson SE (2012) Cellular effects after laser in situ keratomileusis flap formation with femtosecond lasers: a review. Cornea 31(2):198-205.
7. de Paula FH, Khairallah CG, Niziol LM, Musch DC, Shtein RM (2012) Diffuse lamellar keratitis after laser in situ keratomileusis with femtosecond laser flap creation. J Cataract Refract Surg 38:1014-1019.
8. Stonecipher KG, Dishler JG, Ignacio TS, Binder PS (2006) Transient light sensitivity after femtosecond laser flap creation: clinical findings and management. J Cataract Refract Surg 32:91-94.
9. Azar DT, Chang JH, Han KY (2012) Wound healing after keratorefractive surgery: review of biological and optical considerations. Cornea 31(Suppl 1):S9-S19.
10. Dupps WJ Jr, Wilson SE (2006) Biomechanics and wound healing in the cornea. Exp Eye Res 83(4):709-720.
11. Vaddavalli PK, Hurmeric V, Wang J, Yoo SH (2012) Corneal haze following disruption of epithelial basement membrane on ultra-high-resolution OCT following femtosecond LASIK. J Refract Surg 28(1):72-74.
12. Kanellopoulos AJ, Asimellis G (2014) Epithelial remodeling after femtosecond laser-assisted high myopic LASIK: comparison of stand-alone with LASIK combined with prophylactic high-fluence cross-linking. Cornea 33(5):463-469.
13. Vaddavalli PK, Yoo SH (2011) Femtosecond laser in-situ keratomileusis fl ap confi gurations. Curr Opin Ophthalmol 22(4):245-250.
14. Mohan RR, Mohan RR, Kim WJ, Wilson SE (2000) Modulation of TNF-alpha-induced apoptosis in corneal fi broblasts by transcription factor NF-kb. Invest Ophthalmol Vis Sci 41:1327-1336.
15. Tuominen IS, Tervo TM, Teppo AM et al (2001) Human tear fl uid PDGF-BB, TNF-alpha and TGF-beta1 vs corneal haze and regeneration of corneal epithelium and subbasal nerve plexus after PRK. Exp Eye Res 72:631-641
16. Mohan RR, Mohan RR, Kim WJ et al (2000) Modulation of TNF-alpha induced apoptosis in corneal fi broblasts by transcription factor NF-kb. Invest Ophthalmol Vis Sci 41:1327-1334.
17. Mohan RR, Liang Q, Kim WJ, Helena MC, Baerveldt F, Wilson SE (1997) Apoptosis in the cornea: further characterization of Fas/Fas ligand system. Exp Eye Res 65:575-589.
18. Jester JV, Moller-Pedersen T, Huang J, Sax CM, Kays WT, Cavangh HD, Petroll WM, Piatigorsky J

(1999) The cellular basis of corneal transparency: evidence for 'corneal crystallins'. J Cell Sci 112:613-622.

19. Jester JV, Petroll WM, Cavanagh HD (1999) Corneal stromal wound healing in refractive surgery: the role of myofi broblasts. Prog Retin Eye Res 18(3):311-356.

20. Netto MV, Mohan RR, Sinha S, Sharma A, Dupps W, Wilson SE (2006) Stromal haze, myofi-broblasts, and surface irregularity after PRK. Exp Eye Res 82:788-e797.

21. Saika S (2004) TGF-beta signal transduction in corneal wound healing as a therapeutic target. Cornea 23:S25-S30.

22. Torricelli AA, Wilson SE (2014) Cellular and extracellular matrix modulation of corneal stromal opacity. Exp Eye Res 129:151-60, pii: S0014-4835(14)00263-2.

23. Ambati BK, Nozaki M, Singh N, Takeda A, Jani PD, Suthar T, Albuquerque RJ, Richter E, Sakurai E, Newcomb MT, Kleinman ME, Caldwell RB, Lin Q, Ogura Y, Orecchia A, Samuelson DA, Agnew DW, St Leger J, Green WR, Mahasreshti PJ, Curiel DT, Kwan D, Marsh H, Ikeda S, Leiper LJ, Collinson JM, Bogdanovich S, Khurana TS, Shibuya M, Baldwin ME, Ferrara N, Gerber HP, De Falco S, Witta J, Baffi JZ, Raisler BJ, Ambati J (2006) Corneal avascularity is due to soluble VEGF receptor-1. Nature 443(7114):993-997.

24. Chang JH, Gabison EE, Kato T, Azar DT (2001) Corneal neovascularization. Curr Opin Ophthalmol 12(4):242-249

25. Tombran-Tink J, Chader GG, Johnson LV (1991) PEDF: a pigment epithelium-derived factor with potent neuronal differentiative activity. Exp Eye Res 53(3):411-414.

26. Riau AK, Angunawela RI, Chaurasia SS, Lee WS, Tan DT, Mehta JS (2011) Early corneal wound healing and infl ammatory responses after refractive lenticule extraction (ReLEx). Invest Ophthalmol Vis Sci 52(9):6213-6221.

27. Nakamura M, Sato N, Chikama T, Hasegawa Y, Nishida T (1997) Fibronectin facilitates corneal epithelial wound healing in diabetic rats. Exp Eye Res 64(3):355-359.

28. Dong Z, Zhou X, Wu J, Zhang Z, Li T, Zhou Z, Zhang S, Li G (2014) Small incision lenticule extraction (SMILE) and femtosecond laser LASIK: comparison of corneal wound healing and inflammation. Br J Ophthalmol 98(2):263-269.

29. Kim WJ, Mohan RR, Mohan RR, Wilson SE (1999) Effect of PDGF, IL-1 alpha, and BMP2/4 on corneal fi broblast chemotaxis: expression of the platelet-derived growth factor system in the cornea. Invest Ophthalmol Vis Sci 40:1364-1372

30. Zieske JD, Mason VS, Wasson ME et al (1994) Basement membrane assembly and differentiation of cultured corneal cells: importance of culture environment and endothelial cell interaction. Exp Eye Res 214:621-633

31. Ivarsen A, Asp S, Hjortdal J (2014) Safety and complications of more than 1500 small-incision lenticule extraction procedures. Ophthalmology 121:822-828.

32. Dartt DA, Bex P, D'Amore P (2011) Chapter 2: Sturucture and function of the tear film, ocular adnexa, cornea and conjunctiva in health and pathogenesis in disease. In: Ocular periphery and disorders, p 266.

33. Nishida T (2012) The role of fibronectin in corneal wound healing explored by a physicianscientist. Jpn J Ophthalmol 56(5):417-431.

34. Tervo K, van Setten GB, Beuerman RW, Virtanen I, Tarkkanen A, Tervo T (1991) Expression of tenascin and cellular fibronectin in the rabbit cornea after anterior keratectomy. Immunohistochemical study of wound healing dynamics. Invest Ophthalmol Vis Sci 32(11):2912-2918.

35. Satoh M, Hirayoshi K, Yokota S, Hosokawa N, Nagata K (1996) Intracellular interaction of collagen-specifi c stress protein HSP47 with newly synthesized procollagen. J Cell Biol 133:469-483

36. Nagata K (1998) Expression and function of heat shock protein 47: a collagen-specifi c molecular chaperone in the endoplasmic reticulum. Matrix Biol 16(7):379-386.

37. Møller-Pedersen T, Vogel M, Li HF, Petroll WM, Cavanagh HD, Jester JV (1997) Quantifi cation of stro- mal thinning, epithelial thickness, and corneal haze after pho- torefractive keratectomy using in vivo confocal microscopy. Ophthalmology 104(3):360-368.

38. Marchini G, Mastropasqua L, Pedrotti E, Nubile M, Ciancaglini M, Sbabo A (2006) Deep lamellar keratoplasty by intracorneal dissection: a prospective clinical and confocal microscopic study. Ophthalmology 113(8):1289-1300.

39. Prasher P, Muftuoglu O, Bowman RW et al (2009) Tandem scanning confocal microscopy of cornea after descemet stripping automated endothelial keratoplasty. Eye Contact Lens 35(4):196-202.

40. Hu MY, McCulley JP, Cavanagh HD, Bowman RW, Verity SM, Mootha VV, Petroll WM (2007) Comparison of the corneal response to laser in situ keratomileusis with flap creation using the FS15 and FS30 femtosecond lasers: clinical and confocal microscopy fi ndings. J Cataract Refract Surg 33(4):673-681.

41. Vestergaard A, Ivarsen AR, Asp S, Hjortdal JØ (2012) Small-incision lenticule extraction for moderate to high myopia: predictability, safety, and patient satisfaction. J Cataract Refract Surg 38(11):2003-2010.

42. Liu YC, Pujara T, Mehta JS (2014) New instruments for lenticule extraction in small incision lenticule extraction (SMILE). PLoS One 9(12), e113774.

43. Farah SG, Azar DT, Gurdal C et al (1998) Laser in situ keratomileusis: literature review of a developing technique. J Cataract Refract Surg 24:989-1006

44. Hersh PS, Brint SF, Maloney RK et al (1998) Photorefractive keratectomy versus laser in situkeratomileusis for moderate to high myopia. Ophthalmology 105:1512-1523.

45. Agca A, Ozgurhan EB, Yildirim Y, Cankaya KI, Guleryuz NB, Alkin Z, Ozkaya A, Demirok A, Yilmaz OF (2014) Corneal backscatter analysis by in vivo confocal microscopy: fellow eye comparison of small incision lenticule extraction and femtosecond laser-assisted LASIK. J Ophthalmol 2014:265012. doi: 10.1155/2014/265012.

46. Kamiya K, Shimizu K, Igarashi A, Kobashi H (2014) Visual and refractive outcomes of femtosecond lenticule extraction and small-incision lenticule extraction for myopia. Am J Ophthalmol 157(1):128-134.e2.

47. Vetrugno M, Maino A, Quaranta GM, Cardia L (2001) The effect of early steroid treatment after PRK on clinical and refractive outcomes. Acta Ophthalmol Scand 79(1):23-27.

48. Price FW Jr, Willes L, Price M, Lyng A, Ries J (2001) A prospective, randomized comparison of the use versus non-use of topical corticosteroids after laser in situ keratomileusis. Ophthalmology 108(7):1236-1244

49. Vestergaard AH, Grauslund J, Ivarsen AR, Hjortdal JØ (2014) Efficacy, safety, predictability, contrast sensitivity, and aberrations after femtosecond laser lenticule extraction. J Cataract Refract Surg 40(3):403-11

50. Sekundo W, Kunert KS, Blum M (2011) Small incision corneal refractive surgery using the small incision lenticule extraction (SMILE) procedure for the correction of myopia and myopic astigmatism: results of a 6-month prospective study. Br J Ophthalmol 95(3):335-339

ReLEx® 수술 후 각막 신경과 각막세포의 반응   3

Leonardo Mastropasqua and Mario Nubile / 민지상

목차

3.1 서론

    각막 레이저 굴절 수술은 지난 세기의 1990년대 초반부터 안과의사들 사이에서 인기를 얻었으며 방사 및 방사각막절개술(Radial keratotomy)과 같은 오래된 수동 절개 수술을 빠르게 대체했다[1-3]. 굴절이상 교정을 위한 엑시머 레이저 수술은 현미경적 정확성이 있는 각막 모양의 절삭이 가능하게 한 소위 각막 기질의 레이저 "광절제(photoablation)"의 메커니즘에 의한 각막 모양의 변형을 기초로 굴절 교정에 대한 접근 방식을 완전히 바꿨다[4]. 라식(Laser in situ keratomileusis, LASIK), 굴절교정레이저각막절제술(Photorefractive keratectomy, PRK), 그리고 표면 절삭술 중 가장 대표적인 라섹(laser assisted subepithelial keratectomy, LASEK) 및 에피라식은 성공적으로 근시 및 굴절 이상 교정에 각막 레이저 수술로 이용되었다[5, 6].

각막 굴절 엑시머 레이저 절제술의 뛰어난 정밀도와 최근 기술의 개선에도 불구하고 수술로 인한 신경 손상, 기질 상처 치유 및 각막 세포 변화 유발 등 절차 고유의 단점이 여전히 해결되지 않고 있다[7]. 이러한 수술 후 각막 변화는 일반적으로 일시적이지만 어떤 경우에는 지속적일 수 있으며 종종 치료받은 환자에서 바람직하지 않은 부작용과 증상을 유발할 수 있다. 각막 신경총의 손상은 관련된 안구 건조 증상 및 변경된 눈물막 역학과 함께 각막 신경 영양성 상피병증의 빈번한 원인인 반면, 각막 세포 사멸, 기질 염증 및 상처 치유는 달성된 교정의 퇴행 및 각막 투명도 소실의 원인이 될 수 있다[7].

최근의 연구 결과에 의하면 ReLEx® 수술(스마일수술의 경우)은 광파괴 메커니즘과 플랩이 없는 접근법으로 인해 근시 및 난시 굴절 교정 후 각막 신경 섬유 및 각막 세포에 기존 엑시머 레이저 기반 표면 절삭술 및 라식과 다른 영향을 미칠 수 있다. 이 장의 목적은 ReLEx® 수술에 대한 각막 신경 및 각막 세포 반응의 생체 내 발견에 대한 설명을 제공하고 이러한 변화의 병태 생리학을 임상적 이점 및 향후 개발 가능성과 함께 논의하는 것이다.

3.2   각막 신경과 각막 기질의 각막세포의 해부학적 구조

3.2.1   신경 섬유

각막은 매우 민감한 구조물이며 삼차신경의 눈신경 분지의 신경지배를 받는다. 표재 각막 신경의 밀도는 피부의 약 300-600배, 약 20배로 추정된다[8]. 인간의 각막은 시신경에 인접한 눈 뒤로 들어가 비측 및 이측 경선에서 맥락막 상강에서 앞으로 진행하는 두 개의 긴 모양체 신경으로부터 대부분의 감각 신경 지배를 받는다[9]. 각막 공막 윤부에 도달하기 전에 신경은 더 작은 다발로 분기하고 모든 방향에서 방사상으로 윤부에 접근하는 짧은 모양체 신경의 가지와 반복적으로 문합한다. 각막으로 들어가는 신경은 감각신경과 자율신경이 혼합된 것으로 볼 수 있다. 최근 연구는 신경 구조와 각막 신경 분포에 대한 지식을 재정의했다[10-12].

약 30-60개의 두꺼운 신경 다발이 윤부 주위에 비교적 균등하게 분포되어 각막에 진입한 후 중심 각막을 향해 분지하여 주변 영역에서 여러 가지로 나뉜다. 기질에서 신경은 콜라겐 층상 구조와 평행하게 배열되고, 더 표면화되어 상호 연결(전방 기질 신경총)을 형성함에 따라 더 작은 다발로 분지한다. 신경은 앞쪽 표면기질로 이동하면서 신경직경이 얇아지지만 신경 밀도가 증가한다. 적은 수의 기질 신경은 이어지지 않는 말단으로 끝나는 반면에 일부 신경 섬유는 각막 세포에 연결되는 것은 중요하다[13]. 보우만 영역을 통과한 후 원래의 기질 섬유는 여러 기저 신경이 발생하는 "구근 모양의 두꺼워진 모양"으로 끝난다[10]. 기질 신경은 주로 중간-주변부의 각막에서 보우만층(천공 부위)을 관통하며, 중앙

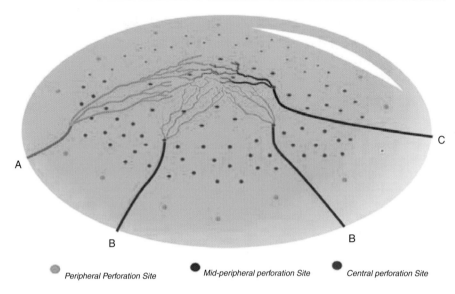

Peripheral Perforation Site   *Mid-peripheral perforation Site*   *Central perforation Site*

그림 3-1. 각막 신경 해부학의 도식적 표현. 신경 섬유는 윤부 영역에서 각막으로 들어간 다음 기질 섬유로 중심을 향해 방사상으로 움직인다. 이 섬유는 기질 표면층에 도달하고 다양한 지형 위치(다른 색상)에서 보우만층을 천공하는 경향이 있다. 보우만 막 천공 부위는 컬러 점으로 표시됩니다. 표면적 위치에서 기저 섬유의 기원을 제공한다.

또는 말초 각막에서는 천공 부위가 상대적으로 적다(그림 3-1). 사람의 중심 각막에서는 대략 25-30개의 천공 부위가 있고 중간-주변부각막에서는 125-160개의 천공 부위가 관찰되었다[10]. 천공을 통과한 신경 섬유는 더 분지하고 더 분열한 다음 상피 아래로 이동하여 기저 신경층을 생성한다.

굴절교정레이저각막절제술을 할 때 상피 제거 및 표면 절제가 중앙 보우만 층과 전방 기질을 제거하여 상피, 기저부 및 대부분의 전방 기질 신경 섬유를 제거한다는 점을 고려하는 것이 중요하다. 라식 수술의 경우 플랩의 절제로 인해 상피, 보우만대(Bowman's zone), 최전방 기질은 보존되지만 피판으로 인해 원주 방향으로 신경 섬유가 절제되고, 절제에 의해 더 깊은 기질 섬유가 손상된다. 펨토초 굴절 렌티큘을 절개하여 제거할 때 스마일수술 기법에서는 렌티큘 내의 기질 신경 섬유가 절제되지만 표면 손상이 없고 플랩 생성이 없다는 것은 다른 패턴의 각막 신경 손상에 대한 해부학적 이점을 나타낸다. 이 장에서 더 논의될 것이다.

3.2.2   기질 각막세포

각막세포[각막 섬유아세포(corneal fibroblast)]는 기질에 존재하는 특수화된 섬유아세

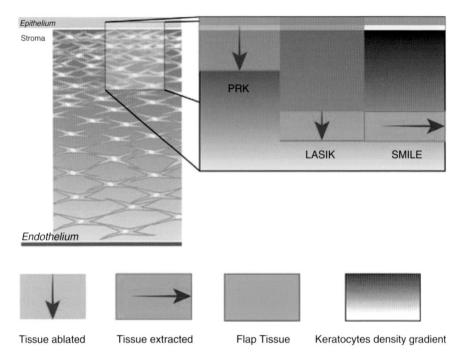

Tissue ablated   Tissue extracted   Flap Tissue   Keratocytes density gradient

그림 3-2. 굴절교정레이저각막절제술, 라식 및 스마일수술의 세 가지 다른 각막 굴절 수술 기법의 각막 기질 내 각막 세포 분포와 수술 해부학을 보여주는 개략도(섹션)

포(fibroblast)이다. 이 세포는 매우 규칙적으로 직교 배열된 콜라겐 층과 세포 외 기질 성분으로 구성된 기질의 구조 내에 산재되어 있다. 각막 세포는 기질 구조와 각막의 투명도를 유지하는 데 중요한 역할을 하며 기질 콜라겐과 프로테오글리칸(proteoglycan)의 공급원이다. 그들은 또한 각막 상처 치유 및 조직 복구를 매개하고 성장 인자 및 사이토카인의 영향으로 상처부위에서 표현형 변형을 겪을 수 있다. 따라서 이러한 특수 세포는 각막 상처를 치유하고 그 구성 요소를 합성하는 데 관여한다. 손상되지 않은 각막에서 각막세포는 일반적으로 정지 상태이지만 신속하게 반응하고 손상 후 복구 표현형으로 변경될 수 있다[14, 15]. 기질의 각막세포 밀도는 생체 외 및 생체 내 모두에서 평가되었으며 기질의 앞쪽 1/3에서 더 높은 것으로 알려져 있고 중간 및 뒤쪽 기질에서 점차적으로 감소하는 것으로 알려져 있다(그림 3-2).

엑시머 레이저 표면 절제 기술에서 가장 앞쪽의 각막세포(절제 깊이에 따라 다름)가 손상되고, 후속 상처 치유 연쇄반응과 함께 세포자멸 반응이 기질의 각화세포가 가장 밀집된 영역에서 촉진된다. 라식 기법에서 각막세포 및 기질 치유 현상은 각막 세포 밀도가 더 낮은 더 깊은 수준(플랩 기질 및 절제 조직 아래의 잔여 기질층)에서 발생한다. 스마일

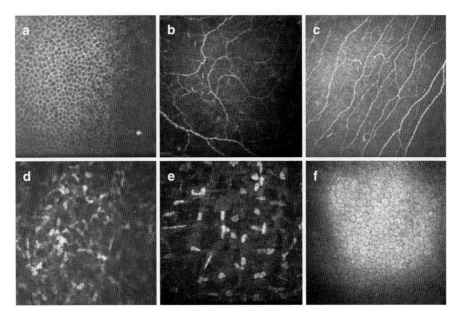

그림 3-3. 신경 섬유와 각막 세포의 시각화를 강조하는 중심부의 인간 각막 층 공초점 현미경 해부학을 보여주는 그림. **(a)** 기저 상피. **(b)**, **(c)** 상피하 신경총의 다른 패턴. **(d)** 전방 기질 각막 세포의 고밀도. **(e)** 더 낮은 밀도를 나타내는 중심 기질 각막세포 **(f)** 정상 내피 세포 모자이크

수술 및 ReLEx® 기술에서 어느 정도 광절제(photoablation) 없이 펨토초 레이저 절개의 고유한 사용은 각막세포 변화 및 상처 치유의 다른 패턴을 유도한다. 이전 장에서 이미 논의한 바와 같이 세포 사멸과 염증이 적은 것이 특징이다.

3.2.3　각막의 생체내 공초점 현미경 : 신경과 각막세포의 영상 기술

　　생체 내 공초점 현미경(In vivo confocal microscopy, IVCM)은 지난 20년 동안 각막 전문가들 사이에서 강력한 이미징 도구로 상당한 인기가 있었다. 생체 내 공초점 현미경은 특히 각막의 미세한 세부 사항을 한 번에 단일 깊이 수준으로 볼 수 있는 비침습적 진단 영상 시스템이다[16-19]. 이러한 종류의 현미경은 염색이나 염료가 없이 조직의 비침습적 실시간 생체 내 검사를 위해 개발되었지만, 이미지의 품질과 해석을 최적화하는데 작업자 의존적이며, 전문 지식과 기술이 필요하다.

　　현재 두 가지 다른 공초점 기술이 임상에 사용 가능하다. 이는 레이저 스캐닝(laser scanning)과 백색광 스캐닝(white-light scanning) 공초점 현미경이다. 이 두 가지 공초점 시스템은 사용되는 광원의 유형에 따라 안구 조직 이미징의 능력이 분명히 다르다. 백색광

공초점 현미경은 각막층을 자세히 관찰할 수 있고, 전체 각막 또는 선택된 하위층의 광학
적 후각 측정을 제공하고, 자동 세포 계수(각막세포 및 내피 세포 밀도)를 허용하지만 이
미징 품질은 조직 투명도와 기질 부종에 의해 영향을 받는다. 각막은 일반적으로 최소한
의 빛 흡수로 거의 투명한 조직이기 때문에 축 방향 해상도의 증가는 공초점 현미경이 전
체 각막 두께의 광학 섹션을 스캔할 수 있게 하여 높은 배율(600-1,000 x) "en face 이미지"
를 생성한다(예를 들면 "각막의" 측면 및 축 방향 해상도를 각각 1-3 μm 및 5-10 μm로 구
성된 값 내에서 유지). 표면 상피, 기저 상피, 보우만막, 상피하 신경총, 각막 세포가 상주
하는 각막 기질, 심부 신경섬유, 데스메막 및 내피와 같은 거의 모든 해부학적 각막층은 공
초점 현미경으로 명확하게 이미지화 된다. 그림 3-3은 중앙 인간 각막층의 공초점 현미경
해부학을 보여주는 이미지 구성을 나타낸다. 그림에서 볼 수 있듯이 생체 내 공초점 영상
은 각막 표면에 수직으로 절단되는 조직학적 표본과 달리 현미경 대물렌즈와 각막 표면에
평행하게 되므로 관찰자는 관상면의 영상에 익숙해져야 한다.

3.3   ReLEx® 굴절 수술 후의 신경 섬유 변화: 형태 및 임상적 의미

3.3.1   엑시머 레이저 수술 후의 신경 섬유와 눈물막 변화

모든 종류의 레이저 굴절 수술은 각막 신경 섬유에 다양한 손상 유발하는 단점이 있다.
신경 섬유의 무결성은 안구 표면 눈물막 역동학 및 각막 상피 항상성의 생리학적 유지에
기본이라는 것은 잘 알려져 있다. 눈물 분비는 각막 상피를 자극하는 삼차신경 일차 구심
성 뉴런에 의해 시작된 신경 반사를 통해 조절된다. 안구 건조는 눈물 분비샘이나, 이 분비
샘을 조절하는 신경 회로의 기능 장애에 의해 유발될 수 있다[20]. 안구건조증 및 관련 상피
병증에 대한 환자의 불편감은 일반적으로 기존의 굴절 수술 후 발생한다. 가장 흔하게 보
고되는 증상은 라식(laserassisted in situ keratomileusis, LASIK) 및 굴절교정레이저각막절
제술(photorefractive keratectomy, PRK)로, 치료된 눈의 거의 40%에서 발생하는 안구 건
조증이지만 경미한 각막 상피병증 및 윤활 감소와 관련된 비특정 안구 표면 불편도 발생
할 수 있다[21].

현재 라식 [미세각막절개술(microkeratomes) 또는 펨토초레이저 사용]은 시력 결과와
빠른 수술 후 회복을 위해 수많은 연구에 의해 뒷받침되는 중요한 굴절 절차 중 하나로 간
주된다. 라식 기법은 각막 표면에 형태적, 기능적 효과를 유도한다. 수술 후 각막 모양의
변화, 눈물막 역학 및 상피하 신경 분포는 안구 불편 증후군 발병에 중요한 영향을 미친다.
이러한 요인의 영향은 시력의 변동과 대비 감도의 감소, 어떤 경우에는 최상의 안경 교정
시력을 포함하여 시각적 결과에 부정적인 영향을 미친다[22]. 이러한 현상의 발생에서 고려

해야 할 핵심 사항 중 하나는 동일한 수술 자극에 대해 환자마다 다양한 증상 스펙트럼을 나타낼 수 있고, 수술 전 기존의 안구건조증이 굴절 수술 후 심한 안구 불편감의 위험 요소가 될 수 있다는 사실이다.

앞서 설명한 바와 같이 엑시머 레이저를 이용한 수술들(라식 또는 굴절교정레이저각막절제술과 같은 표면 절제 기술)는 플랩 절단, 라식 및 신경을 포함하는 전방 기질의 엑시머 광절제와 관련된 갑작스러운 중심 각막 신경 섬유 손상을 초래하며 회복하는 데 시간이 걸리는 섬유소 손상은 종종 부분적으로만 발생한다. 중심 각막 상피하 신경 섬유의 상처 치유는 회복 시간과 재생된 신경총의 형태학적 모양과 관련하여 라식과 유사한 플랩 기반 수술 간에 차이는 크지 않은 것으로 보고되었다. 수술 후 1개월이 되면 기존의 라식, sub-Bowman's keratomileusis (SBK), 펨토초 레이저 라식(Fs-LASIK)에서 중심 각막에 신경 섬유가 없는 것처럼 보인다[23]. 재신경 분포의 과정은 수술 후 초기에 측절부를 가로질러 가는 비분지 섬유의 형성과 함께 주변 플랩 부위에서 시작된다. 신경 형태는 수술 후 6개월에 중앙 3 mm 영역에 도달하고 1개월에 걸쳐 빠르게 변화한다[23]. 이러한 신경 재성장에도 불구하고 밀도와 신경 형태는 수술 후에도 수년 동안 변경된 상태로 유지되며, 이는 건조 및 반복적인 표면 상피 점상 미란의 일부 임상 상태의 기초를 나타낸다. 표면 엑시머 레이저 절제술은 플랩 기반 절차의 5년에 비해 평균 2년의 회복 시간으로 더 빠른 회복 시간을 보였다[24].

각막 신경 손상과 함께 환자의 각막 민감도는 수술 직후에 유의하게 감소하고 첫 3개월 동안 감소가 지속되고 수술 후 6개월에서 정상 값으로 복귀하며[25], 1년 이상에서 지속적으로 불완전한 정상화가 있음이 알려져 있다[26].

"안구건조증"이 발생할 위험은 수술 전 근시의 정도 및 레이저 절제/기질 박리의 깊이와 상관관계가 있는 것으로 보인다. 또한 안구건조증 환자의 경우 근시 퇴행의 위험이 증가한다[27, 28]. 굴절 수술 전후의 안구 표면과 눈물막의 상태는 라식 수술 후 합병증, 굴절 결과, 광학적 질, 환자 만족도, 안구건조증의 중증도 및 지속기간 등의 측면에서 결과에 부정적인 영향을 미칠 수 있다[29].

최근 펨토초 레이저 시스템이 각막 굴절 수술의 임상 용도로 사용 가능하게 되었으며, 플랩 정밀도(두께, 모양, 직경)를 높이고 플랩 절단 형상의 평면 구성을 설정하고 예측 가능성을 높임으로써 라식 수술의 신뢰성을 향상시키고, 절개 깊이 및 수술 중 합병증 발생 감소시킨다[30]. 펨토초레이저로 만든 플랩의 이러한 장점에도 불구하고 각막 신경총은 위에서 설명한 변형을 나타내며 오랫동안 심각한 손상의 영향을 받는다. 사실 플랩 생성은 각막 층판 경계에서 모든 신경 섬유의 절단을 의미한다. 펨토초라식으로 플랩 변연부가 더 잘 형성되었음에도 불구하고 재신경 분포 과정은 잘 알려진 미세각막-라식 수술과 유사하게 나타난다. 중추 신경 섬유 밀도 감소 및 느린 회복 속도는 두 수술 모두 수술 후 3년까지 유사하였다. 즉, 수술 후 안구 건조의 발생은 두 수술에서 유사하다. 따라서 얇은 펨토초라식 피판의 평면 구성은 미세각막 피판에 비해 더 빠른 신경분포와 관련이 없으며 유도된 신경영양성 상피병증 측면에서 임상적으로 유의미한 이점을 제공하지 않는다. 굴절 수술 후 안구건조증 증상을 호소하는 환자는 일반적으로 수술 후 몇 주에서 몇 달 동안 윤활제 점안액과 국소 스테로이드 및/또는 국소 사이클로스포린 A를 자주 점안하여 치료한다. 그러나 그러한 상태에 대한 공인된 확실한 치료법은 없다.

3.3.2　ReLEx® 수술 후의 각막 신경 섬유: 해부학적 기초와 과학적 근거

펨토초 레이저 굴절 수술은 "all-femto" 스마일수술 기술의 도입으로 눈에 띄게 발전했다. 펨토초 레이저의 3차원 절단 복합 형상으로 기질 내 절개 평면을 설계하는 능력은 외과의가 렌즈를 만들고 이를 추출하기 위한 작은 절개를 통해 플랩 없이 각막 조직을 제거하는 데 도움이 된다. 첫 번째 해부 평면은 렌티큘의 뒷면을 디자인하는 반면 두 번째 해부 평면은 렌즈의 전면을 만들고 더 확장되어 추출 조작(소위 캡의 가장자리)을 용이하게 하는 기질 내 주머니를 형성한다. 전체 절차는 표면 조직에 영향을 미치지 않고 이루어지며 40-50도 각도의 단일 표면 절개를 통해 쉽게 추출될 수 있는 기질 내 "디스크"를 형성한다.

스마일수술에 의해 유도된 신경 섬유 절제의 패턴을 설명하는 원리(다른 굴절 수술 절차와 유사)는 기저 신경총의 기원을 제공하는 섬유의 각막내 분포 보우만층(Bowman`s layer)을 관통한 후 표면으로 향하는 주행과 그로 인해 발생하는 섬유의 지형에 의존한다. 이 장의 앞부분에서 설명한 것처럼 맥락막 위 공간에서 윤부 영역을 통해 오는 기질 신경은 방사상 방식으로 중심을 향해 진행하고 대부분 중간 주변 영역(중앙 6 mm 바깥쪽)에 위치한 여러 위치에서 보우만층을 관통하고 그 후에 기저 신경총을 생성한다. 중심으로 향하는 신경 섬유 경로를 설명하는 개략도가 (그림 3-1) 및 (그림 3-4 (a))에 나와 있다.

플랩 기반 수술들(라식, 펨토초라식, ReLEx®)의 경우 플랩 측면 절단 둘레를 가로질러 통과하는 모든 신경 섬유가 절단된다(대부분의 중심 및 중심 주변 기질 섬유). 엑시머 레이저 절제는 남아 있는 더 깊은 기질 섬유를 더욱 기화시킨다. 플랩 연결부 영역에서 섬유(몇몇 섬유)만 들어 올려진 플랩 내에서 기저 섬유로 방해받지 않고 연결된다(그림 3-4 (b)). 이러한 기전은 라식 후 각막 민감도와 중심 기저하 각막 신경총의 현저한 감소를 보고한 설명된 임상 및 공초점 관찰과 일치한다.

반면에 스마일수술의 경우 하게 되면 다른 패턴의 신경 절제가 일어난다고 가정한다:

① 표재성 기질과 상피하 영역에서 구심력으로 흐르는 일정량의 섬유는 절개가 있는 측면 절단으로 인해 절제된다.
② 굴절 렌티큘과 캡 영역 내부의 보우만 영역을 관통하는 표면을 향해 주행하는 다른 기질 섬유는 렌티큘/캡 평면 절개 자체에 의해 방해받을 수 있다.

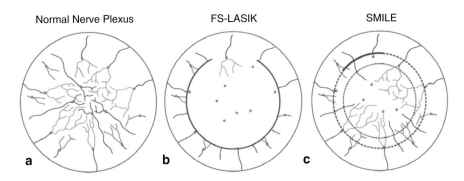

Normal Nerve Plexus   FS-LASIK   SMILE

a   **b**   **c**

그림 3-4. (a) 기질 신경 섬유 다발은 중심을 향해 주행하고 보우만 층(노란색 원으로 표시된 반점)을 관통하여 표면을 향해 주행한다. 섬유가 보우만층을 관통하면 기저 신경총이 시작된다. 다른 색상은 중심(빨간색), 중심(밝은 파란색) 및 주변(녹색 천공 기질 섬유에서 각각 시작되는 기저 섬유를 나타낸다. **(b)** 310도 정도의 arc 플랩 측면 절단, 게다가 모든 깊은 섬유는 광절제 영역 내에서 파괴된다. **(c)** 스마일수술에서는 전체 플랩 측면 절단 없이 말초 신경 섬유가 50도의 arc 절개가 있는 부분에서만 절제된다(굵은 빨간색 선). 또한 생성 및 추출된 굴절 렌티큘의 영역 내에서 보우만층을 천공하기 위해 표면적으로 상승하는 경우 섬유만 절제되고, 렌티큘 영역 외부에서 보우만층을 관통한 다른 섬유의 경우 기저 신경총으로 진행에 방해받지 않는다(단순화를 위해 중앙 기저 생존 섬유는 중앙 영역에 표시되지 않음)

③ 반대로 렌티큘/캡 영역 외부에 위치한 영역에서 보우만층을 천공한 후 표면 상피하 위치를 얻은 섬유는 언급된 주변부를 제외하고 중단 없이 굴절 영역 위로 (캡의 기질 및 상피 구성요소 내부) 손상되지 않은 상태로 이어질 수 있다[절개(그림 3-4 (c))참조].

최근 연구에서는 ReLEx® 수술 후 각막 신경 분포와 각막 민감도를 분석했다. 이러한 연구들에서는 각막민감도가 모든 각막 부위에서 라식 수술보다 스마일수술이 수술 후 훨씬 더 우수하다고 보고했다. 흥미롭게도 스마일수술 후 3개월 만에 각막 민감도 값이 수술 전 수준에 도달하는 것으로 나타났으므로, 이는 라식 수술 후 오랫동안 나타나는 전형적인 변화가 무절개 스마일수술 후에 발생하지 않아야 함을 시사한다[31]. Vestergaard 등은 두 종류의 펨토초 레이저 굴절 수술(스마일수술과 완전한 플랩 리프팅에 기초한 펨토초 굴절 근시 교정 렌티큘 추출 수술)을 시행 받은 환자들의 각막 민감도와 공초점 현미경을 사용한 기저 신경총 형태를 분석했다[32]: 이 연구의 저자들은 6개월의 추적 관찰을 하였고, FLEx 그룹에 비해 스마일수술 그룹에서 각막 민간도와 공초점 현미경으로 관찰한 중심 각막 신경 섬유 밀도가 우수하다는 것을 발견했다. 이 연구 경과는 신속한 신경 회복을 위해 무절개 시술의 중요성을 의미하다. 하지만 이 연구에서는 초기 수술 후 단계를 고려하지 않았으며 라식 수술은 고려되지 않았다. 또 다른 연구에서는 펨토초라식 수술안과 비교하여 스마일수술 후 각막 신경 분포의 변화를 평가하기 위해 생체 내 공초점 현미경을 사용했다[33]. 수술 후 초기 단계(1주에서 3개월)에 펨토초라식에 비해 스마일수술 후 기저 신경 섬유 밀도의 감소가 덜 심했지만 신경 밀도는 두 절차 후 6개월에 유사한 값에 도달했다. 각막 신경 밀도는 각막민감도 측정결과와는 관계가 없는 것으로 밝혀졌다.

앞서 설명한 바와 같이 생체 내 공초점 현미경(IVCM)을 통해 플랩 기반 굴절 수술(펨토초라식 및 ReLEx®)과 스마일수술 간 현저한 기저 신경 섬유 변화와 상당한 신경 재생 패턴이 다름을 알 수 있었다.

말초 신경 섬유를 연구할 때 중심으로 주행하는 모든 섬유는 측면 절개(각각 라식에서 플랩 측 절단에 해당하는 영역과 스마일수술 그룹에서 렌티큘/캡 영역에 해당하는 영역에서)에 의해 절단된다. 이 개념은 (그림 3-4 (b))에 설명되어 있으며 공초점 이미지는 (그림 3-5)에 나와 있다. 플랩 기반 수술에서 섬유는 수술 시 플랩 측면 절개에 의해 원주 방향으로 차단된다. 다음 기질 엑시머 절제(stromal excimer ablation)(또는 ReLEx®에서 렌티큘 제거)은 더 깊은 섬유를 손상시킨다(그림 3-5 (a)). 스마일수술에서 말초 섬유는 (그림 3-5 (b))에서와 같이 렌티큘 측상 절단의 가장자리 영역에서 절제되지 않고 렌티큘 층상 구조의 위로 중심을 향해 주행하는 것을 관찰할 수 있다. 라식에서 발생하는 것과 같이 스마일수술절개가 있는 부분에서 표면 방사상 신경 섬유가 절제된다(그림 3-5 (c)).

라식 치료에서 각막 신경 손상을 유발하는 메커니즘의 가설은 다음과 같다.

① 플랩 영역 외부에서 보우만층을 천공한 신경 표재 신경 섬유의 말초 절개(플랩 측면 절단)
② 모든 수준에서 교차하는 기질 신경 섬유의 절제 플랩의 평면 박리
③ 엑시머 광절제에 의한 더 깊은 기질 섬유의 추가적 손상

이러한 특징들은 라식 수술 직후 중추신경 섬유 밀도가 현저히 감소한다는 사실을 설명할 수 있다(그림 3-6 (a)). 라식 수술로 인한 중추 신경 섬유 밀도의 감소는 80-95%로 높게 나타남을 알 수 있다[22-24, 30, 33, 34]. 손상된 섬유 밀도가 부분적으로 회복되려면 몇 달이 걸린다.

반대로 스마일수술에서는 라식보다 더 빠른 중심 재신경 분포와 함께 신경 섬유 밀도의 감소가 현저히 낮은 것으로 나타났다. 중심 섬유의 약 20-40%는 스마일수술로 보존되며[31-34], 부분 신경 보존의 이유는 다음과 같다.

① 가장자리를 주행하는 모든 섬유를 가로지르는 측면 절단 부재.
② 라식 플랩보다 약 30% 정도로 작은 렌티큘 평면 컷(평균 6.5 m + 작은 주머니 절개)[35]
③ (그림 3-5 (b))와 같이 렌티큘 캡 영역 외부의 표면 기저 위치에 도달한 교차 섬유의 보존(대략 20-30%)

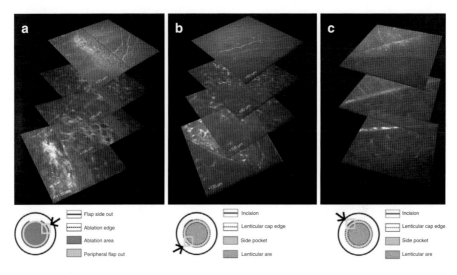

그림 3-5. 측면 컷 IVCM 재구성. (a) 펨토초라식, (b) 스마일수술 주변부(렌티큘 경계부), (c) 스마일 수술절개. (a) 펨토초라식에서 모든 섬유는 플랩 측면 절단의 확장(약 300도) 전체에서 절제된다(상단 패널은 수술 1주일 후 플랩 경계에서 절제된 섬유를 보여주고, 아래 패널은 더 깊은 기질 층을 보여준다). (b) 스마일수술에서 손상되지 않은 표면 섬유가 관찰될 수 있다(상단 패널). 그들은 일반적으로 렌티큘 캡 해부 외부의 보우만층을 천공함에 따라 중앙을 향해 렌티큘 기질 가장자리(하단 패널)를 통과한다. (c) "작은 절개small incision"는 스마일수술 기법(상단 패널)에서 표재성 신경 섬유 절제 영역을 나타낸다.

④ 엑시머 레이저 부수적인 기질 손상의 부재(이 장의 마지막 단락에서 더 논의됨)

　　이러한 특징은 수술 후 초기에 부분적인 각막 신경 분포를 유지하는 데 중요한 역할을 하며 (그림 3-6)에 제시된 바와 같이 라식과 관련하여 수술 후 첫 달에 관찰되는 더 빠른 신경 재성장의 원인이 될 수도 있다. 중추 신경 섬유는 스마일수술 1주 후 및 이후에 나타날 수 있으며(그림 3-6) 생체내 공초점 현미경에 의해 중추 신경 섬유 밀도의 급격한 증가를 관찰할 수 있다.

　　라식과 비교하여 스마일수술에서 신경 섬유 손상이 적은 또 다른 이유는 엑시머 레이저에 의해 유도된 더 높은 수준의 부수적 손상 및 각막 세포의 탈세포화(decellularization)와 관련이 있을 수 있다[34, 36]. 각막 신경 기능을 유지하기 위해 생존 가능한 각막 세포가 필요한지 또는 그 반대인지는 아직 명확하지 않지만 수술 후 장기간의 신경 제거가 일반적인 엑시머 레이저 기반 수술 후 연장된 각막 세포 사멸 및 무세포화(acellularity)가 관찰되었다[34, 37]. 앞서 언급했듯이 일부 기질 신경 섬유는 기질 각막세포를 직접적으로 자극한다[13]. 두 구조 모두 각막굴절 레이저 시술 후 발생하는 복잡한 상처 치유 패턴을 중재하고 수술 후 각막 완전성, 투명도 및 상피 역학을 복원하기 위한 섬세한 시스템에 관여할 가능성이 있다.

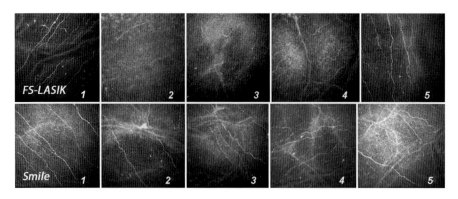

그림 3-6. 펨토초라식(상단 그림) 및 스마일수술(하단 그림) 전후의 중심 기저하 신경총의 생체 내 공초점 현미경 이미지. (1) 수술 전, (2) 1주, (3) 1개월, (4) 3개월, (5) 6개월. 스마일수술 후 1주와 1개월 후에 뚜렷한 기저 섬유가 보인다; 라식수술 후 신경섬유밀도 회복에 더 오랜 시간 소요

3.4   ReLEx® 굴절 수술 후의 각막세포 변화: 생체 내 근거와 상처 치유 패턴

라식 또는 표면 절제술의 수술 직후 기질 변형은 레이저-조직 상호작용과 각막세포 매개 상처 치유 연쇄반응에 의해 지배된다. 이러한 현상은 특히 표면 절제 수술에서 각막의 굴절 결과와 광학적 투명도에 적극적으로 영향을 미치는 것으로 알려져 있다. 염증 및 상처 치유의 특정 유형이 있다[38]. 각막 신경, 눈물샘 및 눈물막에 영향을 미치는 상처 치유 연쇄반응의 활성화는 각막 세포의 세포사멸 활성화가 중심적인 역할을 한다[7].

라식에 의해 자극된 각막세포 활성화는 표면 절제술 후 보고된 것과 비교하여 짧은 지속 시간을 갖는다. 플랩 생성에 사용된 방법에 관계없이 기질 조직은 플랩 아래면, 광절제 가장자리에 위치한 각막세포에서 초기 형태학적 변화를 나타낸다[38](그림 3-2 참조). 그러나 이 새로운 가상 공간("인터페이스")은 액체 또는 입자의 유입과 염증 세포의 확산을 허용한다.

라식 및 스마일수술의 기질 인터페이스의 기질 세포는 불연속성이 특징이다. ReLEx® 기질 인터페이스의 현미경적 특성의 예는 그림 3-7에 나와 있다.

인터페이스는 일반적으로 다른 각막 층과 명확하게 구별되는 다양한 양의 반사 파편 및 입자가 있는 전방 실질 내에서 세포가 잘 형성되지 않은 층으로, 현미경으로 이미지화 된다[39]. 생체 내 공초점 현미경에 의해 확인된 인터페이스의 전형적인 특징은 낮은 세포 활동과 기질 리모델링이다. 수술 후 첫 날 두꺼운 "무세포 영역"이 경계면의 양쪽에 존재하고[40], 각막세포는 수술 1 주 후 경계면 근처에 나타나는[41] 조직학적 연구에 의해 뒷받

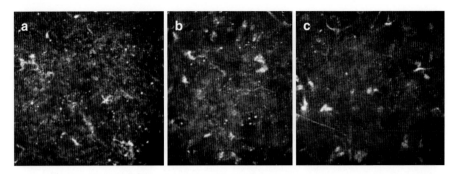

그림 3-7. 수술 후 다른 시점의 스마일수술 층상 경계면의 생체 내 공초점 현미경 이미지. (a) 스마일수술 1주일 후 기질 인터페이스는 매트릭스 반사 증가, 세포 사멸 각막 세포, 밝은 반사 입자 및 가벼운 부종을 나타낸다. (b) 수술 1개월 후, 생존 가능한 각화세포 핵이 개선된 반사율과 함께 보인다. (c) 수술 6개월 후 경계면이 안정적으로 보이며 드문 각막세포가 산재되어 있고 재생 신경 섬유의 선형 구조가 있다. 각막 세포 밀도는 항상 경계면에서 감소한다.

침되는 가정에 의하면 각막세포가 없는 층은 세포자멸사 또는 괴사가 진행 중인 영역으로 생각된다[42].

시간에 따른 스마일수술 인터페이스 및 기질 각막세포의 생체 내 공초점 현미경 변화 분석이 그림 3-8에 나와 있다.

ReLEx® 수술 각막세포의 세포사멸은 대부분 추출된 렌티큘에 인접한 기질층에 국한되며, 수술 후 초기의 주변 조직은 일반적으로 최소한의 세포사멸/괴사 효과와 염증의 영향을 받는다. 수술 중 과도한 조작과 경계면의 세척이 수행되면 유체 낭성 공간 내에 각막세포가 밀집된 어느 정도의 기질 부종이 수술 1일에 생체 내 공초점 현미경으로 관찰될 수 있다. 이러한 특징은 세극등 검사에서 명확하게 나타나지 않을 수 있으며 첫 주에 종종 관찰되는 지연된 시력 회복의 원인이 될 수 있다(그림 3-9 (a)).

인터페이스와 인접 층은 일반적으로 수술 며칠 후에 투명해지며, 각막 세포 반응은 엑시머 레이저 절제와 비교하여 일반적으로 경증에서 중등도까지 지속된다(그림 3-8). 또한 펨토초라식은 스마일수술에 비해 펨토초 레이져 박리(femtosecond laser dissection) 외에 엑시머 절제(excimer ablation) 효과를 발휘하는데, 이것은 수술 후 몇 주 동안 관찰된 각막세포(keratocytes) 활성화와 관련이 있을것으로 생각된다(그림 3-8). 수술 후 3개월에 각막세포가 안정되면서 스마일수술 후 상태가 안정화 된다. 스마일수술 후 지속적 각막세포의 활성화는 비정상적 콜라겐 침착 및 시력 저하를 유발할 수 있으나, 이는 매우 드문 현상이며, 스테로이드 점안제의 장기간 사용으로 회복할 수 있다(그림 3-9 (b)).

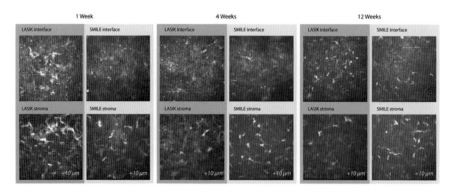

그림 3-8. 스마일수술 및 펨토초라식 후 인터페이스 및 기질 각막 세포 특성을 보여주는 생체 내 공초점 현미경 이미지. 첫 번째 행에는 층상 경계면의 공초점 이미지가 서로 다른 시간에서 라식과 스마일수술을 비교한다. 스마일수술 인터페이스는 일반적으로 더 낮은 정도의 밝은 입자를 보여주고 가시적인 각막세포 핵을 나타내어 더 낮은 세포자멸사를 나타낸다. 두 번째 행은 계면(+10 µm) 바로 아래의 기질 층의 이미지를 나타내며, 수술 후 첫 주에 더 큰 각막세포 활성화를 보여준다(펨토초 레이저 해부 외에 엑시머 절제 효과와 관련됨). 각막세포 분포는 수술 후 3개월 후에 같아지는 경향이 있다.

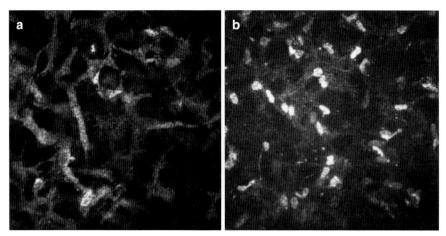

그림 3-9. (a) 기질 수술 후 부종 및 반사율이 증가된 각막세포가 포함된 낭포성 세포외 공간(벌집 패턴). (b) 밝은 핵과 가시적인 세포질을 특징으로 하는 전방 기질의 활성화된 각막세포

3.5   요약

생체 내 연구 결과에 따르면 다른 레이저 굴절 수술과 비교하여 스마일수술에서 탈신경화가 현저히 적다. 또한 스마일수술 후 더 빠른 신경 재생이 일어날 가능성이 높다. 이러

한 장점은 각막의 신경해부학 및 스마일수술의 특징인 플랩 없는 수술 과정과 관련이 있는 것으로 생각된다. 그러나 스마일수술에서도 렌티큘-캡 평면을 교차하는 신경 섬유가 펨토초 레이저 절단에 의해 절단되고 이후 퇴화되어 전체 중심 각막 신경 섬유 밀도가 감소한다. 하지만 이러한 손상은 섬유 절제술이 거의 전체적으로 나타나는 플랩 기반 및 표면 절제 기술과 비교할 때 현저히 적은 것으로 나타난다.

스마일수술 후 남아있는 기질 섬유 중 일부는 주변부 중간 부분에서 렌티큘 평면을 가로질러 치료 영역 외부의 보우만층을 관통하므로 손상되지 않아 기저하 중앙 신경총에 기여한다. 이러한 점을 바탕으로 스마일수술은 각막 신경 구조를 더 잘 보존하고 수술 후 각막 민감도를 높여 신경 영양성 상피병증의 발병률과 경과를 낮추는 데 유리하다.

각막세포의 세포자멸사, 기질 염증 및 이차 각막세포 활성화는 대부분 경증에서 중등도이며 다른 굴절 수술과 큰 차이는 없어보인다. 따라서 층상 인터페이스와 나머지 기질의 광학적 특성을 손상시키는 비정상적인 치유가 발생할 가능성은 거의 없어 보인다.

참고문헌

1. Sutton GL, Kim P (2010) Laser in situ keratomileusis in 2010-a review. Clin Experiment Ophthalmol 38(2):192-210.
2. Reynolds A, Moore JE, Naroo SA, Moore CB, Shah S (2010) Excimer laser surface ablation-a review. Clin Experiment Ophthalmol 38(2):168-182.
3. Ang EK, Couper T, Dirani M, Vajpayee RB, Baird PN (2009) Outcomes of laser refractive surgery for myopia. J Cataract Refract Surg 35(5):921-933.
4. Arba-Mosquera S, Klinner T (2014) Improving the ablation effi ciency of excimer laser systems with higher repetition rates through enhanced debris removal and optimized spot pattern. J Cataract Refract Surg 40(3):477484.
5. Sakimoto T, Rosenblatt MI, Azar DT (2006) Laser eye surgery for refractive errors. Lancet 367(9520):1432-1447.
6. O'Brart DP (2014) Excimer laser surface ablation: a review of recent literature. Clin Exp Optom 97(1):12-17.
7. Dupps WJ Jr, Wilson SE (2006) Biomechanics and wound healing in the cornea. Exp Eye Res 83(4):709-720.
8. Rózsa AJ, Beuerman RW (1982) Density and organization of free nerve endings in the corneal epithelium of the rabbit. Pain 14(2):105-120.
9. Müller LJ, Marfurt CF, Kruse F, Tervo TM (2003) Corneal nerves: structure, contents and function. Exp Eye Res 76(5):521-542.
10. Al-Aqaba MA, Fares U, Suleman H, Lowe J, Dua HS (2010) Architecture and distribution of human corneal nerves. Br J Ophthalmol 94(6):784-789.
11. Shaheen BS, Bakir M, Jain S (2014) Corneal nerves in health and disease. Surv Ophthalmol 59(3):263-285.
12. He J, Bazan NG, Bazan HE (2010) Mapping the entire human corneal nerve architecture. Exp Eye Res 91(4):513-523.
13. Müller LJ, Pels L, Vrensen GF (1996) Ultrastructural organization of human corneal nerves. Invest Ophthalmol Vis Sci 37(4):476-488.
14. Wilson SE, Chaurasia SS, Medeiros FW (2007) Apoptosis in the initiation, modulation and termination of the corneal wound healing response. Exp Eye Res 85(3):305-311.
15. West-Mays JA, Dwivedi DJ (2006) The keratocyte: corneal stromal cell with variable repair pheno-

types. Int J Biochem Cell Biol 38(10):1625-1631.

16. Chiou AG, Kaufman SC, Kaufman HE et al (2006) Clinical corneal confocal microscopy. Surv Ophthalmol 51:482-500.

17. Dhaliwal JS, Kaufman SC, Chiou AG (2007) Current applications of clinical confocal microscopy. Curr Opin Ophthalmol 18:300-307.

18. Villani E, Baudouin C, Efron N et al (2014) In vivo confocal microscopy of the ocular surface: from bench to bedside. Curr Eye Res 39(3):213-231.

19. Nubile M, Mastropasqua L (2009) In vivo confocal microscopy of the ocular surface: where are we now? Br J Ophthalmol 93(7):850-852.

20. Meng ID, Kurose M (2013) The role of corneal afferent neurons in regulating tears under normal and dry eye conditions. Exp Eye Res 117:79-87.

21. Hovanesian JA, Shah SS, Maloney RK (2001) Symptoms of dry eye and recurrent erosion syndrome after refractive surgery. J Cataract Refract Surg 27(4):577-584.

22. Ambrósio R Jr, Tervo T, Wilson SE (2008) LASIK-associated dry eye and neurotrophic epitheliopathy: pathophysiology and strategies for prevention and treatment. J Refract Surg 24(4):396407.

23. Zhang F, Deng S, Guo N, Wang M, Sun X (2012) Confocal comparison of corneal nerve regeneration and keratocyte reaction between FS-LASIK, OUP-SBK, and conventional LASIK. Invest Ophthalmol Vis Sci 53(9):5536-5544.

24. Erie JC, McLaren JW, Hodge DO, Bourne WM (2005) Recovery of corneal subbasal nerve density after PRK and LASIK. Am J Ophthalmol 140(6):1059-1064.

25. Pérez-Santonja JJ, Sakla HF, Cardona C, Chipont E, Alió JL (1999) Corneal sensitivity after photorefractive keratectomy and laser in situ keratomileusis for low myopia. Am J Ophthalmol 127(5):497-504.

26. Murphy PJ, Corbett MC, O'Brart DP, Verma S, Patel S, Marshall J (1999) Loss and recovery of corneal sensitivity following photorefractive keratectomy for myopia. J Refract Surg 15(1):38-45.

27. De Paiva CS, Chen Z, Koch DD, Hamill MB, Manuel FK, Hassan SS, Wilhelmus KR, Pflugfelder SC (2006) The incidence and risk factors for developing dry eye after myopic LASIK. Am J Ophthalmol 141(3):438-445.

28. Albietz JM, Lenton LM, McLennan SG (2004) Chronic dry eye and regression after laser in situ keratomileusis for myopia. J Cataract Refract Surg 30(3):675-684.

29. Albietz JM, Lenton LM (2004) Management of the ocular surface and tear film before, during, and after laser in situ keratomileusis. J Refract Surg 20(1):62-71.

30. Patel SV, McLaren JW, Kittleson KM, Bourne WM (2010) Subbasal nerve density and corneal sensitivity after laser in situ keratomileusis: femtosecond laser vs mechanical microkeratome. Arch Ophthalmol 128(11):1413-1419.

31. Wei S, Wang Y (2013) Comparison of corneal sensitivity between Fs-LASIK and femtosecond lenticule extraction (ReLEx FLEx) or small-incision lenticule extraction (ReLEx SMILE) for myopic eyes. Graefes Arch Clin Exp Ophthalmol 251(6):1645-1654

32. Vestergaard AH, Grønbech KT, Grauslund J, Ivarsen AR, Hjortdal JØ (2013) Subbasal nerve morphology, corneal sensation, and tear film evaluation after refractive femtosecond laser lenticule extraction. Graefes Arch Clin Exp Ophthalmol 251(11):2591-2600.

33. Li M, Niu L, Qin B, Zhou Z, Ni K, Le Q, Xiang J, Wei A, Ma W, Zhou X (2013) Confocal comparison of corneal reinnervation after small incision lenticule extraction (SMILE) and femtosecond laser in situ keratomileusis (Fs-LASIK). PLoS One 8(12):e81435.

34. Mohamed-Noriega K, Riau AK, Lwin NC, Chaurasia SS, Tan DT, Mehta JS (2014) Early corneal nerve damage and recovery following small incision lenticule extraction (SMILE) and laser in situ keratomileusis (LASIK). Invest Ophthalmol Vis Sci 55(3):1823-1834.

35. Reinstein DZ, Archer TJ, Randleman JB (2013) Mathematical model to compare the relative tensile strength of the cornea after PRK, LASIK, and small incision lenticule extraction. J Refract Surg 29:454-460.

36. Riau AK, Angunawela RI, Chaurasia SS, Lee WS, Tan DT, Mehta JS (2011) Early corneal wound healing and inflammatory responses after refractive lenticule extraction (ReLEx). Invest Ophthalmol Vis Sci 52:6213-6221

37. Erie JC, Patel SV, McLaren JW, Hodge DO, Bourne WM (2006) Corneal keratocyte deficits after

photorefractive keratectomy and laser in situ keratomileusis. Am J Ophthalmol 141: 799-809

38. Alio JL, Javaloy J (2013) Corneal infl ammation following corneal photoablative refractive surgery with excimer laser. Surv Ophthalmol 58(1):11-25.

39. Vesaluoma M, P ế rez-Santonja J, Petroll WM et al (2000) Corneal stromal changes induced by myopic LASIK. Invest Ophthalmol Vis Sci 41:369-376.

40. Erie JC, Nau CB, McLaren JW et al (2004) Long-term keratocyte defi cits in the corneal stroma after LASIK. Ophthalmology 111:1356-1361.

41. Vesaluoma MH, Petroll WM, Perez-Santonja JJ et al (2000) Laser in situ keratomileusis flap margin: wound healing and complications imaged by in vivo confocal microscopy. Am J Ophthalmol 130:564-573.

42. Dong Z, Zhou X, Wu J, Zhang Z, Li T, Zhou Z, Zhang S, Li G (2014) Small incision lenticule extraction (SMILE) and femtosecond laser LASIK: comparison of corneal wound healing and inflammation. Br J Ophthalmol 98(2):263-269.

Part II

임상의 발달과 현재 기술

ReLEx® 수술기법의 임상적 발달과정의 간략한 역사적 흐름

Marcus Blum and Walter Sekundo / 김응수

목차

근시 교정을 위한 각막절제굴절수술(corneal resectional refractive procedures)은 Barraquer와 Ruiz가 개척하였다[1]. 그들은 미세각막절개도(microkeratome)를 이용하여 각막기질내층을 제거했고 이 과정을 "각막절삭성형술(in situ keratomileusis)"라고 하였다. 그러나 기계 장치를 이용하여 시행한 시술의 결과가 온전히 만족스러운 것은 아니었다[2, 3].

몇 년 후, 굴절수술 영역에 레이저가 도입되었고 1989년 Stern은 렌티큘(각막실질조각, lenticule)을 제거하기 위해 레이저 사용을 보고했다[4]. 미세각막절개도 대신 레이저를 사용해 각막기질의 렌티큘을 얻은 것은 1996년에 처음으로 기술되었다[5]. 피코초레이저(picosecond laser)를 사용하여 각막기질에 렌티큘을 만들고 절편(flap)을 들어올린 후 수기로 제거하였다. 두 명의 고도근시눈에서, 상당한 양을 수기박리(manual dissection)가 필요했고 그 표면이 불규칙한 결과가 발생하여[6], 이 용도는 동물 연구로 제한되었다[7, 8]. 주목할 만한 점은 지난 1990년대 초에 완전한 펨토초레이저(femtosecond) 시스템 기반의 굴절교정이라는 아이디어가 이미 탄생했다는 점이다.

굴절각막실질조각의 레이저유도박리에 대한 첫 번째 임상 결과는 2003년에 5명의 맹인 또는 약시 눈에 적용한 연구이다[9]. 안타깝게도, 이 첫 번째 연구는 충분한 수의 눈과 목표한 굴절치에 대한 상세한 분석이 부족하였고 연구 코호트로 계속되지 않았다.

그림 4-1. 치료팩

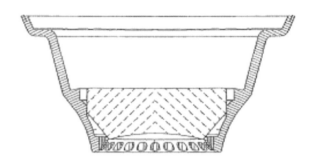

　　수년 동안 첨단 펨토초레이저시스템은 기계적인 미세각막절개도를 대체하기 위한 절편을 만드는데 제한되었고, 실제 굴절이상을 교정하는 시술은 193 nm-ArF-excimer 레이저의 영역으로 남아 있었다[10]. 수술 결과의 질적인 측면에서, 펨토초레이저를 이용한 미세각막절개도는 기존장비에 비해 장점을 가지고 있다[11-13].

　　수년간의 집중적인 실험연구 끝에 비쥬맥스로 알려진 시제품 펨토초레이저시스템이 Carl Zeiss Medicec AG (Jena, Germany)에 의해 개발되었다. 환자의 수술 중 시선고정이 가능할 수 있게 확장기 혈압 이상으로 안압을 상승시키지 않는 조명이 가능하면서 구부러진 치료 인터페이스(일명 접촉 유리)가 개발되어(그림 4-1) 동물과 자원자(volunteer)(치료 목적이 없는)를 대상으로 시도되었다. 주로 흡입(suction)이(다른 FS-레이저와 마찬가지로) 공막이 아닌 각막에 적용되기 때문에 안압이 70–80 mmHg 까지만 상승한다[14, 15]. 이를 통해 환자는 깜박이는 대상을 볼 수 있으며 임상적으로 관련 있는 고위수차(high-order aberrations, HOA)의 발생을 막는 좋은 중심잡기(centration)가 가능하였다[16].

　　또한 낮은 흡입과 지속적으로 주시가 가능한 표적을 가진 "부드러운 각막경계면(gentle corneal interface)" 개념은 안구 후극부의 잠재적 위험을 줄일 수 있다[17]. 펨토초미세각막절개도로서 비쥬맥스 FS-레이저의 기능을 입증하기 위해, fs-절편 절단과 MEL 80 엑시머 레이저 절제술을 결합한 연구가 아래에 설명된 FLEx 시술의 추가적인 개발과 함께 병행되어 진행되었다[18].

　　2005년에 Blum과 Sekundo의 동물모델, 맹인과 시력저하환자를 대상으로 한 일련의 연구(발표되지 않은 데이터)는 더 이상 엑시머레이저를 필요로 하지 않는 새로운 굴절시술을 도입한 연구로 볼 수 있다(그림 4-2). 이 시술은 알려진 다른 굴절수술과 구별하기 위해 FLEx(펨토초각막실질조각적출, femtosecond lenticule extraction)라고 불렸다. 2006년 가을, 미국 라스베이거스에서 열린 미국안과학회 학술대회에서 Sekundo와 Blum은 비쥬맥스 펨토초레이저의 시제품(prototype)을 사용한 최초의 10명의 각막굴절교정술 사례를 발표했다. 첫 번째 동료평가논문(peer-review article)으로 2008년에 Sekundo 등에 의해 출판되었다[19]. 2008년 시카고에서 열린 ASCRS 미팅에서 Sekundo와 Blum이 보여준 최우

그림 4-2. 펨토초각막실질조
각적출의 첫번째 동물실험의
사진.

수수술비디오상에서 재현한 수술의 애니메이션은 그림 4-3에 요약되어 있다.

근시와 근시성난시를 치료하기 위해 완전히 시력이 정상인 시력군에서의 코호트연구
가 이 첫 연구에 뒤따라 시행되었다. 총 108안을 대상으로 -2 D부터 -8.5 D사이의 구면근
시와 -6 D 난시까지의 근시성난시를 가진 56명의 환자를 모집하여 치료하였다. 이 환자들
은 6개월 동안 추적관찰 하였고 이후 자발적으로 12개월 동안 추적하였다[20, 21]. 추적관찰
동안 이 최초의 코호트연구 5년 결과가 발표되었다[22].

이 첫 번째 대형연구에서 의도된 절편 두께는 110-160 μm 사이였으며 절편 직경은
7.0-8.5 mm 사이로 선택되었다. 108안 모두에서, 상측 경첩(superior hinge)에, 50도의 시
위길이(chord length)로 만들어졌다. 렌티큘 직경은 환자의 암순응 상태의 동공 직경에 따
라 6.0-7.3 mm 사이였다. 처음에는 노모그램(nomogram)이 없었으며, 굴절 각막실질조각
의 두께와 기하학을 계산하기 위해 Mannerlyn의 공식에 기초한 특수 방정식(특허 번호,
DE 102006053120 A1)이 사용되었다. 수술 후 처치는 방부제가 없는 항생제, 스테로이
드, 히알루론산 인공누액을 1주일 동안 하루에 4번씩 점안하였다. 노모그램 없이 시작한
첫 전향적 임상연구라는 점을 염두에 두더라도, 굴절력의 목표에 1 D 이내로 눈의 98.1%
가 만족스러운 결과를 얻었고 기대치를 웃돌았다.

Shah는 ReLEx® 기술을 채택하고 이 수술의 초기 단계에서 발전에 크게 기여한 세계
의 세 번째 의사였다. 그녀의 주요 성과는 상당한 수의 환자에게서 이 개발 단계에서 사용
되는 200 kHz 기계에 대한 레이저 설정을 최적화하는 것뿐만 아니라 레이저주사(또는 절
삭) 방향도 중요하다는 것을 깨달은 것이었다[23].

FLEx의 성공적인 구현에 이어, 다음 목표는 절편 자체가 더 이상 필요하지 않은 수술
술기를 더 개발하는 것이었다. 이 시술은 작은절개각막실질조각추출(small incision lenti-
cule extraction), 스마일수술이라고 이름이 붙여졌다. 2-3 mm의 작은 절개를 통해 박리기

(dissector)를 집어 넣어 전후 렌티큘을 분리한 다음 절개창을 통해 렌티큘을 제거하는 것이다(그림 4-4). 이렇게 하면 절편을 만들 필요가 없고, 렌티큘의 상부 접촉면 위에 있는 각막은 캡(cap)이라고 명명하였다. 스마일수술의 첫 번째 수술 비디오는 2009년 Cataratta refractive in Milano에서 공개되었다. 그러나 논문으로 등장하기까지는 또 다른 3년이 걸렸다[24, 25]. 스마일수술 기술로 시술한 첫 번째 대규모 연구는 Sekundo와 Blum 등에 의해 출판되었으며, 오늘날의 스마일수술과는 달리 각각 4 mm의 두 개의 마주보는(opposing) 절개창을 통해 시행되었다[24]. 총 91개의 눈에서 명확하게 "원리의 증명(prove of principle)"이 기술되었고, 고무적인 결과는 많은 연구자들이 새로운 수술 기술을 시도하도록 동기를 부여한 것이다[25-27]. 이것은 수술기법에 소소한 다양한 변화를 가져왔다. 하지만

그림 4-3. FLEx 시술의 모식도. 비쥬맥스 펨토초레이저 시스템은 렌티큘(**a**)의 뒷면을 절단한 후 전면 표면 절개(**b**)를 거쳐 수직 절개를 통해 50°의 호를 그대로 유지한다. 최종 단계는 수기방법으로 스파츌라(spatula)를 이용하여 절편을 들고(**c**), 집게를 사용하여 렌티큘을 제거한다(**d**). 그런 다음 절편의 위치를 제자리 시킨다(**e**).

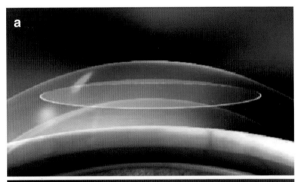

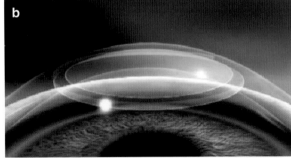

그림 4-3. (continued)

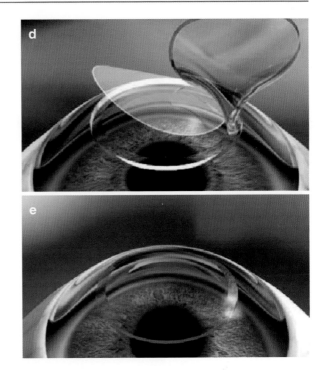

주요 요소는 변하지 않았다. 즉 레이저가 먼저 하단면을 만들고, 그 다음에 바깥쪽에서 안쪽 방향(out-to-in direction) 또는 안쪽에서 바깥쪽 방향(in-to-out direction)으로 상단면을 만드는 것이다. Shah는 단일절개창(single-entering incision)을 사용한 최초의 의사였고[25], 오늘날 사용되는 매우 작은 절개창을 체계적으로 연구한 사람도 바로 그녀였다.

첫 번째 연구에서는 굴절 결과가 양호했지만(라식에서 관찰된 결과와 매우 근접했다), 시력회복 시간은 약간 더 길었다. 다양한 주사양상(scanning patterns), 에너지 변수의 최적화(optimization of energy parameters) 및 주사점간의 설정(spot-spacing settings)의 조정으로 시력회복시간이 크게 향상되었다[23, 26, 28,29]. 더욱이, 500-kHz-레이저가 출시되어 렌티큘을 만들어내는 정밀도가 향상되었다[30, 31]. 안전성과 복잡성의 측면에서 스마일수술은 또한 상당히 뛰어난 것으로 밝혀졌다[32]. 한편, 첫 번째 결과들은 원시 치료에도 적용이 가능하다(19장 참조). 2010-2011년 이후, 이 기술은 점점 더 대중화되었고, 많은 뛰어난 의사들이 "스마일수술 커뮤니티"에 가입하여 단계별로 이 시술의 질을 향상시켰다. 이 책의 공동 저자로서 이 많은 의사들이 '올인원(all-in-one)' 펨토초레이저 수술의 현재와 미래에 대한 견해를 공유하게 된 것은 기쁜 일이다.

그림 4-4 스마일수술 모식도. 비쥬맥스 펨토초레이저시스템은 렌티큘을 절단한 다음(a) 작은 절개창을 만들고(b), 렌티큘을 작은 절개창으로 제거한다(c).

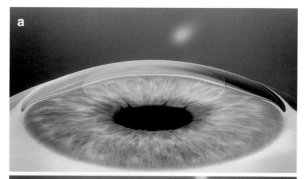

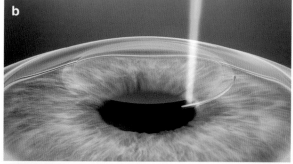

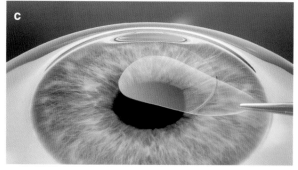

참고문헌

1. Barraquer JI (1996) The history and evolution of keratomileusis. Int Ophthalmol Clin 36:1-7.
2. Ibrahim O, Waring GO, Salah T, el Maghraby A (1995) Automated in situ Keratomileusis for myopia. J Refract Surg 11:431-441.
3. Wiegand W, Krusenberg B, Kroll P (1995) Keratomileusis in situ bei hochgradiger Myopie. Erste Ergebnisse. Ophthalmologe 92:402-409.
4. Stern D, Schoenlein RW, Puliafi to CA (1989) Corneal ablation by nanosecond, picoseconds, and femtosecond lasers at 532 and 625 nm. Arch Ophthalmol 107:567-592.
5. Ito M, Quantock AJ, Malhan S, Schanzlin DJ, Krueger RR (1996) Picosecond laser in situ keratomileusis with a 1053-nm Nd:YFL laser. J Refract Surg 12:721-728.
6. Krueger RR, Juhasz T, Gualano A, Marchi V (1998) The picosecond laser for nonmechanical laser

in situ keratomileusis. J Refract Surg 14:467-469.

7. Kurtz RM, Horvath C, Liu HH, Krueger RR, Juhasz T (1998) Lamellar refractive surgery with scanned intrastromal picoseconds and femtosecond laser pulses in animal eyes. J Refract Surg 14:541-548.

8. Heisterkamp A, Mamon T, Kermani O, Drommer W, Welling H, Ertmer W, Lubatschowski H (2003) Intrastromal refractive surgery with ultrashort laser pulses: in vivo study on the rabbit eye. Graefes Arch Clin Exp Ophthalmol 241:511-517.

9. Ratkay-Traub I, Ferincz IE, Juhasz T, Kurtz RM, Krueger RR (2003) First clinical results with the femtosecond neodymium-glass laser in refractive surgery. J Refract Surg 19:94-103.

10. Nordan LT, Slade SG, Baker RN (2003) Femtosecond laser fl ap creation for laser in situ keratomileusis: six-months follow-up of the initial US clinical series. J Refract Surg 19:8-14.

11. Kezirian GM, Stonecipher KG (2004) Comparison of the IntraLase femtosecond laser and mechanical microkeratome for laser in situ keratomileusis. J Cataract Refract Surg 30:26-32.

12. Durrie DS, Kezirian GM (2005) Femtosecond laser versus mechanical keratome flaps in wavefront-guided laser in situ keratomileusis: prospective contralateral eye study. J Cataract Refract Surg 31:120-126.

13. Tran DB, Sarayba MA, Bor Z et al (2005) Randomized prospective clinical study comparing induced aberrations with IntraLase and Hansatome flap creation in fellow eyes: potential impact on wavefront-guided laser in situ keratomileusis. J Cataract Refract Surg 31:97-105.

14. Vetter JM, Holzer MP, Teping C, Weingartner WE, Gericke A, Stoffelns B, Pfeiffer N, Sekundo W (2011) Intraocular pressure during corneal flap preparation: comparison among four femtosecond lasers in porcine eyes. J Refract Surg 27:427-433.

15. Vetter JM, Faust M, Gericke A, Pfeiffer N, Weingärtner WE, SEkundo W (2012) Intraocular pressure measurements during fl ap preparation using 2 femtosecond lasers and 1 microkeratome in human donor eyes. J Cataract Refract Surg 38:2011-2018.

16. Sekundo W, Gertnere J, Bertelmann T, Solomatin I (2014) One-year refractive results, contrast sensitivity, high-order aberrations and complications after myopic small-incision lenticule extraction (ReLEx SMILE). Graefes Arch Clin Exp Ophthalmol 252(5):837-843.

17. Reviglio VE, Kuo IC, Gramajo L et al (2007) Acute rhegmatogenous retinal detachment immediately following laser in situ keratomileusis. J Cataract Refract Surg 33:536-539.

18. Blum M, Kunert K, Gille A, Sekundo W (2009) First experience in femtosecond LASIK with the Zeiss VISUMAX® laser. J Refract Surg 25:350-356.

19. Sekundo W, Kunert K, Russmann C, Gille A, Bissmann W, Strobrawa G, Stickler M, Bischoff M, Blum M (2008) First effi cacy and safety study of femtosecond lenticule extraction for the correction of myopia. J Cataract Refract Surg 34:1513-1520.

20. Blum M, Kunert K, Schröder M, Sekundo W (2010) Femtosecond lenticule extraction (FLEX) for the correction of myopia: 6 months results. Graefes Arch Clin Exp Ophthalmol 248: 1019-1027.

21. Blum M, Kunert KS, Engelbrecht C, Dawczynski J, Sekundo W (2010) Femtosekunden-Lentikel-Extraktion (FLEX) - Ergebnisse nach 12 Monaten bei myopem Astigmatismus. Klin Monatsbl Augenheilkd 227:961-965.

22. Blum M, Flach A, Kunert KS, Sekundo W (2014) Five-year results of refractive lenticule extraction. J Cataract Refract Surg 40:1425-1429.

23. Shah R, Shah S (2011) Effect of scanning patterns on the results of femtosecond laser lenticule extraction refractive surgery. J Cataract Refract Surg 37:1636-1647.

24. Sekundo W, Kunert K, Blum M (2011) Small incision femtosecond lenticule extraction (SMILE) for the correction of myopia and myopic astigmatism: results of a 6 months prospective study. Br J Ophthalmol 95:335-339.

25. Shah R, Shah S, Segupta S (2011) Results of small incision lenticule extraction: all-in-one femtosecond laser refractive surgery. J Cataract Refract Surg 37:127-137.

26. Hjortdal JO, Vestergaard AH, Ivarsen A, Ragunathan S, Asp S (2012) Predictors for the outcome of small-incision lenticule extraction for Myopia. J Refract Surg 28:865-871.

27. Kamiya K, Shimizu K, Igarashi A, Kobashi H (2014) Visual and refractive outcomes of femtosecond lenticule extraction and small-incision lenticule extraction for myopia. Am J Ophthalmol 157:128-134.

28. Kunert KS, Blum M, Duncker GIW, Sietmann R, Heichel J (2011) Surface quality of human corneal lenticules after femtosecond laser surgery for myopia comparing different laser parameters. Graefes Arch Clin Exp Ophthalmol 249:1417-1424.

29. Heichelt J, Blum M, Duncker GIW, Sietmann R, Kunert KS (2011) Surface quality of porcine corneal lenticules after Femtosecond Lenticule Extraction. Ophthalmic Res 46:107-112.

30. Reinstein DZ, Archer TJ, Gobbe M (2013) Accuracy and reproducibility of cap thickness in small incision lenticule extraction. J Refract Surg 29:810-815.

31. Ozgurhan EB, Agca A, Bozkurt E, Gencer B, Celik U, Cankaya KI, DEmirok A, Yilmaz OF (2013) Accuracy and precision of cap thickness in small incision lenticule extraction. Clin Ophthalmol 7:923-926.

32. Ivarsen A, Asp S, Hjortdal J (2014) Safety and complications of more than 1500 small incision lenticule extraction procedures. Ophthalmology 121:822-882.

스마일수술의 현재기법과 장비

5

Ekktet Chansue / 김응수

목차

ReLEx® 스마일수술은 일반적으로 국소마취하에 시행되며 펨토초레이저를 조사하고 이 후 렌티큘을 수기로 제거하는 두 단계로 나눌 수 있다. 펨토초레이저를 이용한 절삭은 외부 각막 상처가 없이 기질 내에서만 시행되며, 이후에 소독과정이 필요 없는 즉 "청결(clean)" 방식으로 진행된다. 하지만 두 번째 단계는 수술부위의 무균 상태를 요구한다.

양안수술

환자를 충분히 상담하고 의료정보에 입각한 동의 절차를 거쳤다면 양안 수술이 가능하다, 양안 ReLEx® 스마일수술의 경우, 순차적으로 한눈 씩 두 단계(완전한 레이저 절삭 및 렌티큘 추출)로 진행할 수 있고, 단계별로 양안을 할 수 있다(양안을 레이저하고, 이후에 양안 렌티큘을 제거한다).

한 번에 한 눈을 끝마치는 방법의 장점은 다음과 같다.

- 비교적 전통적인 방법
- 수술방의 상차리기가 편하고 인력이 덜 필요함

양안을 단계별로 나누어 하는 방법의 장점은 다음과 같다.

- 수술의 '깨끗한(clean)' 부분과 '멸균된(sterile)' 부분을 명확하게 구분하여 오염 가능성을 줄임.
- 다른 현미경으로 렌티큘을 추출하여 다음 환자를 준비할 수 있도록 레이저를 시행한 침대를 비울 수 있다. 이것은 수술실에 충분한 인력이 있고, 잘 훈련된 환경에서 유용함.
- 레이저는 빠르게 연속적으로 진행되어 시력 회복을 늦추고 굴절 결과의 변화를 유발할 수 있는 두 번째 눈 표면의 과도한 탈수 위험을 줄임.
- 양쪽 눈에서 펨토초레이저 절삭을 무사히 완료하면 양쪽 눈에서 렌티큘제거를 성공적으로 수행할 수 있는데, 한쪽 눈의 레이저 과정에 문제가 있는 경우 의사와 환자는 수술을 진행하거나 중단할 수 있음.

5.1   펨토초레이저 적용

라식에서의 엑시머레이저의 설정과 마찬가지로, 최적의 결과를 얻기 위해 레이저의 셋팅parameter을 설정하는 것은 술자의 최종적인 책임이다. 펨토초레이저 설정의 자세한 내용은 이 책의 다른 부분에 설명되어 있다(1장 및 11장 참조).

도킹 및 레이저절삭 과정은 FemtoLASIK 절편을 만드는 과정과 유사하다. 차이점은 FemtoLASIK 절편 절단에는 두 개의 절단(평면 절단 및 가장자리 절단)만 시행되는 반면, ReLEx®SMILE에는 (a) 후면평면 절삭, (b) 렌티큘 가장자리 절삭, (c) 전면 절삭 및 (d) 절개창 입구 절삭(그림 5-1)이 수반된다는 것이다. 따라서 ReLEx® 절삭을 완료하는 데 절편 절삭에 비해 약 2배의 시간(약 30초)이 소요된다.

펨토초레이저가 렌티큘을 만들기 위해 앞면과 뒷면의 경계를 명확하게 해야 하며 이 과정이 굴절력을 결정짓는 수술에서 가장 중요한 순간이다. 렌티큘의 치수와 모양이 구면수치와 난시수치의 교정량을 결정하고 치료의 효과적인 광학부위(optical zone)를 결정한다. 렌티큘을 추출한 후 절단면의 평활도(smoothness)는 각막 표면의 평활도에 영향을 미친다. 각막표면의 평활도는 수술 후 상피재형성(remodelling) (13장 참조)에 의해 더욱 영향을 받지만 시술 직후의 초기 평활도는 초기 시기능의 질과 회복에 상당한 영향을 미친다. 양안을 하는 경우 첫 번째 눈이 레이저 시술을 받는 동안, 표면을 일시적으로 거칠게 만들어 결국에는 레이저 절단면의 평활도와 시력 회복 시간에 영향을 미칠 수 있는 상피의 불규칙한 탈수(uneven dehydration)를 방지하기 위해, 두 번째 눈은 접착스트립(adhesive strip)으로 감겨 놓아야 한다(그림 5-2).

그림 5-1. 펨토초레이저 ReLEx® 절개창, (a) 이마쪽 (b) 절개창의 단면

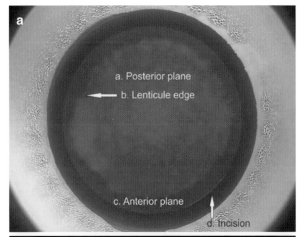

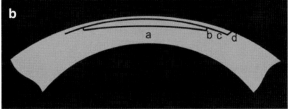

그림 5-2. 두 번째 시술할 눈은 첫 번째 시술할 눈에 레이저를 조사하기 전에 테이프로 감겨 놓는다.

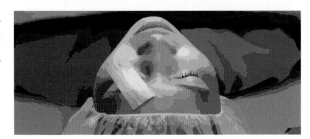

5.2 렌티큘 제거

펨토초레이저 절삭이 완료된 직후, 렌티큘은 여전히 자유롭게 제거할 수 있는 상태가 아니다. 접촉면(interface) 사이에 아직 미세한 연결(micro-bridges)이 남아 있기 때문이다. 술자는 렌티큘을 주위로부터 자유롭게 만들기 위해 렌티큘과 각막실질캡(stromal cap) 사이와 렌티큘과 각막기질바닥(stromal bed) 사이를 무디게 박리하여(blunt dissection) 미세한 연결을 분리시킨다. 그런 다음 렌티큘을 각막에서 꺼낸다.

기구

ReLEx® 스마일수술의 렌티큘제거 과정에서 필요한 최소한의 기구들

1. 기본 기구들: 눈꺼풀개검기, 흡수성수술면봉(absorbent surgical spears), 멸균된 BSS (15 cc), 끝이 무딘 세척카눌라(blunt irrigating cannula), Kelman McPherson forceps

2. 개검기: 단일한 면을 가진 스스로 고정이 가능한 개검기(solid-bladed, self-retaining speculum), 짧은 날(blade)들이 직사각형보다는 대략 육각형으로 노출이 가능한 수술 공간을 더 많이 만들기 때문에 소아용 크기를 선호함, 이는 특히 안검이 짧은 눈에 유용함(그림 5-6), 노출이 더 잘된 안구가 레이저절삭 중 흡입모드(펌프에 연결됨)에서 표준 라식 흡입 개검기가 눈물이 고이는 것을 막고 흡입이 풀리는 발생을 줄이는 데 도움이 됨, 와이어형 개검기는 피해야 함.

3. 특정 기기: 렌티큘을 자유롭게 분리하기 위한 렌티큘 박리기(dissector)와 분리된 렌티큘을 꺼내기 위한 마이크로포셉.

한편 다른 안과 기구 제조업체와 협력하여 다른 술자에 의해 다른 기구의 일부 추가 수정이 이루어졌지만 일반적으로 다음 중 하나를 말한다.

Chansue ReLEX® Dissector

저자가 2010년에 ReLEx®를 시술하기 시작했을 때 렌티큘을 분리하기 위해 레이저 제조업체에서 권장한 표준 도구는 Seibel flap lifter(그림 5-3), 또는 간단한 phako spatula 및 Blum modified McPherson forceps이었다. 이름에서 알 수 있듯이 Seibel flap lifter는 FemtoLASIK에서 절편을 들어 올리는 것에 사용하도록 설계되었다. 절편과 렌티큘이 FemtoLASIK의 절편과 같은 방식으로 들어 올려졌기 때문에 ReLEx® FLEX의 박리기(dissector)로서 매우 잘 사용되었다. 그러나 이 기구는 너무 직선적이고 너무 길기 때문에 작은 박리를 시행 한 후 렌티큘 박리에 적합하지 않다. 결과적으로 그 해 이후에 ReLEx®에서 렌티큘을 제거하기 위해 특별히 새로운 기기를 설계했다.

그것은 다소 뭉뚝한 원뿔형으로 끝나고 곡선형으로 줄어드는 원형 샤프트로 이루어졌다. 박리기의 다른 쪽 끝에는 Seibel flap lifter와 동일한 방식으로 Sinskey 스타일 걸이(hook)가 있다.

그러나 두 평면을 더 잘 박리하기 위해 약간 더 길게 만들어 졌다. 이 장비가 Chansue ReLEx® Dissector (CRD)이다. CRD는 평균 각막 곡률과 일치하도록 설계되어 왜곡과 전방 각막실질캡(cap)에 대한 스트레스를 최소화한다(그림 5-4a).

그림 5-3. Seibel LASIK
flap lifter

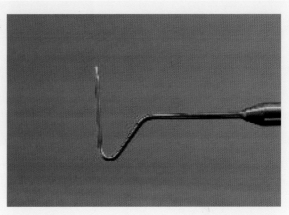

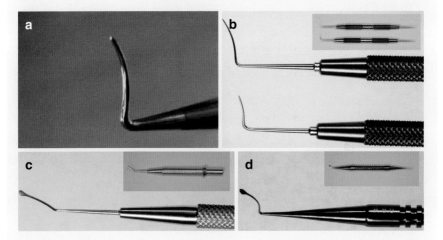

그림 5-4. **(a)** Chansue RELEX® dissector (CRD). **(b)** Kostin spatulas (Medin-Ural/Russia)는 Chansue dissector보다 약간 더 얇고 두 가지 다른 길이로 판매되고 있다. **(c)** Blum spoon (Geuder GmbH/Germany)은 초기 ReLEx® 개발 시기에 디자인되었고 hockey knife와 비슷하게 절반이 뾰족한 끝(semi-sharp ending)을 가지고 있다. **(d)** 500 kHZ 비쥬맥스의 더 좋은 레이저 절삭의 품질을 위해서, Bloom spoon은 Cansue dissector에서 변형된 것처럼 뭉뚝하고, 둥글고 다듬어진(polishing) 끝을 갖는 형태로 개선되었다.

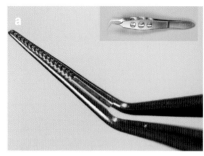 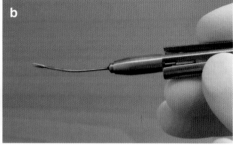

그림 5-5. **(a)** McPherson serrated forceps (Geuder GmbH, Germany): Blum이 변형시킨 모델로 2.5 mm 또는 좀 더 긴 절개창으로 삽입이 용이하도록 제작되었다. **(b)** Advanced Lenticule Forceps.

1. CRD와 유사하지만 길이와 직경이 다른 주걱(예 Kostin spatula/Medin-Ural/Russia, 그림. 5-4b) 또는
2. CRD와 Blum spoon을 조합한 형태의 박리기(예 Tan dissector/ASICO/USA, Güell dissector/Geuder Germany, Reinstein single-use dissector/Malosa/UK). 그림 5-4c, d.

렌티큘 제거 마이크로포셉. 톱니 모양의 턱이 있는 Marcus Blum의 수정된 McPherson 포셉(그림 5-5a)은 ReLEx® 수술을 위해 설계된 최초의 렌티큘 제거기구이다. 그러나 절개 창이 2.5 mm보다 작으면 마이크로포셉을 권장한다. 표준 마이크로포셉 기구는 2011년 Dr. Rupal Shah가 디자인한 Shah Lenticule 포셉을 수정한 Advanced Lenticule Forceps이다 (그림 5-5b).

5.3   안구 안정화(Globe stabilization)

환자가 수술현미경 조명기에 스스로 주시가 가능한 상태에서 박리가 진행될 수 있기 때문에 일반적으로 추가적으로 물리적인 안구의 고정이 필요하지 않다. 그러나 펨토초레 이저를 적용한 직후에는 레이저 에너지에 의해 생성된 미세 기포 때문에 중심 각막이 흐려진다. 이 때문에 환자가 주시하는 것이 어렵게 된다. 이러한 미세 기포의 중심 각막을 부분적으로 제거하기 위해 매끄러운 기구로 중심 각막 상피 표면을 눌러 압력을 가할 수 있다. 이런 경우 저자는 CRD의 뒤꿈치 부분을 사용한다. 왜냐하면 압력 부위를 작게 할 수 있고, 기구의 표면이 부드럽기 때문에 상피 손상을 방지하기 때문이다. 이렇게 하면 현미 경 빛이 각막을 통과하여 환자가 주시하는 데 도움이 된다(그림 5-7). 일부 술자는 마이크 로스피어스폰지(micro spear sponge) 또는 반대로 압력을 주기 위한 Thorton의 고정 링을

사용하거나 안구를 고정하기 위한 colibri 스타일 포셉을 사용하고, 사용하지 않는 다른 손
으로 안구를 수기로 유지시키는 것이 더 편안하다고 느끼기도 한다(그림 5-15).

5.4   박리의 효율

박리기는 기구의 팁이 박리하는 힘(dissecting power)이 가장 크다. 이전 단계인 펨토초
레이저 절삭의 결과가 박리기가 박리면을 얼마나 효과적으로 분리할 수 있는지를 결정한
다. 어떤 눈에서는 박리기를 이용하여 한번 쓸 때마다(sweep) 겨우 몇 밀리미터만 전진할
수 있는 반면, 다른 눈에서는 한 번에 전체가 분리되기도 한다.

5.5   수술과정

1. 일상적인 소독을 하여 멸균 부위를 만들고 얼굴의 상반부를 덮음(drape). 일부 술자는
   눈꺼풀과 속눈썹을 덮는 것을 선호한다.
2. 개검기 삽입(그림 5-6).
3. 환자가 현미경 빛과 고정물을 볼 수 있도록 비교적 깨끗한 기질을 만들기에 충분하게
   각막 중앙을 누름(pointed pressure). 환자는 항상 빛에 시선을 고정하도록 지시한다(그
   림 5-7).
4. CRD의 고리 끝을 입구 절개창을 여는데 사용한다(그림 5-8).

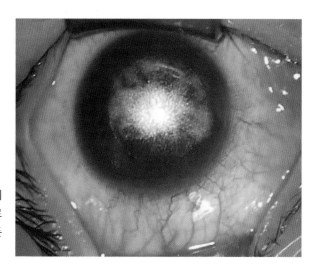

그림 5-6. 소아용 개검기의
짧은 블레이드가 육각형으로
눈이 노출될 수 있도록 만든
다.

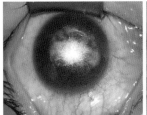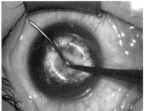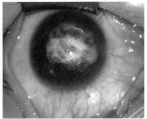

그림 5-7. 중심의 미세공기방울을 상피에 부분적인 압력을 주어 밀어내고, 환자나 수술현미경의 조명기를 주시할 수 있도록 비교적 선명한 각막을 만든다.

그림 5-8. 절개창 만들기

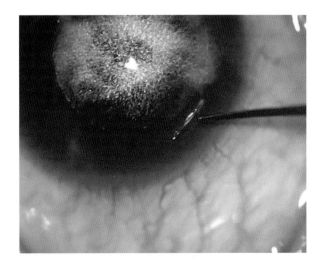

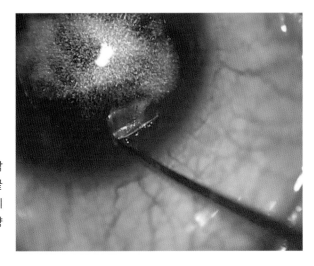

그림 5-9. 걸이(hook)로 작은 주머니 만들기. 걸이의 끝을 렌티큘의 앞쪽 평면에 위치할 수 있도록 약간 위쪽 방향으로 밀어넣는다.

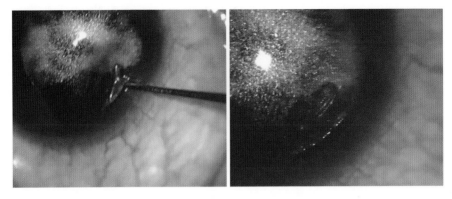

그림 5-10. 왼쪽 그림: 렌티큘의 가장자리의 위치가 두 평면 모두 확인이 되도록 확실하게 만들어야 한다. 오른쪽 그림: 렌티큘의 부분적으로 분리된 끝부위가 캡 아래로 보인다.

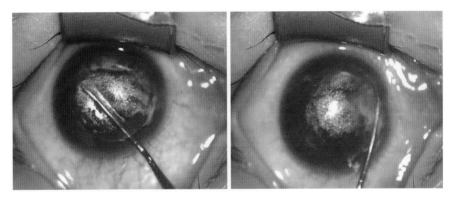

그림 5-11. 박리기를 핸들의 회전에 의해서 쓸어내는 형태로 움직인다. 술자는 작은 절개창에서 회전축을 유지하기 위해 손의 위치를 앞 뒤로 조금씩 움직인다.

5. 걸이(hook)로 작은 주머니(1×2 mm)를 만든다. 이 주머니의 평면을 박리하는 동안 이 주머니가 렌티큘의 앞쪽에 위치하게 하기 위해서 걸이의 가장 원위 부분이 각막 표면과 평행을 유지하도록(또는 눈에서 약간 위쪽으로 들어서) 해야 한다(그림 5-9).

6. CRD를 회전시켜 고리의 끝이 안구 중심을 향하도록 한다. 그런 다음 팁을 아래로 누르고 접선 방향으로 구심력을 이용하여 밀어낸다. 이 작업은 팁이 렌티큘의 가장자리를 찾는 데 도움이 된다. 1 mm 길이의 간격만 있으면 시작점 역할을 하기에 충분하다. 이 과정에서 기구가 앞쪽 인터페이스(캡과 렌티큘 사이)의 박리를 시작하기 전에 기구가 정확한 평면에 위치하는 것을 확인해야 한다(그림 5-10).

7. 일단 렌티큘의 가장자리에 위치하면, CRD의 끝으로 앞쪽 평면을 분리한다(그림 5-11).

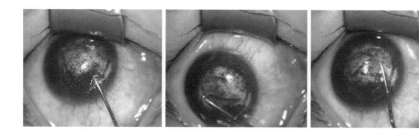

그림 5-12 렌티큘을 자유롭게 만들기 위해 후면 박리

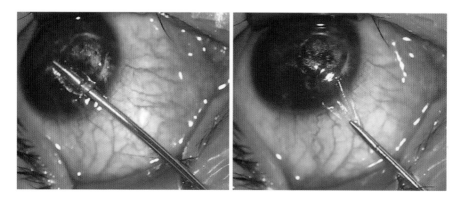

그림 5-13 마이크로포셉을 이용하여 주머니로부터 렌티큘을 제거

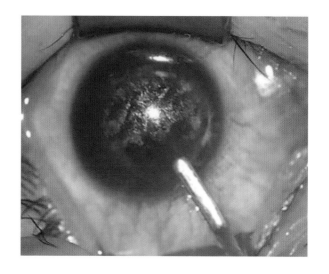

그림 5-14. 주머니 세척.

8. 6단계에서 분리된 렌티큘의 가장자리 아래로 CRD를 진행시키고, 각막기질바닥으로
　부터 렌티큘의 뒷부분을 분리하기 위해 사용한다(그림 5-12).

9. 환자에게 아래를 보도록 지시하고 기질주머니로부터 자유롭게 만들어진 렌티큘을 제거하기 위해 렌티큘포셉을 사용한다(그림 5-13).

10. 선택적으로 주머니는 미세물질이나 상피세포와 같은 이물질을 제거하기 위해 세척할 수 있다. 이 과정은 캡이 불규칙하게 되는 것을 최소화 하기 위해 캡을 약간 들고, 각막 기질바닥에 균등하게 반대 방향에서 주입한다(그림 5-14)

5.6 기구와 술기의 변형

수기 안구고정(manual globe fixation). 현미경의 빛 때문에 눈을 고정할 수 없는 환자의 경우 수기로 안구를 고정하는 것이 유용할 수 있다. 한 쌍의 톱니형포셉(toothed forcep)(그림 5-15)으로 한 지점을 잡고 고정하거나, 또는 Fine-Thornton 링과 같은 링형 고정 장치를 사용할 수 있다.

ReLEx® 스마일수술은 비교적 여전히 새로운 수술이기 때문에 더 많은 술자가 이 수술을 집도함에 따라 기구나 수술술기에 변형을 줄 수 있다. 다음은 현재 시행되는 변형의 몇 가지 예일 뿐이다.

이중 입구(Double entrance). 일부 술자는 약 90° 간격으로 두 개의 입구 절개창을 사용하는 것을 권장한다. 추가적인 절개창은 다른 절개창에서 문제가 발생할 경우 "안전망" 역할을 할 수 있다. 이 방법은 박리된 렌티큘을 밀어내고 렌티큘포셉의 필요성을 없애기 위한 출구역할을 할 수 있다.

액체침투방법(Liquid infiltration method). 일부 술자는 BSS 용액을 사용하여 인터페이

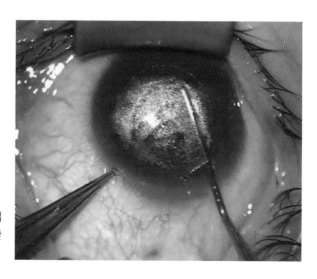

그림 5-15. 0.12 톱니형포셉(toothed forcep)을 이용한 수동안구고정

스를 적시면 박리가 더 쉬워진다는 것을 발견했다.

    또한 전 세계의 다양한 술자들이 효과적으로 사용하고 있는 다른 방법과 박리기의 디자인이 있기 때문에 독자는 이 책에 포함된 수술 비디오 라이브러리를 참고 하기를 바란다.

스마일수술 술기 개선: 팁과 트릭 (Tips and tricks)

6

Sri Ganesh / 김응수

목차

수술은 과학이자 예술이며 오늘날의 기술과도 매끄럽게 조화를 이루어야 한다. 굴절교정수술과 ReLEx® 스마일수술의 경우는 특히 그렇다. 비쥬맥스 펨토초레이저 기술(Carl Zeiss Meditec, Jena, Germany)을 사용한 렌티큘적출은 현재 사용 가능한 기술에 비해 다양한 장점을 갖고 있어 근시 및 근시성난시 교정에 선호되는 시술로 떠오르고 있는 비교적 새로운 수술이다.

모든 새로운 기술에는 학습곡선(learning curve)이 있으며 작은 뉘앙스를 이해하면 결과를 개선하는 데 도움이 된다. 스마일수술의 결과는 센터마다, 술자마다, 특히 수술 후 첫날에 결과가 다양하다는 것이 관찰된다. 시력 회복은 박리가 쉽게 잘 되었는지와 수술 시간에 영향을 받는다. 지난 2년 동안 2,500건 이상의 수술 경험을 통해 저자는 술기와 환자의 수술결과를 개선하는 데 도움이 되는 몇 가지 팁을 관찰했다. 나는 이 장에서 스마일수술의 초보자가 술기를 숙달하는 데 도움이 될 몇 가지 팁을 자세히 설명하려고 노력하였다.

6.1   환경

레이저 수술실의 환경은 엑시머레이저 수술에 매우 중요하며 온도와 습도가 모두 최적의 수준으로 유지되어야 한다. 비쥬맥스 펨토초레이저는 더 강력하고 습도와 온도의 변화에 덜 민감하다[1]. 그러나 저자는 약 22°C의 온도와 50%의 습도를 유지하는 것이 최적이며 이 때 조직의 박리가 가장 잘 된다는 것을 발견하였다. 낮은 온도는 조직 평면의 박리를 더 어렵게 만들 수 있는 플루언스(fluence)와 기포패턴에 영향을 미친다.

6.2   **최적의 플루언스**(레이저 에너지)

레이저 에너지는 좋은 기포 패턴을 얻기 위해 가장 중요하며 박리의 용이성과 수술 시간에 큰 영향을 미친다[2]. 레이저스팟 크기와 간격은 고정되어 있으며 최신 소프트웨어에는 4.5 μ의 레이저스팟 간격으로 진행되어 더 깊게 평면을 박리할 수 있게 향상되었다. 일반적인 경향은 박리가 어려울 때 레이저 에너지를 증가시키는 것이지만, 이는 비쥬맥스 펨토초레이저에 역효과를 일으키고 더 불투명한 기포층(OBL)을 생성할 수 있다.

OBL 패턴을 주의 깊게 관찰하고 최적의 기포층을 얻기 위해 플루언스 수준에서 필요한 변경을 하는 것이 중요하다. 빠른 OBL (OBL이 레이저 파동의 나선형 패턴 이전 또는 도중에 발생하는 경우)을 발견하면 에너지가 높으므로 줄여야 한다(그림 6-1). 레이저절삭 후에 발생하는 느린 OBL은 플루언스가 더 낮으면 발생하고 에너지를 증가시켜야 할 수도 있음을 시사한다(그림 6-2). 완벽한 기포층은 OBL이 없고 기포층의 밀도가 균일한 최적의 레이저 에너지에서 관찰된다(그림 6-3). 일반적으로 이것은 플루언스 수준이 32에서 35 (160–175 nanojules) 사이인 대부분의 비쥬맥스 레이저에서 얻을 수 있다. 비쥬맥스는 먼저 주변에서 중심으로 더 깊은 평면 박리(나선형 안으로)를 수행한 다음 측면 절단을 수행한 다음 중심에서 주변부로 앞쪽의 표면 평면 박리(나선형, 밖으로)를 수행하고 마지막으로 절개창을 만들도록 프로그래밍되어 있다. 이것은 최소한의 조직 왜곡과 환자의 주시 고정시간이 더 길 수 있게 한다. 비쥬맥스의 고주파수(500 kHz)는 조직 왜곡이 적고 낮은 에너지에서도 우수한 조직의 박리가 가능하다.

그림 6-1. 빠른 OBL (불투명한 기포층)

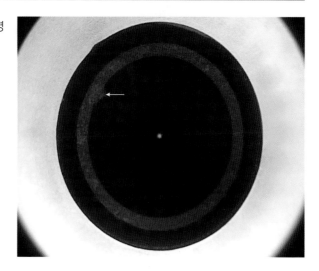

그림 6-2. 느린 OBL

6.3 환자 자세잡기

비쥬맥스 레이저는 약한 각막 흡입으로 환자의 각막을 평평하게 하는 곡선 인터페이스를 가지고 있다. 이 시스템의 장점은 흡입을 하고 난 후에도 환자의 주시가 가능하고, 결막하출혈의 발생이 무시될 정도로 적다. 그러나 흡입이 풀리는 suction loss의 발생율이 높다는 단점이 있다. 지지대(gantry)의 움직임에 대한 어떠한 장애물도 시술 중 흡입 손실의 발생률을 높이며, 이것은 도포 및 흡입 적용 전에 적절한 환자자세를 유지하면 피할 수 있다.

그림 6-3. 정상적인 기포 패턴

턱을 올리고 얼굴을 반대 방향으로 돌리면 적절한 노출을 얻을 수 있다. 비쥬맥스 침대의 머리 받침대는 환자를 불편하게 하지 않으면서 최적의 턱 높이를 얻기 위해 위아래로 움직일 수 있다.

이 방법은 코가 돌출된 환자에게 특히 유용하며 각막 부착 및 흡입 전에 환자의 코와 레이저 갠트리 사이에 명확한 간격이 있는지 확인하는 것이 좋다. 흡입 튜브의 방향을 귀 쪽으로(temporally) 지정하는 것도 중요하다.

6.4   노모그램 조정

결과는 레이저와 술자마다 다르며 모든 외과의사는 결과를 구체화하기 위해 노모그램 조정을 개발하는 것이 필수적이다. 저자는 스마일수술의 초기 수술결과에서 저교정되는 경향이 있음을 발견하였다. 굴절력은 동공에 따라 변할 수 있어[3], 20세에서 30세 사이이고 암순응시 동공 크기가 6 mm 보다 큰 경우의 근시성난시에는 10%를 추가하는 편이다.

6.5   난시교정

비쥬맥스 에는 안구회선(cyclotorsion)보정이 없지만 더 높은 난시에서는 회선을 보정하는 것이 중요하다. 회선은 다양한 이유로 발생할 수 있다[4]: (1) 앉았다가 바로 누운 자세로 자연스럽게 발생하는 회선, (2) 머리의 자세와 고개를 돌릴 때, (3) 개검기와 개검기를 사용할 때 환자의 저항, 벨현상(Bell's phenomenon), (4) 압평 및 흡입으로 이 4가지는 각막 곡률과 인터페이스 곡률의 차이로 인해 회선을 유발할 수 있다.

안구회선에 대한 수기 보정: 0-180° 축을 환자가 똑바로 앉은 상태에서 각막 양쪽으로 약 2 mm 연장되는 윤부에 표시한다. 표식이 레이저의 광학 영역으로 넘어오지 않도록 주의해야 하는데 레이저 전달을 방해하고 절삭을 더 어렵게 만들 수 있다. 압평 및 흡입 이후에 수술현미경 또는 비쥬맥스 화면의 십자선에 대해 0-180 표시의 정렬을 확인한 다음, 레이저를 조사하기 전에 환자의 흡입 컵을 회전하여 눈이 정렬되도록 한다.

저자는 난시가 0.5 D보다 큰 경우 안구회선을 보정하는 것을 선호한다. 또한 저자의 노모그램 보정에 따라 난시를 10% 과교정하고 6.5 mm 이상의 광학 영역을 사용한다. 이렇게 하면 높은 난시와 보통 난시에서도 수술 후 좋은 결과를 가져온다.

6.6 　압평과 흡입

카파각 및 중심잡기: 비쥬맥스에는 동공 중심 및 추적 기능이 없다. 중심잡기(centration)는 환자의 시선을 따라 이루어지며, 환자가 큰 카파각을 가지고 있는 경우 동공 중심으로부터 멀어질 수 있다. 환자에게 현미경 빛을 보도록 지시하면 수술 전 각막지형도와 별개로 카파각에 대한 아이디어를 얻을 수 있으며 이 정보를 활용하는 것도 필요하다. 이 것이 중요한 이유는 압평 및 흡입 후에 시축이 동공 중심에서 멀어질 수 있고, 불필요하게 다시 흡입을 풀고 교정해야 하는 번거로움이 생길 수 있기 때문이다. 환자의 주시와 시축에 일치하는 중심을 잡는 것이 각막을 편평하게 만들어 중심을 잡는데 더 좋고 동공 중심으로 수술하는 것 보다 좋은 결과를 가져온다[5].

드랩하고 개검기를 삽입한 후 결막낭 (fornix)에 물기(눈물, BSS, 마취제 등)가 고이는지 관찰한다. 과도한 물기는 스폰지를 이용하여 제거한다. 그렇지 않으면 흡입 손실이 발생할 수 있다. 각막을 과도하게 건조시키는 것은 평탄화 및 도킹을 다시 방해할 수 있으므로 피해야 한다. 얼룩이 있으면 레이저 전달이 줄어들고 기포 패턴에 검은 부분이 생겨 박리를 어렵게 만들 수 있으므로 환자 인터페이스의 평평한 표면을 만지지 않는 것이 중요하다.

녹색으로 깜박이는 고정 표시등에 고정하도록 환자에게 요청하면서 천천히 일정하게 각막을 누른다. 각막을 약 80% 정도 덮었을 때 흡입을 하면 좋은 도킹을 얻을 수 있다. 환자와 대화하고 무엇을 기대해야 하는지 알려주는 것이 매우 중요하다. 레이저가 더 깊게 통과하면 녹색의 주시점이 사라질 것이며 녹색 빛을 찾지 않고 시선을 고정해야 한다고 설명한다. 또한 카운트다운을 하여 환자에게 소요시간을 알려주는 것이 좋다. 이것은 흡입 손실의 발생을 크게 줄이고 환자 경험을 향상시킨다. 대부분의 경우 깊게 레이저가 통과

그림 6-4. 흡입이 안되는 동안
발생하는 액체나 기포의 유출

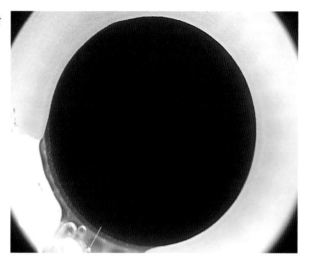

후 주시점이 사라지고 환자가 녹색 빛을 찾으려고 할 때 흡입 손실이 발생한다. 흡입 컵 주
변은 건조해야 한다. 주변이 하얗게 변하고 기포가 빠져나가는 액체 누출이 보이면(그림
6-4) 레이저조사를 진행하지 않는 것이 좋다. 레이저조사를 진행하기 전에 진공을 해제하
고 결막낭과 결막 및 흡입 컵을 건조시키거나 흡입 컵을 교체하고 다시 도킹하여 진공상
태가 잘 유지되도록 한다.

일부 환자는 느슨한 결막이 각막으로 탈출하여 흡입의 손실 발생률을 증가시킬 수 있
다. 이것은 또한 레이저조사, 특히 12시 위치의 박리가 잘 안될 수 있다. 이런 경우에는 단
단한 블레이드 개검기를 사용하여 각막을 완전히 밀착시킨 후 흡입을 하는 것이 좋다.

6.7   렌티큘 박리

박리가 명확하게 보이도록 배율과 조명을 조정한다. 고정 포셉을 사용하여 안구를 유
지하고 갑작스러운 움직임을 방지하는데 이용한다. 또한 박리중에 반대쪽으로 견인을 제
공하여 더 쉽고 빠르게 만들 수 있다. 저자는 왼손에 2점 고정을 제공하는 각막 고정 포셉
과 오른손에 ReLEx® 포켓용 걸이/분리기를 사용하는 것을 좋아한다(그림 6-5). 일단 절개
창이 열리면 가스 기포가 상당히 제거되고 환자는 현미경 빛에 고정할 수 있다. 표면 쪽과
깊은 쪽 수술평면의 식별은 매우 중요하다.

저자는 처음에 절개창의 왼쪽에 있는 위쪽평면과 절개창의 오른쪽에 있는 아래쪽 깊
은 평면을 식별하고 분리하여 수술평면으로의 진입이 명확하도록 하는 것을 선호한다. 저

그림 6-5. 고정포셉과 조직박리

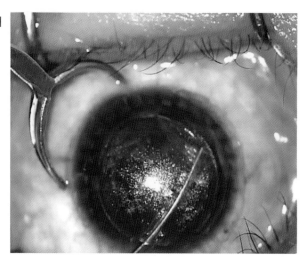

자는 먼저 위쪽 평면을 박리한 다음 아래쪽 평면을 박리한다. 아랫쪽 평면을 박리하는 동안 저자는 한쪽(보통 오른쪽)에 약간 조직의 일부를 박리하지 않은 채로 두고 다른 쪽을 완전히 박리하는 것을 선호한다. 이것은 반대쪽 견인력을 제공하고 렌티큘이 말리는 것을 방지한다. 절개창 부위에 지랫대가 있는 방식으로 박리기(dissector)를 자동차와이퍼 방식으로 이동시킨다. 이것은 특히 작은 절개창(2 mm)에서 절개창의 확장 및 찢어짐을 방지할 수 있다. 렌티큘은 조직이 아직 붙어 있는 브릿지의 가장자리 근처를 마이크로포셉으로 잡고 원형절개같은 움직임 (rhexis like motion)으로 분리한다.

일단 렌티큘이 제거되면 각막에 올려 놓고 펴서 완전한지, 가장자리가 온전하고 원형인지 검사한다. 이것은 특히 OBL과 박리가 어려운 경우에 필요하다. 비쥬맥스의 세극등을 사용하여 각막과 측면 절단부를 검사하여 렌티큘의 잔존물을 찾을 수 있다. 저자는 BSS를 사용하여 인터페이스를 부드럽고 최소한으로 세척하는 것을 선호한다. 이것이 시력회복을 개선하고 더 나은 첫날 시력을 가져오기 때문이다. 개검기를 제거하기 전에 Merocel® 스폰지로 절개 부위를 건조시킨다.

저자의 경험상, 기포 패턴, 박리가 쉽게 잘 되었는지 및 박리 시간이 수술 후 첫날 시력회복에 영향을 미친다.

체계적인 접근, 개별 노모그램, 최소한의 조직을 건드리면서 쉽고 빠르게 박리가 가능하면 좋은 시력결과를 보장할 수 있으며 ReLEx® 스마일수술은 최고로 환자에게 편안함을 제공하면서 라식의 장점과 굴절교정레이저각막절제술 안전성을 모두 갖춘 굴절수술 방식의 패러다임 전환을 제시할 수 있다.

참고문헌

1. Lubatschowski H (2008) Overview of commercially available femtosecond lasers in refractive sur-gery. J Refract Surg 24(1):S102-S107.
2. Dupps WJ Jr, Wilson SE (2006) Biomechanics and wound healing in the cornea. Exp Eye Res 83:709-720.
3. Iseli HP, Bueeler M, Hafezi F, Seiler T, Mrochen M (2005) Dependence of wavefront refraction on pupil size due to the presence of higher order aberrations. Eur J Ophthalmol 15:680-687.
4. Chang J (2008) Cyclotorsion during laser in situ keratomileusis. J Cataract Refract Surg 34:1720-1726.
5. Pande M, Hillman JS (1993) Optical zone centration in keratorefractive surgery: entrance pupil cen-tre, visual axis, coaxially sighted corneal refl ex, or geometric corneal centre? Ophthalmology 100:1230-1237.

경도와 중등도 근시의 수술성적

7

Kimiya Shimizu, Kazutaka Kamiya, Akihito Igarashi, Hidenaga Kobashi, Rie
Ikeuchi, Walter Sekundo / 김응수

목차

7.1　서론

　　지난 몇 년 동안 스마일수술은 근시 교정을 위한 라식의 대안으로, 유럽과 아시아에서 임상적으로 이용 가능하게 되었다. 미국에서도 2016년 식품의약청의 허가를 받았다. 스마일수술에서는 펨토초레이저를 작은 주변 절개창을 통해 수기로 제거할 수 있는 기질 내 렌티큘을 만들어 내는데 사용된다(5장 참조)[1, 2].

　　절편(flap)이 없는 수술 방식은 안구 건조(그림 7-1), 절편이탈(flap dislocation)[3], 각막의 민감도가 떨어지거나 기저신경섬유밀도(subbasal nerve fiber density)의 감소(3장 참조)[4], 각막확장증[5]과 같은 라식 수술의 부작용을 일부 줄일 수 있다.

　　시술의 효율성, 재현성 및 안전성은 펨토초라식과 대등한 것으로 보고되었다[1, 2, 6-9]. 일부 연구에서는 2줄 이상의 시력이 나오지 않은 눈의 비율이 상대적으로 높다고 보고하였

그림 7-1. 라식 수술 후 10년
경과된 각막. 표면의 점상각막
미란이 염색 후 관찰된다.

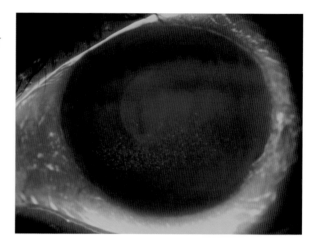

스마일수술 후   라식 후

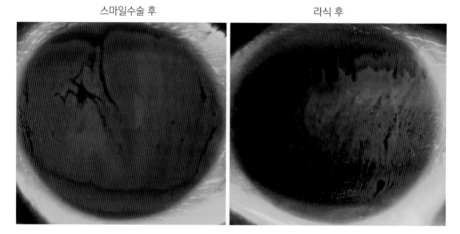

그림 7-2. 스마일수술과 라식 수술 1년후. 스마일수술이 라식수술에 비해 각막표면에 영향이 덜하다.

으나[6] 스마일수술과 관련된 합병증을 보고한 연구는 소수에 불과하다[10, 11]. 또한 스마일수술은 수술 후 안구 건조 매개변수와 주관적 증상에서 라식에 비해 몇 가지 장점을 가지고 있다(그림 7-2)[1, 2, 13]. 이번 장은 경도와 중등도 근시 환자에서 스마일수술 후 초기 임상결과를 보고하지만, 출판된 결과의 대다수는 중등도 근시에 초점을 맞추고 있다[1, 2, 14-21]. 경도근시에 대한 단 하나의 연구 (Reinstein et al의 연구)[21]가 유일한 보고이고, 이 논문은 별도로 논의할 것이다. 또한 연구발표는 되었지만 아직 출간되지 않은 5년 간의 결과를 독자와 공유하고자 한다.

7.2 임상시험 평가

스마일수술에 국한된 데이터 기반의 연구는 2011년 1월부터 2014년 12월까지 발표된 자료로 PubMed (Medline)에서 검색하였다. 최소 3개월의 추적 관찰이 된 경우를 포함하였다. 수술 전 평균 구면 대응치(SE)가 -6.0 디옵터(d) 이상인 눈은 이 연구에서 제외되었다. 각 임상 결과에 대한 데이터는 다음과 같이 추출하였다. (1) 효능: 수술 후 UDVA (나안 원거리 시력)가 20/20 이상인 눈의 수. (2) 예측도: 수술 후 의도한 목표물의 ± 0.50 디옵터(d) 내에서 수술 후 구면대응치(SE)를 달성한 눈의 수. (3) 안전성: 수술 전 교정원거리시력에 비해 수술 후 교정원거리시력이 2줄 이상으로 나빠진 눈의 수. (4) 유지력: 1주일부터 마지막 추적관찰까지 현성굴절력의 변화.

7.3 최근 결과

대부분 중등도 근시 교정을 위한 스마일수술 연구 11개와 경도근시에 대한 1 가지 연구 결과를 (표 7-1)에 요약하였다.

표 7-1. 경도에서 중등도 근시에서 시행된 스마일수술 후 결과 요약

	안구 수	경과관찰 기간 (개월)	평균 술전 구면대응치 (D)	나안시력 20/20 (%)	0.5 D 이내 성공한 눈의 수 (%)	교정원거리 시력이 2줄 이상 줄어든 경우 (%)	구면대응치 변화 (D)
Sekundo (2011)	91	6	−4.75 ± 1.56	83.5	80.2	2.2	0.05
Sekundo (2011)	51	6	−4.87 ± 2.16	62	91	0	−0.06 ± 0.27
Kamiya (2014)	26	6	−4.21 ± 1.63	96	100	0	0.00 ± 0.30
Ganesh (2014)	50	3	−4.37 ± 2.21	96	NA	0	NA
Ang (2014)	20	3	−3.23 ± 1.09	65.0	65.0	NA	NA
Lin (2014)	60	3	−5.13 ± 1.75	85.0	98.3	1.7	NA
Xu (2014)	52	12	−5.53 ± 1.70	83	90.4	0	−0.06 ± 0.37
Sekundo (2015)	54	12	−4.68 ± 1.29	88	92	0	−0.19 ± 0.19
Agca (2014)	40	12	−4.03 ± 1.61	65	95	0	−0.33 ± 0.25
Kunert (2015)	55	12	−4.66 ± 1.75			1.8	−0.11 ± 0.42
Reinstein (2014)	110	12	−2.61 ± 0.55	96	84	0	−0.05 ± 0.36

7.3.1   효능

효능데이터는 이 문헌고찰에서 필요한 포함기준에 만족한 모든 11개의 연구에 의해 분석되었다. 마지막 추적관찰 시 나안원거리 시력이 20/20 이상의 비율이 이전 연구들에서는 62-92%였다.

7.3.2   예측도

이 문헌고찰의 포함기준에 만족한 11개 연구 중 10개에서 예측도 데이터가 보고되었다. 마지막 경과관찰에서 구면대응치가 ±0.50 D인 눈의 비율은 이전 연구에서 65-100%였다.

7.3.3   안정성

안정성 자료는 11개의 연구 중 10개에서 보고되었는데 수술 후에 교정원거리시력이 2줄 이상 감소한 비율이 0-2.2% 였다.

7.3.4   유지력

유지를 확인할 수 있는 데이터는 11개 중 8개의 연구에서 보고되었는데 수술 후 1주부터 마지막 경과관찰까지 굴절력의 평균변화는 -0.06~0.05 D였다.

7.3.4.1 경도근시

지금까지 경도근시에 대한 단 하나의 연구만 발표되었다. Reinstein et al의 매우 최근 연구에서는 -2.61 ± 0.54 D의 수술 전 구면대응치가 -1.03~-3.5 D의 범위인 110개의 눈을 관찰하였다. 평균 7.01 mm의 상당히 큰 광학 영역을 사용하는 두 명의 술자가 평균 연령이 32.4세인 다소 젊은 집단을 시술하였다(표 7-1).

7.4   고찰

처음 술기를 배우는 입장에서는 두꺼운 렌티큘을 수기로 제거하는 것이 덜 힘들고 스마일수술로 치료한 고도 근시의 결과가 펨토초라식으로 얻은 결과와 비슷하기 때문에 고

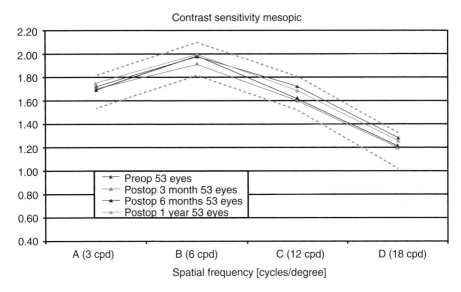

그림 7-3. 스마일수술 이후 중등도조명에서의 대비감도 mesopic contrast sensitivity 검사의 예시는 수술전과 1년 경과관찰 시에 차이점을 보여주지 않는다.

도 근시를 우선적으로 시도해 보는 것이 좋다(9장 참조). 따라서 많은 술자, 특히 스마일수술에 개인적으로 익숙하지 않은 사람들은 스마일수술이 심한 굴절이상에만 적용되는 기술이라고 믿는다. 여기서 다룰 간략한 고찰은 중등도 근시 치료를 위한 스마일수술의 지속적인 사용을 지지한다. 전반적으로 스마일수술 절차의 굴절력 및 시력 결과는 엑시머레이저 기반의 수술만큼 중등도 근시 교정에 효과가 좋다.

우선 Sekundo et al과 Shah et al의 처음 두 연구가 구형의 200 kHz 레이저로 시술하였음을 주의 깊게 염두에 두고 (표 7-1)을 연구해야 한다. 처음에 Sekundo et al.[19]의 연구가 동일한 환자 집단에 대해 12개월 동안의 경과관찰을 부분적으로 제공한 것처럼 Kunert et al.[21]의 후자 연구에서도 마찬가지로 부분적인 결과만 보고되었다.

현재 500 kHz 레이저로 경도근시에 대해 얻은 결과가 엑시머레이저로 얻은 결과보다 확실히 열등하지 않다는 것은 놀랍다. 오늘날의 환자들은 절편과 관련된 생체역학적 위험을 잘 알고 있기 때문에 안구 외상의 위험이 높은 환자 또는 단순히 절편(flap)을 만들고 싶지 않은 환자의 중등도 근시 교정을 위한 치료로도 스마일수술이 엑시머레이저를 이용한 각막표면절삭을 대체할 가능성이 있다. 게다가 수술 후 편안함과 수술 후 언제라도 다시 눈을 건드릴 염려가 없다는 점이 매력적이다. 대비민감도 값은 적어도 엑시머 기반 수술 후만큼 좋으며 특히 고위수차를 볼 때는 더 좋을 때도 있다(그림 7-3). 이와 관련하여서는 Reinstein et al.[22] 연구는 -3.5 D 이하의 경도근시를 치료했기 때문에 특히 관심이 간다. 경도근시환자에서 안전한 스마일수술을 위한 약간의 도움이 되는 "비법"은 (a) 광학 영

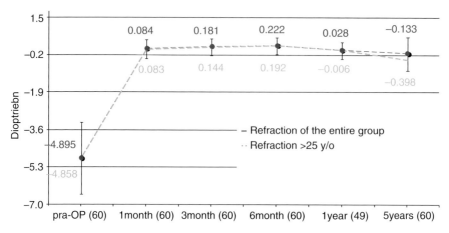

그림 7-4. 중등도근시에서 스마일수술 후 5년째 굴절력 유지. 주의; 근시퇴행은 전부 25세보다 어린 5명에서 일어났다. 이러한 이유는 이 나이에서는 축성근시가 진행될 수 있다는 것을 의미한다.

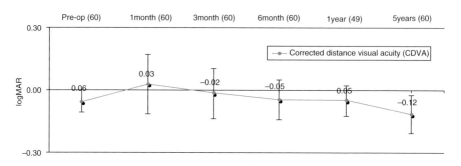

그림 7-5. 최대교정시력은 5년 경과관찰 중에 점점 호전되는 것을 알 수 있다.

역을 늘리는 것, (b) 최소 렌티큘 두께를 미리 설정된 15 μm에서 20 또는 25 μm로 늘리는 것, (c) 이행부위(transition zone)를 늘리는 것이다. 스마일수술 후에 더 나은 생체역학적 인장 강도에 대한 지식은 렌티큘의 두께를 측정하는 것만으로도 쉽게 뒷받침된다. 2009년 Blum과 Sekundo가 치료한(2011년에 출판된) 초기 코호트의 첫 5년 결과는 2014년 9월 독일안과학회(DOG) 미팅에서 K. Täubig에 의해 발표되었다. 5년 전에 치료를 받은 중등도근시가 있는 눈은 25세 이상인 환자에게 놀라운 굴절력의 안정성을 보였다(그림 7-4).

수술 이후에도 미교정원거리시력(UCDVA) 및 교정원거리시력의 추가 개선이 수술 전 수준 이상으로 나타났다(그림 7-5). 그렇다면 현재의 500 kHz 기술로 안전하게 치료할 수 있는 가장 낮은 수준의 근시는 어느 정도일까? 우리는 이 질문을 다르게 해야 한다고 믿는다. 안전하게 추출하기 위해 렌티큘을 얼마나 두껍게 만들어야 할까? Reinstein et al은

51 μm까지 얇게는 가능하고 에너지 설정을 조정하면 40 μm까지도 안전하게 제거할 수 있다고 주장하는 구두 발표가 있었다(B. Meyer 박사, 개인의견). 주관적인 의견으로는 "경험의 법칙(rule of thumb)"으로 50 μm가 매우 경험이 풍부한 스마일수술이 되기 전까지는 유지되어야 한다고 생각한다. 새로운 술자들은 현재 500 kHz 비쥬맥스 기술로 추가적인 위험을 감수해서는 안 된다.

참고문헌

1. Sekundo W, Kunert KS, Blum M (2011) Small incision corneal refractive surgery using the small incision lenticule extraction (SMILE) procedure for the correction of myopia and myopic astigmatism: results of a 6-month prospective study. Br J Ophthalmol 95:335-339.
2. Shah R, Shah S, Sengupta S (2011) Results of small incision lenticule extraction: all-in-one femtosecond laser refractive surgery. J Cataract Refract Surg 37:127-137.
3. Iskander NG, Peters NT, Anderson Penno E, Gimbel HV (2001) Late traumatic flap dislocation after laser in situ keratomileusis. J Cataract Refract Surg 27:1111-1114.
4. Pérez-Santonja JJ, Sakla HF, Cardona C et al (1999) Corneal sensitivity after photorefractive keratectomy and laser in situ keratomileusis for low myopia. Am J Ophthalmol 127:497-504.
5. Geggel HS, Talley AR (1999) Delayed onset keratectasia following laser in situ keratomileusis. J Cataract Refract Surg 25:582-586.
6. Hjortdal JØ, Vestergaard AH, Ivarsen A et al (2012) Predictors for the outcome of smallincision lenticule extraction for myopia. J Refract Surg 28:865-871.
7. Vestergaard A, Ivarsen AR, Asp S, Hjortdal JØ (2012) Small-incision lenticule extraction for moderate to high myopia: predictability, safety, and patient satisfaction. J Cataract Refract Surg 38:2003-2010.
8. Vestergaard A, Ivarsen A, Asp S, Hjortdal JØ (2013) Femtosecond (FS) laser vision correction procedure for moderate to high myopia: a prospective study of ReLEx flex and comparison with a retrospective study of FS-laser in situ keratomileusis. Acta Ophthalmol 91:355-362.
9. Kamiya K, Igarashi A, Ishii R, Sato N, Nishimoto H, Shimizu K (2012) Early clinical outcomes, including efficacy and endothelial cell loss of refractive lenticule extraction using a 500 kHz femtosecond laser to correct myopia. J Cataract Refract Surg 38:1996-2002.
10. Dong Z, Zhou X (2013) Irregular astigmatism after femtosecond laser refractive lenticule extraction. J Cataract Refract Surg 39:952-954.
11. Sharma R, Vaddavalli PK (2013) Implications and management of suction loss during refractive lenticule extraction (ReLEx). J Refract Surg 29:502-503.
12. Li M, Zhao J, Shen Y, Li T, He L, Xu H, Yu Y, Zhou X (2013) Comparison of dry eye and corneal sensitivity between small incision lenticule extraction and femtosecond LASIK for myopia. PLoS One 8, e77797.
13. Gao S, Li S, Liu L, Wang Y, Ding H, Li L, Zhong X (2014) Early changes in ocular surface and tear inflammatory mediators after small-incision lenticule extraction and femtosecond laser-assisted laser in situ keratomileusis. PLoS One 9, e107370.
14. Kamiya K, Shimizu K, Igarashi A, Kobashi H (2014) Visual and refractive outcomes of femtosecond lenticule extraction and small-incision lenticule extraction for myopia. Am J Ophthalmol 157:128-134.
15. Ganesh S, Gupta R (2014) Comparison of visual and refractive outcomes following femtosecond laser-assisted lasik with smile in patients with myopia or myopic astigmatism. J Refract Surg 30:590-596.
16. Ang M, Mehta JS, Chan C, Htoon HM, Koh JC, Tan DT (2014) Refractive lenticule extraction: transition and comparison of 3 surgical techniques. J Cataract Refract Surg 40:1415-1424.
17. Lin F, Xu Y, Yang Y (2014) Comparison of the visual results after SMILE and femtosecond laser-as-

sisted LASIK for myopia. J Refract Surg 30:248-254.

18. Xu Y, Yang Y (2015) Small-incision lenticule extraction for myopia: results of a 12-month prospective study. Optom Vis Sci 92(1):123-131.

19. Sekundo W, Gertnere J, Bertelmann T, Solomatin I (2014) One-year refractive results, contrast sensitivity, high-order aberrations and complications after myopic small-incision lenticule extraction (ReLEx SMILE). Graefes Arch Clin Exp Ophthalmol 252(5):837-843.

20. Ağca A, Demirok A, Cankaya Kİ, Yaşa D, Demircan A, Yildirim Y, Ozkaya A, Yilmaz OF (2014) Comparison of visual acuity and higher-order aberrations after femtosecond lenticule extraction and small-incision lenticule extraction. Cont Lens Anterior Eye 37:292-296.

21. Kunert KS, Melle J, Sekundo W, Dawczynski J, Blum M (2015) Ein-Jahres-Ergebnisse bei Small-Incision-Lentikel-Extraktion (SMILE) zur Myopiekorrektur. (One-year results of small incision lenticule extraction (SMILE) in myopia). Klin Monbl Augenheilkd 232(1):67-71.

22. Reinstein DZ, Carp GI, Archer TJ, Gobbe M (2014) Outcomes of small incision lenticule extraction (SMILE) in low myopia. J Refract Surg 30:812-818.

난시 교정

8

Marcus Blum, Walter Sekundo / 황규연

목차

각막의 반구 모양은 모든 경선이 동일한 곡률을 갖는다면 구형을 이룬다. 그러나 난시에서는 각막의 굴절력이 수직 경선과 수평 경선에 따라 달라지기 때문에 한 점의 이미지가 한 점의 형태로 형성될 수 없다. 최대 및 최소 곡률의 경선을 주 경선(principal meridians)이라고 하며, 규칙 난시에서는 이 경선이 90° 각도를 이룬다. 각막의 곡률로부터 평균 각막 굴절력(mean corneal power)와 난시 도수(cylinder power)을 계산할 수 있으며, 임상적으로 난시축과 디옵터(D) 단위의 도수로 기술한다[1].

주 경선의 방향에 따라 다음과 같이 난시를 구별할 수 있다.

- 직난시(With-the-rule astigmatism): 수직 경선이 굴절력이 높은 경우(90° ± 15°).
- 도난시(Against-the-rule astigmatism): 수평 경선이 굴절력이 더 높은 경우(0° ± 15° 또는 180° ± 15°)
- 경사 난시(Oblique astigmatism): 주요 경선이 15°에서 75°(또는 105°에서 165°) 사이의 각도로 기울어져 있지만 여전히 서로 수직인 경우

굴절 오차(refractive error)는 평생 동안 똑같이 고정되어 있지 않다. 난시의 발생률이 가장 높은 시기는(최대 65%까지 보고됨) 생후 첫 해이다[2]. 이 시기에 나타난 난시는 안구의 크기가 증가하고 각막이 평탄화되면서 점차 감소한다[3]. 성년이 되면 난시의 높은 발병률은 사라져서 성인에서 1.0D 이상의 난시 발생률은 최대 8%로 보고되고 있다[4].

몇 가지 외과적 개념이 난시 치료를 위해 시도되었다. 난시 각막절개술(Astigmatic Keratotomy, AK)과 윤부 이완 절개술(Limbal Relaxing Incisions, LRI)은 백내장 수술과 함께 사용할 수 있어 인기를 끌었다[5]. 최근의 최신 세대의 엑시머 레이저는 난시 교정에 만족스러운 결과를 얻을 수 있는 효과적인 수술 기술을 제공한다. 그러나 엑시머 레이저 치료는 구면 근시(spherical myopia)의 보정이 근시성 난시(myopic astigmatism)의 보정보다 예측성이 높다[6].

각막 절편(flap) 생성에 의해 유도된 난시(surgically induced astigmatism)에 관한 연구에 따르면, 후엉(Huang) 등은 상측 경첩(superior hinge)을 만든 라식 수술 후 평균 0.12D의 직난시가 유도된다는 것을 발견했다[7]. 그들의 결론은 이러한 난시 변화가 원형 각막절개술(circular keratotomy)이 상측 경첩 부위에 없기 때문이라는 것이었다. 상측 경첩은 90° 축에서 난시의 경사(steepening)를 일으키는 반면, 원형 각막 절개술은 각막 난시의 전체적인 감소를 일으킨다. 다만, 이 문헌에는 벡터 기반 연구가 부족하였고, 다른 저자들도 이 증거를 찾을 수 없었다.

짧은 시간 내에 ReLEx® 기법은 지속적으로 개선되어 굴절 결과의 안전성(safety)과 안정성(stability)면에서 기존의 수술과 유사한 결과를 이끌어냈다[8-12].

그러나 현재 난시 교정을 위한 "벤치마크"는 최신 엑시머 레이저이며, 그 중 일부는 동적 회선보정 안구 추적기(dynamic cyclotorsional eye tracker)를 갖추고 있다. 반면 펨토초 레이저는 흡착 "접촉 유리(Contact glass)"로 고정된 눈에 작용한다. 따라서 안구 회전 없이 정확하게 석션을 시도하는 것이 시술 중 적절한 축 정렬에 가장 중요하다. 쿠네르트(Kunert) 등은 벡터 분석을 사용한 난시 치료에 대한 첫 번째 상세 보고서를 제공했다[13]. 주로 Eydelman과 동료들이 제공한 정의와 공식을 따르는 굴절 데이터에 대한 벡터 분석이 수행되었다[14].

그녀는 근시 난시 교정을 위한 전체-펨토-시술(All-femto-procedure) ReLEx® FLEx의 효과, 예측 가능성 및 안전성을 평가했다. 1주일 및 1, 3, 6개월의 추적 기간에 대한 182회(우안 95안, 좌안 87안)레이저 조사에 대해 전체 굴절 데이터가 보고되었다. 연구는 0 D와 –8.75 D 사이의 구면 근시(MV –4.10 D, SD = 1.51 D)와 -0.25D와 -6.0D 사이의 근시성 난시(MV 0.96D, SD ± 0.8 7D)를 가진 113명의 환자 182명의 눈으로 구성됐다. 데이터 세트에는 구면근시와 난시 치료를 포함하고 있다. 벡터 분석을 수행하여 후속 방문 시마다 난시 결과를 연구했다. 이 데이터를 통해 과소보정과 과보정을 정량적으로 분석할 수 있다. 선형 회귀선의 기울기는 초과 및 과소 보정 인자(factor)를 나타낸다. 1주와 1, 3, 6개월의 경과 관찰 기간 동안 인자는 각각 0.96, 0.89, 0.91, 0.88에 해당한다. 이 데이터는 아래 표에 표시된 바와 같이 각각 4%, 11%, 9%, 12%의 과소교정에 해당한다.

표 8-1. 182안에서 경과 관찰 기간에서 난시 분포

		C ≤0.25 D	0.25 D < C ≤0.5 D	0.5 D < C ≤0.75 D	0.75 D < C ≤1 D	1 D < C ≤1.25D	1.25 D < C ≤1.5 D	1.5 D < C ≤2 D	2 D < C ≤3 D	3 D < C ≤4 D	4 D < C ≤5 D	C > 5 D
Pre	%	16.5	30.8	17.6	8.8	6.6	6.0	6.0	4.4	1.6	1.1	0.5
	n	30	56	32	16	12	11	11	8	3	2	1
1 week	%	51.6	24.7	14.8	4.9	1.6	0.5	1.1	0.5	0.0	0.0	0.0
	n	94	45	27	9	3	1	2	1	0	0	0
1 month	%	52.7	26.4	10.4	4.9	1.6	3.3	0.5	0.0	0.0	0.0	0.0
	n	96	48	19	9	3	6	1	0	0	0	0
3 months	%	54.4	23.6	9.3	7.7	3.3	1.1	0.0	0.0	0.0	0.0	0.0
	n	99	43	17	14	6	2	1	0	0	0	0
6 months	%	56.6	23.6	9.9	3.3	3.3	1.6	1.1	0.5	0.0	0.0	0.0
	n	103	43	18	6	6	3	2	1	0	0	0

Kunert 등에 의해 변형됨[13].

저교정은 1개월까지 진행된 것으로 보이며 1개월 이후에는 미미한 편차를 보였다. 자료를 좀 더 자세히 살펴보면 저난시군(0.5 D)에서는 약간의 과보정이 있었고 고난시에서는 과보정이 있었다. 1-3 D 범위에서 보정 지수는 0.87과 0.93이었다.

6개월 추적 관찰 시 원거리교정시력(CDVA)은 눈의 96%가 20/20 이상이었고, 20/32 보다 더 나쁜 CDVA를 가진 눈은 없는 것으로 나타났다. 51%의 눈은 원거리 교정 시력이 변하지 않았고, 33%는 한 줄, 3%는 두 줄의 시력이 증가했다. 10%는 한 줄을 잃었고, 2%는 두 줄을 잃었으며, 0.5%(한 쪽 눈)는 두 줄 이상의 원거리 교정 시력이 손실되었다. 본 연구에서는 모든 시술에 구형 200kHz 비쥬맥스 펨토초 레이저를 사용했으며 모든 눈에서 렌티큘(lenticule) 제거를 위해 플랩(flap)을 들어 올렸다.

이 연구 이후 많은 변화가 발생하였다. 500 kHz 비쥬맥스 펨토초 레이저가 시장에 진입했으며, Kunert의 결과에 따라 노모그램의 조정이 소프트웨어에 추가되었다. 또한 플랩 없는 ReLEX®인 스마일수술은 ReLEX® FLEX를 주요 절차로 대체했다. 각막 플랩 형성이 난시를 유발하는 것으로 보고되었기 때문에[7], 플랩의 존재(ReLEx®-FLEX에서) 또는 부재 (ReLEX® SMILE에서)는 수술 후 난시 결과에 영향을 미칠 수 있다. 우리가 아는 한, 그 두 기술을 직접 비교하는 연구는 발표되지 않았다.

Ivarsen은 최근 고도 난시(9장 참조)에서 치료 오류로 인한 저교정을 보고한 스마일 치

료 결과를 발표했다[15]. 두 연구에서 수술 전 난시 분포(Kunert: -0.25~-6.00 D vs -1.00~-2.75 D)는 수술 기술과 펨토초 레이저의 반복 속도(200 kHz vs 500 kHz)에서 다양한 차이가 있다. Huang의 연구는 2000년에 발표되었고 미세각막절삭기(microkeratome)로 만든 플랩을 사용했다. 오늘날의 펨토초 기술로 더 얇고 균일한 플랩을 만들 수 있으며, 이것이 난시 유발 문제를 해결했을지도 모른다. 플랩 생성에 의한 고차 수차 유도(HOA)를 살펴본 많은 연구들은 난시가 아닌 작은 고위 수차 유도만을 발견했다. ReLEX® FLEX 및 스마일수술ReLEX® SMILE에서 HOA의 유도는 매우 유사한 것으로 보고되었으며[16, 17], 렌티큘의 절제 알고리즘은 두 기법에 모두 동일하므로, 난시 유도를 비교하기 위한 연구는 통계적으로 더 큰 표본 크기가 필요할 것이다. 안전성의 관점에서, 저교정은 초기 연구에 유리하다. 왜냐하면 수술 후 근시 저교정을 해결하는 것이 원시화의 해결보다 훨씬 더 쉽기 때문이다. 경험을 쌓은 외과의사는 적절한 노모그램를 사용하여 난시를 보다 완전하게 교정하도록 권장될 수 있다.

저교정의 원인으로 한 가지 가능한 이유는 안구회선(cyclotorsion)일 수 있다. Prakash 등은 라식(LASIK)에서 홍채 인식으로 안구 추적을 하는 것이 더 나은 난시 결과를 보였다고 보고했다. 그림에서 X 방향과 Y 방향의 거의 대칭적인 변화가 있었기 때문에 Kunert 분석은 안구회선에 대한 증거를 제시하지 못했다. 게다가 이것은 좌안 변형이 있던 없던 관찰되었다. 현재 단계에서는 ReLEx® 절차에 홍채 등록을 사용할 수 없다. 현재 소프트웨어에는 흡입이 적용된 후 전체 절제 프로필의 축을 조정하는 도구가 없다. 일부 의사들은 안구회선의 증거가 있다면 흡입 후 접촉 유리를 회전시키지만, 제조업체는 이 방법을 권장하지 않는다. 레이저 조사 전에 레이저가 접촉 유리의 밑면을 기준 평면으로 스캔한다. 접촉유리를 수동으로 회전하면 기준 평면이 잘못되어 계산된 프로파일의 정확도가 저하될 수 있다. 따라서 현재 저자들은 환자의 머리를 적절히 배치하고 안구회선이 있는 경우 흡인을 해제하고 머리 위치를 조정한 후 다시 시도할 것을 권장하고 있다. 또한 더 큰 전환영역(transition zone)을 사용하여 결과를 개선할 수 있다.

요약하면 스마일수술은 근시성 난시를 교정하는 데 성공적인 시술이라는 증거가 있다. 결과가 좋기는 하지만, 향후 연구는 노모그램, 홍채 등록 및 최적화된 전이 영역 및 ReLEX® 절차의 적용을 통한 난시 교정의 추가 개선에 초점을 맞추어야 한다.

참고문헌

1. Olsen T (1986) On the calculation of power from the curvature of the cornea. Br J Ophthalmol 70:152-154.
2. Howland HC, Sayles N (1984) Photorefractive measurements of astigmatism in infants and young children. Invest Ophthalmol Vis Sci 25:93-102.

3. Abrahamsson M, Fabian G, Sjorstrand J (1988) Changes in astigmatism between the ages of 1 and 4 years: a longitudinal study. Br J Ophthalmol 72:145-149.

4. Saunders KJ (1995) Early refractive development in humans. Surv Ophthalmol 40:207-216.

5. Thornton SP (1990) Astigmatic keratotomy: a review of basic concepts with case reports. J Cataract Refract Surg 16:430-435.

6. Bailey MD, Zadnik K (2007) Outcomes of LASIK for myopia with FDA-approved lasers. Cornea 26:246-254.

7. Huang D, Sur S, Seffo F, Meisler DM, Krueger RR (2000) Surgically-induced astigmatism after laser in situ keratomileusis for spherical myopia. J Refract Surg 16:515-518.

8. Blum M, Kunert K, Schröder M, Sekundo W (2010) Femtosecond lenticule extraction for the correction of myopia: preliminary 6-month results. Graefes Arch Clin Exp Ophthalmol 248:1019-1027

9. Blum M, Kunert KS, Engelbrecht C, Dawczynski J, Sekundo W (2010) Femtosecond lenticule extraction (FLEx) - results after 12 months in myopic astigmatism. Klin Monbl Augenheilkd 227:961-965.

10. Sekundo W, Kunert KS, Blum M (2011) Small incision corneal refractive surgery using the small incision lenticule extraction (SMILE) procedure for the correction of myopia and myopic astigmatism: results of a 6-month prospective study. Br J Ophthalmol 95:335-339.

11. Shah R, Shah S (2011) Effect of scanning patterns on the results of femtosecond laser lenticule extraction refractive surgery. J Cataract Refract Surg 37:1636-1647.

12. Blum M, Flach A, Kunert KS, Sekundo W (2014) Five-year results of refractive lenticule extraction. J Cataract Refract Surg 40:1425-1429.

13. Kunert KS, Russmann C, Blum M, Sluyterman van Langenweyde G (2013) Vector analysis of myopic astigmatism corrected by femtosecond refractive lenticule extraction. J Cataract Refract Surg 39:759-769.

14. Eydelman MB, Drum B, Holladay J, Hilmantel G, Kezirian G, Durrie D, Stulting RD, Sanders D, Wong B (2006) Standardized analyses of correction of astigmatism by laser systems that reshape the cornea. J Refract Surg 22:81-95.

15. Ivarsen A, Hjortdal J (2014) Correction of myopic astigmatism with small lenticule extraction. J Refract Surg 30:240-247.

16. Gertnere J, Solomatin I, Sekundo W (2013) Refractive lenticule extraction (ReLEx flex) and wavefront-optimized Femto-LASIK: comparison of contrast sensitivity and high-order aberrations at 1 year. Graefes Arch Clin Exp Ophthalmol 251:1437-1442.

17. Sekundo W, Gertnere J, Bertelmann T, Solomatin I (2014) One-year refractive results, contrast sensitivity, high-order aberrations and complications after myopic small-incision lenticule extraction (ReLEx SMILE). Graefes Arch Clin Exp Ophthalmol 252:837-843.

18. Prakash G, Agrawal A, Ashok Kumar D, Jacob S, Agrawal A (2011) Comparison of laser in situ keratomileusis for astigmatism without iris registration, with iris registration, and with iris registration-assisted dynamic eye tracking. J Cataract Refract Surg 37:574-581.

고도근시의 임상결과

Anders Ivarsen, Jesper Hjortdal/황규연

목차

고도근시 교정은 각막굴절수술 초기부터 시도되어 왔다. 이미 1950년대에 Barraquer 는 매우 높은 굴절 오차를 층판 치료법으로서 각막절삭술(Keratomileusis)을 개발했다[20]. Barraquer의 접근법은 널리 인정받았지만, 각막절삭술(Keratomileusis)은 매우 다양한 결과와 기술적으로 까다로운 절차로 인해 널리 사용되지 않았다. 이후 1970년대에 Fyodor-ov는 방사상 절개술을 발전시켜 -10 디옵터(D) 이상의 근시를 교정했다[3]. 복잡한 층판 접근법과 달리 방사상 각막절개술은 쉽게 시행되었고 널리 채택되었다. 그러나 결과는 심각한 합병증 등으로 장기 굴절 안정성이 떨어지는 등 예측 불가능했다[13].

1980년대 후반 엑시머 레이저의 등장은 굴절교정레이저각막절제술(PRK)과 같은 표면 절제술과 후에 플랩 기반의 라식(LASIK)와 같은 각막 굴절 수술의 새로운 시대를 예고했다. 초기 단계에서 -20 D 이상의 근시를 교정하기 위해 굴절교정레이저각막절제술 또는 라식으로 모두 시도되었지만[4, 11], 두 시술 모두 고도근시 교정 시 상당한 합병증을 가지고 있는 것으로 밝혀졌다. 따라서 각막 수화, 실내 습도, 환자 연령, 시차 오차(parallax error), 레이저 유창성(fluency)[1, 25] 등이 광절제(photoablation) 시술의 정밀도에 영향을 미치고, 이 모든 요인이 더 높은 도수를 보정하려 할 때 예측성(predictability)을 감소시켰다. 표면 절제 과정에서 고도근시 교정은 수술 후 상처 치유를 더 유발하여 기질 혼탁 형성의 위험을 증가시키고 얻어진 굴절 교정의 장기 안정성을 감소시키는 것으로 밝혀졌다[23]. 라식에서는 높은 교정량이 각막확장증의 위험 증가와 관련이 있었다[15, 19]. 그럼에도 불구하고 굴절교정레이저각막절제술과와 라식은 우수한 환자 만족도와 높은 정밀도, 그리고 매우 좋은 안전성으로 인해 매우 성공적인 수술이며, 주로 굴절교정레이저각막절제술은 낮은 수준의 근시 교정을 위해 라식은 -8에서 -10 D 미만의 근시에 대해 주로 권장된다.

지난 5년 동안 비쥬맥스 (Carl Zeiss Meditec) 레이저 플랫폼을 사용한 펨토초 레이저 기반 굴절 렌티큘 추출은 각막 굴절 수술의 가장 최근의 발전으로 떠올랐으며, 최신 진화 단계로 소형 절개 렌티큘 추출(SMILE)이 있다[17, 18, 24]. 스마일수술 시, 온전한 각막 기질 내에서 렌티큘을 절단하는 것은 엑시머 기반 시술에서 알려진 많은 변수 인자들을 제거했다. 또한 스마일수술에서는 대부분의 전부 기질 층판(stromal lamella)이 그대로 남아 있으며, 다른 각막 굴절 절차보다 생체역학적 충격이 스마일수술에서 더 적을 수 있다는 의견이 제시되었다[16]. 이는 높은 도수의 굴절 교정을 시도할 경우에도 안전할 수 있음을 나타낸다. 그러나 안구 반응 분석기(ORA) 또는 Scheimpflug 기반 이미징(Corvis ST)을 사용하여 스마일수술된 각막에 대한 생체역학 연구에서 라식[21, 26] 수술 후와 일관된 차이를 발견하지 못했고, 안전상의 이유로 현재 비쥬맥스 레이저에서는 –10 D 이상의 보정을 허용하지 않는다.

스마일수술 이후의 임상 결과에 대한 대부분의 연구는 저-중도 근시의 교정을 고려하지만, 본 장에서는 –6 D 이상의 근시에 대한 스마일수술 이후의 임상 결과를 검토한다.

9.1 굴절 결과

전반적으로 고도근시 교정을 위한 스마일수술의 굴절 예측 가능성은 매우 양호한 것으로 보고되었다(표 9-1). 그러나 지금까지 고도근시 눈을 대상으로 발표된 대부분의 연구는 3개월 또는 6개월 간의 추적 관찰에 그쳤다. 평균도수 -7.19 ± 1.30 D에서 스마일수술 받은 670개의 눈을 대상으로 한 보고에서 수술 3개월 후 구면 대응 굴절의 평균 오차는 -0.25 ±0.44 D였으며, 전체의 80%는 ±0.50 D 이내, 94%는 ±1.0 D 이내였다. 같은 연구의 1,574개의 눈을 대상으로 한 후속연구에서 -0.15 ± 0.50 D의 평균 오차를, 전체의 77%는 ±0.50 D 내에 있었고 95%는 ±1.0 D 내에 있었다고 보고하였다. 환자가 적은 다른 논문은 비슷한 결과를 보고하였는데, 고도근시에서 스마일수술 후 3-6개월 후 눈의 77-93%가 ±0.50 D 내에 있었다[10, 22, 24, 27]. 한 논문에서, 평균 근시 –5.84 D에 대해 스마일수

표 9-1. 고도근시안에서 스마일수술 후 술전 굴절치, 교정결과, 시력 그리고 안전성 결과

	연구방법	술전구면대응치(D)	N(안)	경과관찰기간	교정결과 (±0.5 D)	퇴행	시력	교정시력 2줄이상 감소
Hjortdal	전향적	−7.19± 1.30	670	3	80 %	보고 없음	0.80이상 나안시력 84%	2.4%
Vestergaard	전향적	−7.18± 1.57	279	3	77%	0.15D	0.80이상 나안시력 73%	0.4%
Ivarsen	전향적	−7.25± 1.84	1574	3	77%	보고 없음	보고 없음	1.5%
Zhao	전향적	−6.67± 1.43	54	6	93%	없음	1.00이상 나안시력 98%	없음
Vestergaard	전향적	−7.56± 1.11	34	6	88%	없음	0.80이상 나안시력 83%	없음
Kim	전향적	−6.18± 1.67	293	6	86%	없음	0.80이상 나안시력 98%	0.3%
Ang	전향적	−5.84± 2.12	35	12	88%	없음	1.00이상 나안시력 77%	없음

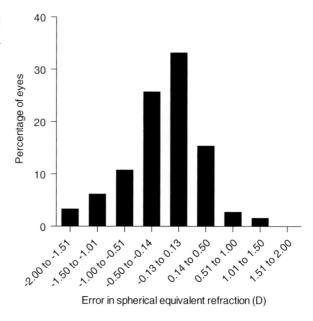

그림 9-1. 고도근시에 스마일
수술 후 3년 뒤 굴절오차의 도
수 별 비율

술 후 1년 굴절 데이터가 보고되었다. 술전 평균이 아주 높은 고도근시는 아니지만, 이 연구는 치료된 눈의 88%가 12개월 후 ±0.50 D 내에 있으며, 평균 0.10 ± 0.37 D의 과교정이 있음을 발견했다.

또한 최근 평균 –7.30±1.35 D의 근시환자 174안에 대해 스마일수술 후 3년 후 평균 굴절 오차는 -0.19 ± 1.04 D로 나타났으며, 전체 안의 75%는 ± 0.50 D 이내, 89%는 ± 1.0 D 이내였다(그림 9-1).

고도근시 교정을 위한 스마일수술 이후의 장기적인 굴절 안정성은 광범위하게 연구되지 않았다. 그러나 279 안을 대상으로 한 연구에서 첫 달 동안 –0.15 D의 경미한 근시퇴행 관찰되었지만 수술 후 1-3개월 동안 굴절이 안정적인 것으로 나타났다[24]. 54안에 대한 또 다른 연구는 수술 후 첫 6개월 동안 근시퇴행을 발견하지 못했고[27], 마찬가지로 평균 –5.84 D 근시에 대한 연구에서 스마일수술 후 1개월에서 12개월 사이의 굴절에서 유의미한 변화를 발견하지 못했다[2]. 고도근시에 대한 스마일수술 후 3년 후를 평가한 최근 우리의 연구에서도 수술 후 1개월에서 3년 동안 84안에서 유의미한 근시 퇴행을 발견하지 못했다(그림 9-2).

고도근시 및 난시가 결합된 눈에서 굴절 결과 예측은 좀 더 어려운 문제지만, 775안 중 전체 77%는 난시 교정 시도와 관계없이 3개월 후 의도한 구면굴절대응치의 ±0.50 D 이내인 것으로 보고되었다[8]. 그럼에도 불구하고 난시 교정량이 증가할수록 디옵터당 평균 16% 정도로 난시가 저교정되는 현상이 관찰되었다.

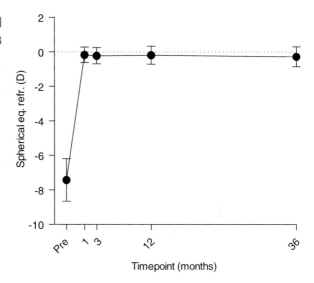

그림 9-2. 고도근시 84안에서 스마일수술 후 1개월에서 3년째 평균 구면대응치의 오차

홍미롭게도 스마일수술 이후의 예측 가능성은 근시 교정량의 정도와는 관련이 없는 것으로 밝혀졌다[6]. 이는 각막 수화, 실내 습도, 환자 연령, 시차 오차 및 레이저 유창성이 절삭량[1, 25]에 영향을 미쳐 근시 교정이 증가함에 따라 정밀도가 감소하는 엑시머레이저 기반 치료와 대조적이다. 또한 수술 전 각막 곡률, 환자 연령 및 성별은 스마일수술 후 굴절 결과에 매우 제한적인 영향을 미치는 것으로 밝혀졌다[6, 10].

9.2 시력 결과

고도근시에 대한 스마일수술 후 시력 결과를 보고한 몇 가지 연구에서 73-100%의 환자가 수술 후 3-6개월째 20/25 이상의 원거리 나안 시력(UDVA)을 가졌다(표 9-1). Ang 등은 마찬가지로 평균 -5.84D의 환자의 77%가 교정 후 12개월째 UDVA가 20/20 이상이라고 보고했다. 평균 -7.30 ± 1.35 D 근시 환자에 대한 스마일수술 후 3년간 조사한 최근의 연구에서 174안의 82%에서 20/25 이상의 UDVA을 보였다(그림 9-3).

670안을 대상으로 한 전향적 연구에서 수술 후 3개월째 효과 지수efficacy index (술후 UDVA/술전 원거리 교정시력CDVA)는 0.90 ± 0.25로 보고되었다. 이는 환자가 평균적으로 수술 전 CDVA의 90%의 수술 후 UDVA로 기대할 수 있음을 나타낸다[6].

전반적으로 고도근시에서 스마일수술 후의 결과는 펨토초라식 이후의 결과와 동일한 것으로 보인다[28].

그림 9-3. 수술 후 3년째 술
후 ±0.25D 목표로 수술한 149
안의 원거리 나안시력 분포

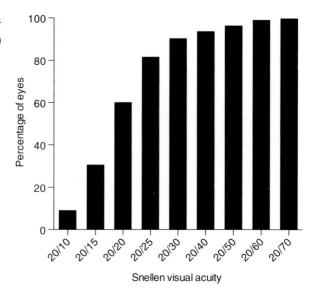

9.3　고위수차

엑시머 레이저 수술에서는 근시 교정량이 높을수록 고위수차(HOAs)가 더 많이 발생
한다는 것이 잘 입증되어 있다[14]. 많은 양의 HOA는 어두운 곳에서 시각적 성능을 저하시
키고 굴절 수술 후 야간 시력 장애에 기여한다. 두 연구에서 스마일수술은 저-중등도의 근
시를 교정할 때 펨토초라식보다 더 적은 HOA를 유도하는 것으로 밝혀졌다[5, 12]. 그러나
고도근시 교정 후 유도된 고위수차에 관해서는 아직 체계적으로 연구되지 않았으며, 수술
후 수차와 관련하여 스마일수술이 엑시머 레이저 시술보다 어떤 이점을 제공하는지는 아
직 정확히 알려져 있지 않다.

9.4　고도근시 교정의 안정성

굴절 수술의 경우 전체 안전성은 원거리 교정 시력(CDVA)의 변화에 의해 평가될 수
있다. 일반적으로 Snellen 시력차트에서 두 줄 이상의 손실 또는 이득이 있는 것이 환자에
게 의미 있는 변화로 간주한다.

현재 고도근시에 대한 스마일수술에 관한 대부분의 연구는 시술의 안전성을 제대로
평가하기에는 너무 적지만 CDVA에서 2줄 손실 빈도는 고도근시 교정에서 0-2.4%에 있
는 것으로 보고되었다(표 9-1). 한 연구에서, 293안의 0.3%가 2줄 이상의 손실을 가지고

있는 것으로 보고되었다[10]. 대조적으로, Hjortdal 등이 고도근시에 대해 스마일수술한 670안을 조사한 결과 CDVA의 유의한 손실에 대한 위험이 2.4%로 나타났다[6]. 그러나 같은 연구에서 안전지수(Safety index) (술 전 CDVA/술 후 CDVA)가 1.07 ± 0.22로 발표되었는데, 이는 근시 각막 굴절 시술에 의해 유도된 영상 확대 때문에 수술 후 평균적으로 CDVA가 증가한 결과로 보인다.

또한, 고도근시에 대한 스마일수술 1,574건을 분석한 결과, 전체 3.4%에서 2줄 이상의 원거리 교정시력 개선이 있었지만, 전체 1.5%는 2줄 이상의 교정시력 감소를 경험했다[7]. 그러나 시력이 저하된 모든 환자는 1년 이상 경과한 후 재평가한 결과 수술 전 CDVA의 한 줄 이내로 시력이 회복된 것으로 확인되었다. 의사의 숙련도와 레이저 설정이 수술 후 시력 회복에 중요한 변수인 것으로 밝혀졌다. 전반적으로, 고도근시에 대한 스마일수술의 안전성은 펨토초라식 이후와 동일한 것으로 보이지만, 일부 환자의 경우 시력 회복이 오래 걸릴 수 있다.

스마일수술의 드문 합병증으로 수술 후 단안에서 고스트 이미지가 보이는 불규칙 난시가 발생할 수 있는 데 이는 1,574안 중 6안에서 발생하였다[7]. 각막지형도-유도(Topography-guided PRK)는 이러한 환자들의 증상을 개선시킬 수 있는데[9], 다만 수술 후 각막 혼탁 발생 위험을 줄이기 위해 얕은 엑시머 레이저 절제술에서도 마이토마이신 C를 사용해야 한다.

아직까지는 고도근시 스마일수술 후 각막확장증 환자는 보고되지 않았다.

9.5   결론

고도 근시 교정을 위한 스마일수술에 대한 논문의 수는 여전히 상대적으로 적지만, 스마일수술 이후의 굴절 및 시력 결과는 수술 후 근시 퇴행이 최소 또는 전혀 없는 펨토초라식 이후와 결과와 동등하다는 증거가 누적되고 있다. 또한, 저도수-중등도 근시 교정에 대한 연구는 스마일수술이 엑시머 기반 수술보다 더 적은 고위수차를 유도한다는 것을 보여준다. 이것은 엑시머 기반 시술시 고위수차의 유도가 더 뚜렷하게 나타나는 고도근시에서 특히 흥미를 가질 만하다.

그러나 고도 근시 교정의 상황에서, 스마일수술의 가장 흥미로운 면은 전부 기질(anterior stroma)에 대한 영향이 적다는 것이다. 전부 기질층(anterior stromal lamellae)이 온전하기 때문에 엑시머 기반 치료보다 스마일수술 이후가 각막이 더 강하며, 이론적으로 의인성 각막확장증의 위험을 감소시키는 것으로 제안되었다. 따라서 매우 높은 근시 교정은 안전할 수 있지만, 스마일수술의 생체역학적 이점은 이해하기 어려운 것으로 입증되었으며 임상적으로 아직 확인되지 않았다.

현재 상태에서 스마일수술은 고도 근시 교정을 위한 믿을 수 있고 효율적이며 안전한 절차인 것으로 나타났으며, 현재 3년 데이터가 점차 이용되고 있다. 그러나 아직도 향후 몇 년 동안 고도 근시 교정을 위한 스마일수술의 결과와 진화를 추적하는 것이 가장 큰 관심사이다.

참고문헌

1. Ang E, Couper T, Dirani M et al (2009) Outcomes of laser refractive surgery for myopia. J Cataract Refract Surg 35(5):921-933.
2. Ang M, Mehta J, Chan C et al (2014) Refractive lenticule extraction: transition and comparison of 3 surgical techniques. J Cataract Refract Surg 40(9):1415-1424.
3. Bores L, Myers W, Cowden J (1981) Radial keratotomy: an analysis of the American experience. Ann Ophthalmol 13(8):941-948.
4. Fyodorov S, Semyonov A, Magaramov M et al (1993) PRK using an absorbing cell delivery system for correction of myopia from 4 to 26 D in 3251 eyes. Refract Corneal Surg 9(2 Suppl):S123-S124.
5. Ganesh S, Gupta R (2014) Comparison of visual and refractive outcomes following femtosecond laser-assisted lasik with smile in patients with myopia or myopic astigmatism. J Refract Surg 30(9):590-596.
6. Hjortdal J, Vestergaard A, Ivarsen A et al (2012) Predictors for the outcome of small-incision lenticule extraction for Myopia. J Refract Surg 28(12):865-871.
7. Ivarsen A, Asp S, Hjortdal J (2014) Safety and complications of more than 1500 small-incision lenticule extraction procedures. Ophthalmology 121(4):822-828.
8. Ivarsen A, Hjortdal J (2014) Correction of myopic astigmatism with small incision lenticule extraction. J Refract Surg 30(4):240-247.
9. Ivarsen A, Hjortdal J (2014) Topography-guided photorefractive keratectomy for irregular astigmatism after small incision lenticule extraction. J Refract Surg 30(6):429-432.
10. Kim J, Hwang H, Mun S et al (2014) Effi cacy, predictability, and safety of small incision lenticule extraction: 6-months prospective cohort study. BMC Ophthalmol 14:117.
11. Knorz M, Liermann A, Seiberth V et al (1996) Laser in situ keratomileusis to correct myopia of − 6.00 to −29.00 diopters. J Refract Surg 12(5):575-584.
12. Lin F, Xu Y, Yang Y (2014) Comparison of the visual results after SMILE and femtosecond laser-assisted LASIK for myopia. J Refract Surg 39(4):248-254.
13. McDonnell P, Nizam A, Lynn M et al (1996) Morning-to-evening change in refraction, corneal curvature, and visual acuity 11 years after radial keratotomy in the prospective evaluation of radial keratotomy study. The PERK Study Group. Ophthalmology 103(2):233-239.
14. Oshika T, Miyata K, Tokunaga T et al (2002) Higher order wavefront aberrations of cornea and magnitude of refractive correction in laser in situ keratomileusis. Ophthalmology 109(6):1154-1158.
15. Rad A, Jabbervand M, Saifi N (2004) Progressive keratectasia after laser in situ keratomileusis. J Refract Surg 20(5 Suppl):S718-S722.
16. Reinstein D, Archer T, Randleman J (2013) Mathematical model to compare the relative tensile strength of the cornea after PRK, LASIK, and small incision lenticule extraction. J Refract Surg 29(7):454-460.
17. Sekundo W, Kunert K, Russmann C et al (2008) First effi cacy and safety study of femtosecond lenticule extraction for the correction of myopi: six month results. J Cataract Refract Surg 34(9):1513-1520.
18. Shah R, Shah S, Sengupta S (2011) Results of small incision lenticule extraction: All-in-one femtosecond laser refractive surgery. J Cataract Refract Surg 37:127-37.
19. Spadea L, Palmieri G, Mosca L et al (2002) Latrogenic keratectasia following laser in situ keratomileusis. J Refract Surg 18(4):475-480.
20. Swinger C, Barraquer J (1981) Keratophakia and keratomileusis-clinical results. Ophthalmology 88(8):709-715.

21. Vestergaard A, Grauslund J, Ivarsen A et al (2014) Central Corneal Sublayer Pachymetry and Biomechanical Properties After Refractive Femtosecond Lenticule Extraction. J Refract Surg 30(2):102-108.

22. Vestergaard A, Grauslund J, Ivarsen A et al (2014) Effi cacy, safety, predictability, contrast sensitivity, and aberrations after femtosecond laser lenticule extraction. J Cataract Refract Surg 40(3):403-411

23. Vestergaard A, Hjortdal J, Ivarsen A et al (2013) Long-term outcomes of photorefractive keratectomy for low to high myopia: 13 to 19 years of follow-up. J Refract Surg 29(5):312-319.

24. Vestergaard A, Ivarsen A, Asp S et al (2012) Small-incision lenticule extraction for moderate to high myopia: Predictability, safety, and patient satisfaction. J Cataract Refract Surg 38(11):2003-2010.

25. Walter K, Stevensen A (2004) Effect of environmental factors on myopic LASIK enhancement rates. J Cataract Refract Surg 30(4):798-803.

26. Wang D, Liu M, Chen Y et al (2014) Differences in the Corneal Biomechanical Changes After SMILE and LASIK. J Refract Surg 30(10):702-707.

27. Zhao J, Yao P, Chen Z et al (2013) The Morphology of Corneal Cap and Its Relation to Refractive Outcomes in Femtosecond Laser Small Incision Lenticule Extraction (SMILE) with Anterior Segment Optical Coherence Tomography Observation. PLoS One 8(8), e70208.

28. Zhao L, Zhu H, Li L (2014) Laser-assisted subepithelial keratectomy versus laser in situ keratomileusis in myopia: a systematic review and meta-analysis. ISRN Ophthalmol:672146. doi: 10.1155/2014/672146

스마일수술의 합병증과 재수술 술기를 포함한 처치 방법

10

Rupal Shah / 황규연

목차

어떤 수술이든 합병증이 있을 수 있고 이러한 사실을 미리 알고 있으면 합병증 발생을 줄이거나, 발생하더라도 적절히 대응할 수 있는 전략을 세우는 데 도움이 될 수 있다. 만약 외과의사가 잠재적인 합병증을 인지하고 있고 합병증을 완화하거나 회복하는 방법을 알고 있다면, 수술 중이나 수술 후에 빠르게 반응하기 쉽다. 게다가 라식이나 펨토 라식에 비해, 스마일수술은 더 많은 외과적 손재주와 기술을 필요로 한다. 이는 회복이 쉽지 않은 합병증으로 이어질 수 있다. 이 장에서는 지금까지 알려진 합병증 및 그것들에 대한 대처에 대해 간략하게 알아보고자 한다. 우리가 최선을 다했음에도 이 장에서 모든 합병증을 다루거나 최고의 해결책을 줄 수는 없다. 오히려 유용한 지침과 출발점으로 다루어져야 한다.

10.1　수술 중 합병증

스마일수술 도중 발생할 수 있는 합병증에는 여러 가지가 있다. 그 중 일부는 다음과 같다.

① 시술 도중 접촉유리와 각막이 분리되고 그 후 레이저에 의해 수술이 중단되는 흡입 손실(suction loss)
② 렌티큘 분리 과정에서, 각막에서 렌티큘 앞면을 분리하려고 할 때, 의사가 잘못된 절단면을 선택하고 대신 렌티큘의 뒤쪽 부분이 분리되어 렌티큘이 각막 캡(Cap)의 하면에 달라붙어 분리 및 제거하는 데 어려워지는 경우
③ 렌티큘의 불완전한 제거 또는 렌티큘의 일부가 찢어짐
④ 절개 가장자리(incision edge)에서 각막 캡의 찢김
⑤ 강제로 수동 절개(manual dissection)에 의해 잘못하여 렌티큘 아래 더 깊은 각막에 절단면 생성(일명 falsa을 통해)

우리는 ⑤의 경우를 제외하고는 이들 중 어떤 것도 시력을 위협하지 않으며, 잘 관리된다면 수술이 정상적으로 완료될 수 있다고 생각한다.

10.1.1 레이저 조사 중 각막과 접촉유리 분리로 인한 흡입 손실

이 문제는 다음과 같은 여러 가지 이유로 인해 발생할 수 있다.

① 가장 일반적으로 환자가 눈을 세게 꼭 감거나 갑자기 움직이는 경우
② 접촉유리의 흡입구와 각막 사이에 액체가 들어간 경우
③ 기포가 이동하여 그에 따른 압력이 접촉 유리에 가해지는 경우.

이 경우 비쥬맥스는 흡입 손실이 발생한 시술 단계에 따라 자동으로 특정 모드로 전환된다.

레이저의 첫 번째 통과(즉, 렌티큘의 후면을 생성하는 통과) 중에 흡입 손실이 발생하는 경우, 사용자는 절차를 완료할 수 있는 옵션이 주어지지 않으며 절차를 Femto-LASIK

절차로 변환하라는 요청을 받는다. 사용자는 동일한 수술 세션에서 이 작업을 수행할 수 있다. 우리의 경험상 수술을 몇 분 또는 며칠 연기한 다음 처음부터 완료할 수도 있다. 그러나 만약 얼마 뒤 스마일수술을 재시행 하기로 결정한다면, 이전 절개 부위로 들어가는 것을 피하기 위해 렌티큘 하단의 깊이를 다르게 설정하는 것을 고려할 수 있다. 이 설정은 기존 절단면이 렌티큘 아래의 새로운 절단면과 예측 불가능하게 상호 작용하는 것을 원하지 않을 수 있기 때문에 가치가 있다.

그 외 다른 레이저 조사 단계에서 흡입 손실이 발생하는 경우, 흡입 유리를 다시 도킹한 후 동일한 수술 세션에서 수술을 완료할 수 있다. 이 상황에서 가장 일반적인 문제는 원래의 중심을 유지하면서 눈에 접촉 유리 인터페이스를 다시 도킹하는 것이다. 왜냐하면 동공이 이전 경로의 기포에 가려지기 때문이다. 접촉 유리의 자국이 일치하도록 동일한 접촉 유리를 사용하는 것이 바람직하다. 재도킹 시에는 중심을 잘 맞추는 것이 매우 중요하다. 재도킹이 완료되면 흡입 손실이 발생하는 단계에 따라 레이저가 펨토초 레이저 조사를 모두 반복하고 '캡' 패스만 하거나 측면 절개만 반복한다. 그런 다음 렌티큘 분리 및 제거가 정상적으로 수행된다.

Sharma와 Vadavalli [1]는 "cap" 절단 중(즉 시술의 90% 이상이 완료된) 흡입 손실이 발생한 비협조 환자의 증례를 보고했다. 저자는 다시 도킹하여 수술을 반복하려고 시도하였지만, 불행하게도, 또 다른 흡입 손실이 있어 결국 그 세션의 수술은 포기하였다. 그리고 나서 외과의사는 원래의 "캡"과 같은 두께로 Femto-LASIK 플랩을 성공적으로 완성했다.

10.1.2 렌티큘 분리 중 렌티큘이 캡 아랫면과 달라붙는 경우

일반적으로 관찰되는 두 번째 수술 중 합병증은 렌티큘의 앞쪽 부분을 그 위를 덮고 있는 각막으로부터 분리하려고 할 때(렌티큘 분리 과정의 첫 단계), 술자가 잘못된 면을 선택하고 렌티큘의 뒤쪽 부분이 대신 분리되는 경우이다. 이 경우 렌티큘은 실질부 대신에 플랩(flap)의 아랫면에 달라붙은 채로 남아 있게 된다.

이 상황에서 후각막의 고정 없이 앞쪽 절개면으로 들어가려고 하는 것이 상당히 어렵기 때문에 수술이 어려워지게 된다.

우리의 생각으로는 일단 문제가 생겼다는 것을 인식한다면, 렌티큘을 분리하고 제거하는 것은 여전히 가능하다. 저자는 양면 인트라레이스 주걱(intralase spatula)의 고리(hook) 끝을 사용하여 렌티큘의 작은 가장자리를 전면 캡에서 부드럽게 긁어내려고 시도하는 방법을 선호한다. 절개 중심보다 절개 측면에서 이 방법을 시도한다. 일단 작은 모서리가 생기면 Shah SMILE 겸자를 사용하여 모서리를 잡고 렌티큘을 조금 더 벗겨낸다. 충분한 공간이 확보되면 분리주걱(separation spatula)을 삽입하고 일반적인 방법으로 렌티큘을 분리하고 제거한다. 삽입 절개가 너무 작은 경우 미리 설정된 다이아몬드 칼(diamond knife)이나 MVR 블레이드(MVR blade)를 사용하여 캡 테두리를 따라 약간 크게 할 수 있다.

최근에 이러한 합병증을 다루기 위해 싱가포르의 Mehta 그룹에 의하여 갈퀴, 쐐기 또는 갈고리 등의 성질인 일부 구조 기구들이 개발되었다. 술자는 이 기구들을 사용하여 각막의 하부에 있는 렌티큘의 가장자리로 가서 렌티큘을 그 끝으로부터 분리하고 기구를 사용하여 전체 둘레 가장자리를 따라 점진적으로 렌티큘을 제거할 수 있다.

10.1.3 렌티큘 분리나 제거 도중 렌티큘이 찢어지거나 조각이 남는 경우

렌티큘이 얇거나 레이저 분리가 최적이 아닐 때(심각한 불투명 기포층 또는 각막 혼탁 또는 접촉 유리와 각막 사이의 섬유 또는 기타 이물질 때문에) 렌티큘이 찢어질 수 있다. 이 경우, 분리하려고 하는 동안 렌티큘이 찢어진다.

또한 술자는 무심코 가장자리에 렌티큘 태그(tag)를 남겨둘 수 있다.

렌티큘의 일부가 남아 있으면 불규칙 난시와 받아들일 수 없는 결과를 초래할 수 있다.

이러한 현상을 방지하려면 첫 번째로 완전히 분리하는 것이 가장 중요하다. 렌티큘을 전체 둘레를 따라 양쪽 표면으로부터 완전히 분리하기 위해서는 주걱을 사용하는 것이 가장 좋다. 렌티큘을 부분적으로 분리하고 렌티큘을 겸자로 잡은 다음 당기거나 분리되지 않은 부분을 당기는 것은 하지 않아야 한다. 이는 렌티큘이 찢어지고 태그를 남길 위험을 높인다.

렌티큘이 찢어졌거나 또는 태그가 남아있는 것이 의심되는 경우 렌티큘을 제거한 후에 꺼내서 각막 상피표면 위에서 펼쳐보아 전체 직경을 따라 레이저 분리의 원래 가장자리와 크기가 일치하는지 확인하는 것이 중요하다.

일부 렌티큘 태그가 남겨진 것으로 의심되는 경우, 나중에라도 같은 절개 부위에서 들어가 태그를 제거하는 것이 가능하다.

10.1.4 절개창 주변 각막캡이 찢어지는 경우

일부 술자의 경우 1.5 mm 절개만을 사용하는 등 점점 더 작은 측면 절개술로 가는 추세로 절개 가장자리에 있는 각막 캡이 찢어질 수 있다.

우리의 견해로 찢어진 부분이 작고 동공 부위를 벗어나 있다면 작은 흉터 외에 합병증은 없다. 찢어진 부분이 크면 앞면을 적절히 정렬하고 그 위에 치료용 콘택트렌즈(bandage contact lens)를 끼우면 된다. 보통 아주 희미한 선과 함께 치유된다. 단, 상피 눈속증식(epithelial ingrowth) 위험이 높아진다(아래 참조)(그림 10-1). 그러나 이런 찢김은 예방하는 것이 중요하다. 술자는 자신의 경험과 능력에 맞게 절개 크기를 사용해야 한다.

10.1.5 기포가 한쪽 레이저 조사면에서 다른 쪽으로 이동하는 경우

이러한 극히 예외적인 합병증은 의뢰된 증례에서 단 한번 있었다.

사실 스캔 중에 인식하는 것은 거의 불가능하고 의심된다면, 박리하지 말고 내버려둬야 한다. 그 이유는 렌티큘이 너무 얇기 때문이다. 따라서 렌티큘 중심 두께는 최소 50 μm가 권장된다.

10.1.6 레이저 절단면 아래쪽에 강제로 잘못된 면을 분리한 경우

이 극히 드문 합병증은 타병원 수술 후 의뢰로 우리에게 두 번 보고되었다. 두 증례 모두 술자는 수술에 익숙하지 않았다. 우리가 볼 때 이 합병증은 조직을 완전히 잘못 다룬 결과이다. 절개 주걱(dissection spatula)에 대한 저항이 거의 없는 것은 정상이다. 그러나 층판각막성형술(lamellar keratoplasty)을 연상시키는 심한 저항력이 있는 경우 수술을 중지하고 각막으로부터 어떠한 조직도 제거하지 말아야 한다. 그렇지 않으면 영구적인 손상이 발생하고, 층판 전방/주머니 간(inter-pocket)/심층 전방 층판 각막 성형술로만 구제할 수 있다.

10.2 수술 후 합병증

10.2.1 상피내생

때때로 스마일수술 후에 상피 내생이 관찰될 수 있다. 경첩의 절삭으로 상피가 플랩 아래로 들어가는 경로를 만드는 라식과는 달리 스마일수술에서는 보통 세포들이 고립되어 둥지처럼 떨어져있다. 만약 둥지가 조용하다면 그냥 남겨둘 수 있고, 혹은 원래 절개부로 상피 스크레이퍼로 들어가 긁어낼 수 있다(그림 10-1).

10.2.2 중심이탈로 인한 불규칙 난시

때로는 도킹 과정이 적절하지 않을 경우 중심이탈(decentration), 불규칙 난시 및 코마와 같은 수차가 발생할 수 있다.

우리의 견해로는, 이러한 합병증은 예방하는 것이 최선이다. 적절한 도킹 절차를 따르는 것이 중요하다. 또한 도킹 후 짧은 시간 동안(그리고 레이저 패스를 시작하기 전) 동공이 접촉 유리의 중앙을 중심으로 확장되는지 확인하기 위해 적외선 조명으로 전환하는 것

그림 10-1. 상부 절개부에 반
시계 방향의 방사상 찢어진 부
분과 상피 내생이 보였다. 수
술 1년후 상피 내생은 시력에
영향 없이 안정적으로 유지되
었다(사진: W. Sekundo).

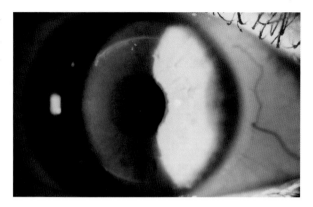

도 유용하다.

　중심이탈이 발생하고 시력에 영향을 주는 경우, 캡 두께를 고려하여 각막 지형도 기반
각막절삭술(topography-guided excimer laser correction using, PRK)을[2] 하는 것이 가장 좋다.

10.2.3 그 외 수술 후 합병증

　일부 케이스에서는 캡 가장자리 또는 렌티큘 가장자리에서 미세한 흉터가 관찰된다.
그러나 동공부위(pupillary zone) 밖에 있고 시력에 중요하지 않다. 일부 환자, 특히 수술 전
장기간 콘택트렌즈 사용자는 수술 후 안구건조증을 경험한다. 우리는 또한 수술 수개월
후 미세한 인터페이스 혼탁(haze)의 몇 가지 사례를 관찰했다. 대부분의 경우 시력에 중요
하지 않았다. 혼탁은 때때로 박리의 용이함과 관련이 있기 때문에, 일부 술자들은 박리가
어려운 경우에 스테로이드 사용량을 늘리거나 기간을 연장한다. 우리는 또한 수술 2개월
후 혼탁이 증가된 증례에서 플루오로메탈론 점안의 긍정적인 효과를 관찰했다. 더 장기간
의 스테로이드 사용이 어렵다면 1% 시클로스포린 A(CSA) 안약을 수개월 동안 하루에 두
번 점안하는 것이 회복에 도움이 된다.

　렌티큘의 제거 후 캡의 하부 표면과 기질부 사이의 기하학적 불일치로 인해 "보우만층
미세왜곡(Bowman's layer microdistortions, BLMD)"라는 이름의 일부 미세줄무늬는 특히
고도 근시 스마일수술[3]에서 관찰되었다. 대부분의 경우 이러한 미세 접힘(microfold)은
시간이 지남에 따라 상피에 의해 매끄럽게 된다. 원한다면 주머니의 가압된 플러싱을 이
용한 조기 개입을 시도할 수 있다. 이러한 급진적인 조치 전에 전안부 고해상도 빛간섭단
층촬영(anterior high-resolution OCT)을 하는 것이 좋다. Reinstein 등은[4] 광학부위(optical
zone)에 시력에 유의미한 접힘을 방지하기 위해 캡을 원심방향으로 부드럽게 마사지하는
것이 좋다고 조언한다.

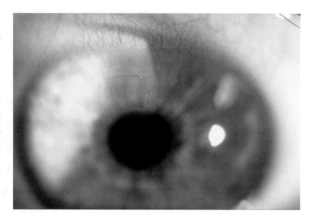

그림 10-2. 예시에서 보이는 절개 입구 주위의 상피 찰과상은 주로 24 시간 내에 완전히 상피화된다. 하지만 수술자는 국소적인 미만성 층판 각막염(Diffuse Lamellar Keratitis)의 발생 여부를 주위 깊게 관찰하고 필요하다면 국소 스테로이드를 증량해야 한다(사진 W. Sekundo).

펨토초라식 수술과 달리 멸균 각막염(sterile keratitis)은 극히 드물다. 특히 (a) 레이저의 에너지 설정이 너무 높거나 (b) 절개부위 주위 상피 찰과상이 큰 경우(그림 10-2) 또는 수술 중 상피 slough off(일반적으로 상피 기저막 디스트로피가 있는 눈의 경우) 또는 (c) 일부 파편이 주머니 안에 남겨진 경우 수술 후 심각한 염증이 관찰되었다. 보통 이 문제는 스테로이드 사용 혹은 시력에 영향을 주지 않을 정도의 이물질을 씻어내는 것으로 해결된다. 한 예외로는 Shimizu에 의해 기술된 스테로이드에 의해 IOP 상승으로 인한 2차 층간(interlamellar) 각막염이다. 이는 주머니를 씻어내고 스테로이드를 중단하면 문제가 해결될 것이다.

다른 수술과 마찬가지로 감염이 발생할 수 있으며, 국소적인 약물치료뿐만 아니라 주머니 플러싱 및 인터페이스로의 약물 주입으로 관리하는 것이 최선일 것이다.

마지막으로 다른 각막 추출(subtraction) 수술과 마찬가지로 각막 확장증(ectasia)의 위험도 있다. 하지만 라식, 펨토초라식, 스마일 중에서 스마일은 가장 낮은 확장증 발생률 보일 것이다. 그럼에도 불구하고 각막을 지나치게 얇게 하면서 교정이 시도되지 않았는지 주의할 필요가 있다. 독자는 또한 스마일과 교차 결합술의 병합한 실험적인 절차를 설명하는 21장을 참조하기 바란다.

10.2.4 원인 불명의 시력 저하

매우 드문 경우지만 완벽한 지형도와 특별한 이상 없는 안구 표면 및 전안부 빛간섭단층촬영 상 정상 소견에도 아직 두 줄 이상의 시력 소실을 보이는 사례를 관찰하였다. 우리는 현재 그 이유에 대한 답을 가지고 있지 않지만, 윤활제를 함유한 히알루론산 및 사이클로스포린 안약을 이용하여 각막 표면을 지지하며 1년 이상 기다려서 긍정적인 결과의 경험을 가지고 있다.

10.3   스마일수술 후 재수술(Enhancement)

다른 굴절 수술과 마찬가지로, 수술 후 재수술이 필요할 수 있다. 이는 수술 후 수년 내 근시 재발이 되거나 1차 수술 시 과교정 또는 저교정으로 인해 발생할 수 있다. 이것은 스마일수술 후 특수한 문제를 일으키는데, 이유는 라식 또는 플렉스라식(FLEx)수술처럼 플랩을 들어 올리고 엑시머 레이저 재형성할 수 있는 기회를 제공하지 않기 때문이다. 스마일수술 이후 재수술은 엑시머 레이저 굴절교정레이저각막절제술을 이용하여 완료할 수 있지만 매우 작은 교정에도 혼탁을 예방하기 위해 마이토마이신C (mitomycin C)의 추가로 사용하는 것이 좋다. 일부 술자들은 캡에 있는 초박형 플랩펨토라식 또는 두꺼운 캡에서 2차 스마일수술을 성공적으로 수행했지만 우리는 이에 대한 경험이 없다.

최근에, 기존의 스마일 캡을 경첩과 270-330° 측면 절개로 완전한 flap으로 전환하는 "서클(CIRCLE)"이라는 새로운 수술이 개발되었다. 서클 수술에서, 펨토초 레이저는 (a) 원래의 캡을 층판 링으로 둘러싸는 절개면과(b) 새로운 절개면 주위의 경첩이 있는 사이드 컷(side cut)을 만들고 (c) 원래 캡과 새로운 절개면을 하나의 더 큰 표면의 일부로 되도록 하는 접합부 절개면(junction cut)을 만드는 데 사용된다(그림 10-3). Riau 등은[5] 토끼 눈에서 위의 세 가지 컷을 형성하기 위해 네 가지의 다른 패턴의 사용을 조사했다. 네 가지 패턴 모두 실행 가능한 플랩을 만들었지만 원래 캡 두께와 같은 수준에서의 층판 링을 형성하는 패턴(패턴 D)이 가장 쉽게 들어올릴 수 있다는 것을 발견했다. 우리의 임상 경험상, 서클 소프트웨어는 사용하기 쉽고 엑시머 레이저 재형성을 쉽게 가능하도록 쉽게 들어올릴 수 있는 플랩을 안정적으로 생성하였다.

그림 10-3. 서클 펨토초 절개의 단면도. 원래의 캡 절단을 중심으로 층판 고리가 생성되며, 또한 캡과 층판 고리를 연결하는 접합부 절개면을 통해 경첩이 있는 사이드 컷 절개를 제공한다.

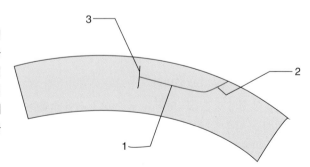

참고문헌

1. Sharma R, Vadavalli PK (2013) Implications and management of suction loss during refractive lenticule extraction (ReLEx). J Refract Surg 29(7):502-503.
2. Ivarsen A, Hjordtal J (2014) Topography-guided photorefractive keratectomy for irregular astigmatism after small incision lenticule extraction. J Refract Surg 30(6):429-432.
3. Yao P, Zhou J, Meiyan L, Shen Y, Dong Z, Zhou X (2013) Microdistortions in Bowman's layer following femtosecond laser small incision lenticule extraction observed by Fourier-Domain OCT. J Refract Surg 29(10):668-674.
4. Reinstein DZ, Archer TJ, Gobbe M (2014) Small incision lenticule extraction (SMILE). History, fundamentals of a new refractive surgery technique and clinical outcomes. Eye Vis 1:3 5. Riau AK, Ang HP, Lwin NC, Chaurasia SS, Tan DT, Mehta JS (2013) Comparison of four different VisuMax circle patterns for flap creation after small incision lenticule extraction. J Refract Surg 29(4):236-244.

스마일수술 향상을 위한 레이저 설정 관리 ‍11

Bertram Meyer and Rainer Wiltfang / 배신우

목차

저자는 ReLEx® 스마일 굴절수술의 장점에 확신이 있어 이 수술을 시작했다. 이 수술 방법은 안전하고 효과적이며, 수술 시 주변 환경이나 각막 수화 정도에 영향을 받지 않고, 수술 후 각막의 생체역학적 안정성이 높을 것으로 보였다.

스마일수술 도입 초기에 직면한 가장 큰 문제점들은 수술 후 첫째 날 시력회복이 느린 점, 이상적인 보강 수술 방법에 대한 고민, 그리고 수술 가능한 범위에 대한 것이었다.

이 장에서는 스마일수술의 임상 결과를 향상시키기 위해 레이저 세팅을 최적화하는 방법에 대해 설명하겠다. 대부분 새 버전 비쥬맥스 레이저는 수술자 개인별로 레이저 변수를 어느 정도 조정할 수 있는 장치가 되어있기 때문에, 레이저 에너지와 스팟 크기/트랙 거리 사이의 상호관계를 설명하고 독자들에게 개별 레이저 세팅을 최적화하는 방법에 대해 이해시키고자 한다.

처음에 시력회복 지연에 영향을 미치거나 관련이 있을 수 있는 변수를 정의했다. 저자 견해로는 두 가지 가능한 요소가 있다.

① 면적당 에너지 수준(플루언시, fluency).

이 에너지로 플라즈마가 형성된 후 기포가 만들어지고 그 결과 주변 각막조직에 대한 압박이 증가된다. 이것이 결과적으로 불규칙적인 표면을 형성하게 되고 비정상적인 각막지형도로 나타나게 된다.

② 잔여 각막 실질과 렌티큘 표면의 거친 정도(roughness)를 줄여주는 최적화된 스팟과 트랙 사이의 거리

정확한 굴절 결과를 얻으려면 조직 절단 전과 절단 중 조직 준비를 정밀하게 하는 것이 필수적이다. 이 과정 중 조직 변형을 막는 것이 중요하게 생각된다.

레이저로 조직을 절단하기 전에 조직 변형을 막기 위해서 곡선으로 된 콘택트 글라스 (contact glass)와 매우 낮은 각막 흡입압을 이용했으며, 이를 통해 각막 중심부에 최소한의 압평(applanation)을 유발할 수 있었다(그림 4-1 참고).

레이저에 의해 절단면이 하나만 만들어지는 절편 절개(flap cutting)와 달리, 스마일 수술에서는 인접한 두개의 면(굴절과 비굴절면)사이의 상호작용이 가장 중요하다. 두번 째 절단을 하는 중 각막 조직의 변형을 막기 위해서, 더 깊은 곳의 첫 번째 절단면(굴절면, lenticule cut)을 만들 때 부드러운 기포 층을 만드는 것이 또 다른 목표였다.

광파괴(optical breakdown)을 통해 플라즈마가 생성되고 결과적으로 기포가 형성된다.

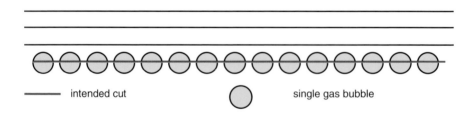

────── intended cut   ⬭ single gas bubble

생리학적 원리로, 단일 기포가 충분히 가깝게 위치한다면 기포가 결합하면서 개수는 적어지나 더 큰 기포를 형성하게 된다. 이렇게 큰 기포들이 주변 각막조직의 변형을 유발 할 수 있다.

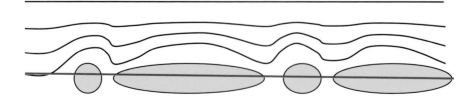

결과적으로 상측 절단면(비굴절면, cap cut)은 이렇게 변형된 각막 조직 내에서 만들어지게 된다.

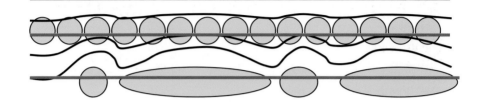

각막 조직 이완과 기포의 흡수가 이루어진 뒤, 의도한 절단면과 실제 절단면 사이에 차이가 생길 수 있다. 그런 변형된 렌티큘을 제거하게 되면 많은 수차를 유발하고 시력의 질을 떨어뜨릴 수도 있게 된다.

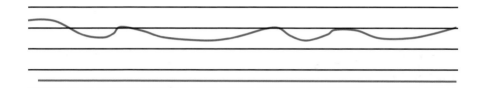

—————— resulting real cut

이런 상황을 피하기 위해서 기포의 부피는 가능한 작게 유지되어야 하며, 단일 기포 사이의 거리는 효과적인 박리를 위해 충분히 작은 동시에 밀착 연결(tight junction)을 방지하기 위해 충분히 커야 한다.

중심부 각막(광학부)에서 두 개의 면 사이의 레이저 절단 시간을 단축하기 위한 첫 번째 단계는 Shah가 레이저 절단 방향을 바꾸는 것만으로 달성할 수 있었다. 현재 레이저 조사 방향이 "spiral-in" 뒤에 "spiral-out"이 이어지는 이유다[1].

다음 단계 목표는 절단면의 질과 조직 박리의 용이성을 향상시키기 위해 레이저 에너지와 스팟 및 트랙 거리의 최적의 조합을 찾는 것이었다.

레이저 설정에 대한 적절한 수치를 찾기 위해 기초연구를 시작했다.

에너지와 스팟 거리의 한계를 알아내기 위해 돼지 눈에 첫 번째 실험을 하였다:

(표 11-1)은 주어진 세 변수에 대해 외측 한계점(outer limits)을 찾는 방법을 보여준다. 알아 둘 점으로, 비쥬맥스 레이저는 레이저 에너지 세팅 시에 인덱스(index)라는 단위를 사용한다. 편의상 비쥬맥스 사용자들이 익숙한 단위인 인덱스를 계속 사용하고자 한다.

하지만 1인덱스 단위가 대략 5 nJ에 해당하는 것은 기억해둘 필요가 있다.

표 11-1. 단위면적당 다른 에너지 세팅을 가진 세 그룹

ID	Sphere/lenticule thickness	Flap energy/lenticule energy	Track distance/spot distance (μm)
5	−5 D/96 μm	Index* 60	2.0/2.0
6	−10 D/166 μm	Index 60	2.0/2.0
11	−5 D/96 μm	Index 60	3.5/3.5
12	−10 D/166 μm	Index 60	3.5/3.5
13	−5 D/96 μm	Index 22	5.0/5.0
14	−10 D/166 μm	Index 22	5.0/5.0

*1 index unit is approx. 5nJ (e.g. index 60 = 300nJ)

고에너지(인덱스 60)와 좁은 스팟, 트랙 거리(2.0 또는 3.5 μ)를 사용한 경우, 각막기질에서 고리 모양의 구조물을 발견할 수 있었다.

저에너지(인덱스 22)와 넓은 스팟, 트랙 거리(5.0 μ)를 사용한 경우, 세밀한 조직 박리가 어려웠다.

절단면의 질과 조직 분리의 용이성을 고려할 때, 에너지 레벨과 스팟 및 트랙 거리의 이상적인 조합은 두 범위 사이에 있을 것으로 보였다.

ID	Sphere/lenticule thickness	Flap energy/lenticule energy	Track distance/spot distance (μm)
7	−5 D/96 μm	Index 22	3.5/3.5
8	−10 D/166 μm	Index 22	3.5/3.5
15	−5 D/96 μm	Index 40	5.0/5.0
16	−10 D/166 μm	Index 40	5.0/5.0

다음으로, 권장되는 스팟과 트랙 거리를 유지하면서 레이저 에너지를 인덱스 28에서 인덱스 24로 줄였다. 그 결과 치료 후 첫째 날 나안 원거리 시력이 약간 호전되었으나 유의한 의미는 없었다.

또한 동일한 에너지 레벨(인덱스 24/26)을 사용하면서 권장 스팟과 트랙 거리를 3.0에서 3.8 μ로 넓혔다. 결과는 수술 후 첫째 날 나안 원거리 시력이 유의하게 호전되었다.

이를 통해 면적당 에너지를 줄이는 것이 최적화된 세팅을 위해 중요할 수 있다는 결론을 내렸다. 다음 단계로 면적당 에너지 레벨을 4.1 μ/인덱스36에서 4.5 μ/인덱스36으로 줄였다.

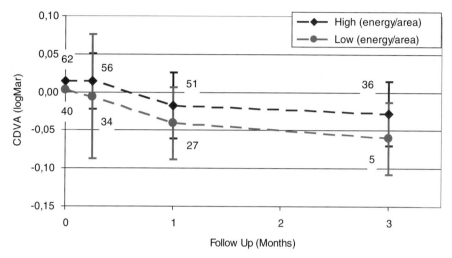

그림 11-1. 단위면적당 서로 다른 에너지를 사용한 두 그룹 사이에 최대 원거리 교정시력 비교

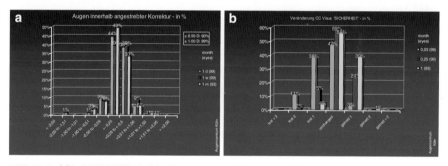

그림 11-2. **(a)**는 굴절력 변화의 예측성(predictability)을 보여주고, **(b)**는 레이저 세팅 조정 전 수술 후 1 일, 1주, 1달 째 안정성(safety)을 보여준다.

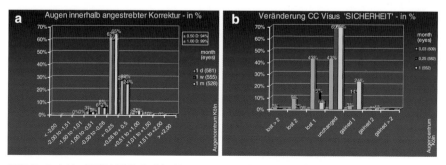

그림 11-3. **(a)**는 굴절력 변화의 예측성(predictability)을 보여주고, **(b)**는 레이저 세팅 조정을 한 뒤 수술 후 1일, 1주, 1달 째 안정성(safety)을 보여준다. 수술 후 초기 경과관찰 기간 중 더 높은 정확성 과 안정성을 확인할 수 있다.

연구 결과:

- 스팟과 트랙 거리를 늘려서 렌티큘 제거가 쉬워졌다.
- 조직 박리를 어렵게 하는 임계 저에너지 레벨은 없었다.
- 더 높은 에너지 레벨로 인해 더 나은 조절이 가능했다
- 수술 후 첫째 날 나안 원거리 시력에서 유의한 호전을 보였다.
- 치료 시간을 줄여서 흡입 소실의 위험을 감소시켰다.

결과는 (그림 11-1), (그림 11-2)와 (그림 11-3)에 요약, 표시되어 있다.

결론

실험 결과 4.5 μ 스팟과 트랙 거리에 180 nJ의 에너지 레벨을 적용하면, 현재 500 kHz 비쥬맥스 레이저로 조직 변형을 최소화하고 렌티큘 제거를 쉽게 할 수 있는 최적화된 저 에너지 밀도를 얻을 수 있다. 이런 조정된 설정이 비쥬맥스 펨토초레이저에서 사용되고 있다.

또한, 저자의 진료 환경에서 환자들은 이런 새 설정의 장점을 누리고 있다:

- 최대 30%까지 줄어든 치료 시간(흡입 소실의 위험 감소)
- 더 빠른 시력 회복(특히, 수술 후 첫째 날의 원거리 시력)
- 수술 후 첫째 날 더 정확한 굴절 상태
- 수술 후 각막 조직에 대한 영향 감소(각막부종, 각막실질 이상)

참고문헌

1. Shah R, Shah S. Effect of scanning patterns on the results of femtosecond laser lenticule extraction re-
   fractive surgery. J Cataract Refract Surg 2011;37;1636-1647

서로 다른 캡(Cap) 두께를 사용했을 때 장점과 단점

12

Jose L. Güell, Paula Verdaguer, Honorio Pallás, Daniel Elies, Oscar Gris, Felicidad Manero / 배신우

목차

12.1 개요

스마일수술은 각막실질내에 렌티큘을 만들고 이를 제거하면서 굴절 이상을 교정할 수 있는 일체형 기술이다. 스마일수술은 근시와 난시 교정에 있어서 뛰어난 효율성, 안전성과 예측성을 보여주었다[1, 2].

2011년부터 스마일 기술을 사용했고 점차적으로 개선된 시력 및 굴절 결과를 얻었다. 이론적으로 절단면이 깊을수록 각막 생체역학에 미치는 영향이 낮은 점과 이차 수술로 더 표면에서 스마일수술을 다시 시도해 볼 수 있는 점 등을 고려해서, 렌티큘이 형성되는 위치가 깊어지는 경우 굴절 및 시력 결과에 대해 연구해 보기로 했다. 수술은 4개의 서로 다른 캡(cap) 두께(130, 140, 150과 160 μm)를 사용했으며 전향적, 비무작위 방식으로 연구를 진행했다.

12.2   수술 방법

챕터 5와 6에 기술된 것과 같이, 표준화된 순서대로 스마일수술을 진행했다. 렌티큘 제거를 위해 레이저 스캔 끝 부분에서 30도 길이(약 2 mm)의 개구부 절개창을 10시 30분 위치에 만들었다. 생성되는 렌티큘의 모양은 굴절 이상을 교정하기 위한 형태로 만들어졌다. 펨토초 레이저 변수는 130, 140, 150과 160 μm 캡 두께, 7.5 mm 전면부 직경, 6.5 mm 후면부 직경, 에너지 레벨 26인덱스, 전면부와 후면부 모두 스팟과 트랙 거리 3 μm로 설정되었다. 130 μm 캡 두께를 기준으로 매 10 μm이상 두께가 증가하는 경우 교정해야 되는 구면렌즈대응치 값을 3%씩 증가시켰다. 레이저 조사가 끝난 후, 무딘 주걱(blunt spatula)를 소절개창에 삽입 후 전면부를 박리한 후 후면부를 박리하였다. 이후 렌티큘을 미세집게(microforcep)로 제거하였다. 각막실질 내 공간은 25G 주입관(cannula)을 이용해서 BSS로 세척하였다.

12.3   수술 후 처치

표준화된 수술 후 처치는 토브라마이신 항생제와 덱사메타존 스테로이드 안약(Tobra-dex™, Alcon)을 1주간 3회 점안하고 이후 천천히 4주에 걸쳐서 횟수를 줄여 나가는 것이다. 1달 정도 무보존제 인공눈물약을 추가해서 사용할 수 있다.

12.4   통계 분석

데이터 수집과 기술 통계 분석을 위해 마이크로소프트 엑셀(Microsoft; Redmond, Washington, USA)을 이용했다. 연속 변수는 평균과 표준편차(Standard deviation, SD)로 나타냈다.

SPSS 소프트웨어 버전 17.0 (SPSS Inc., Chicago, Illinois, USA)을 사용해서 결과를 분석하였다. 비모수 데이터인 경우 수술 전과 후의 데이터 비교는 Wilcoxon signed-rank test 방법을 사용했다. 검사는 수술 전과 수술 후 1, 3, 6개월 그리고 1년째 시행했다. p-value가 0.05 미만인 경우 통계적으로 유의한 것으로 보았다.

12.5　결과

난시 유무에 상관없이 근시가 있는 환자 47명 94안이 연구에 포함되었다. 4개의 다른 캡 두께를 가진 그룹에 포함된 눈의 수는 130 μm (n = 44), 140 μm (n = 14), 150 μm (n = 12), 그리고 160 μm (n = 24)였다. 수술 전 평균 나안 시력은 수술 후 1개월째 logMAR 0.15 (SD 0.20), 3개월째 0.08 (SD 0.12), 6개월 째 0.07 (SD 0.12), 1년 째 0.07 (SD 0.12) 이였다. 나안 시력에 있어서 4그룹 사이에 통계적으로 유의한 차이는 없었다.

수술 전 평균 구면렌즈대응치는 -4.89 (SD 1.48)였다. 수술 후 평균 구면렌즈대응치는 1개월째 -0.26 (SD 0.42), 3개월째 -0.24 (SD 0.39), 6개월째 0.09 (SD 0.62), 1년째 0.07 (SD 0.57)였다. 구면렌즈대응치에서 4그룹 사이에 통계적으로 유의한 차이는 없었다.

수술 전 평균 난시는 -0.63 (SD 0.54)였다. 수술 후 평균 난시는 1개월째 -0.28 (SD 0.47), 3개월째 -0.21 (SD 0.41), 6개월 째 -0.33 (SD 0.42), 1년 째 -0.16 (SD 0.34)였다. 다른 그룹을 동일한 기간 동안 비교했을 때 난시에서 통계적으로 유의한 차이는 없었다.

임의로 4가지 캡 두께(130, 140, 150, 160 μm)를 설정한 후 스마일수술을 하고 최소 1년 이상 경과 관찰했을 때, 시력 및 굴절력에서 4그룹 사이에 통계적으로 유의한 차이를 발견하지 못했다(그림 12-1, 12-2, 12-3).

몇몇 수술 케이스에서는 캡 두께가 두꺼울수록 각막 실질을 박리하기 어려운 경우가 있었으나 모든 경우에 그렇지는 않았다. 이 결과로, 저자는 이 부분에 대해서도 유의한 차이를 발견하지 못했다.

수술 중과 수술 후 초기에 합병증은 없었다.

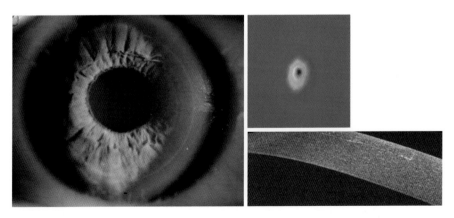

그림 12-1. 캡 두께 130 um로 스마일수술 후 3개월 뒤 전안부 사진. 같은 눈에서 시행한 전안부 빛 간섭단층촬영 및 광학적 질 분석(Optical Quality Analysis System) 사진.

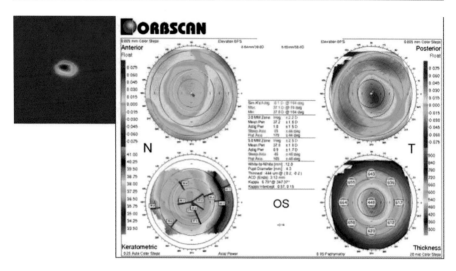

그림 12-2. 캡 두께 140 um로 스마일수술 후 3개월 째 좌안의 각막지형도(Orbscan)와 광학적 질분석(OQAS) 결과

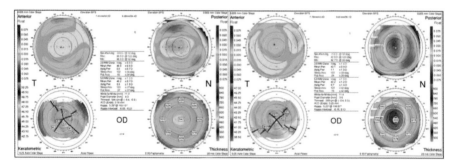

그림 12-3. 수술 전과 캡 두께 160 um로 스마일수술 받은 후 3개월 뒤 우안의 각막지형도(Orbscan)

12.6   토의

스마일수술은 좋은 굴절 결과를 보여주고 있고 산란 감소 등의 다른 이점도 가지고 있다. 이 수술은 고위 수차 유발이 적으며 망막에 맺히는 상의 질에 부정적 영향을 최소화함으로써 좋은 시력을 얻을 수 있게 해 준다[3-6].

또한 덜 침습적이고 수술 후 자극감이 적으며 각막 지각 손실, 염증, 눈물 생성에 미치는 영향이 감소하였는데, 이는 소절개로 인해 각막 신경의 절단이 적었기 때문이다. 게다가, 교정량에 관계없이 렌티큘 제거 과정이 더 정확하고 재현성이 좋다. 절편이 형성되지 않아서 각막실질층의 앞쪽 부분이 유지되고 이는 각막 저항성의 보존을 의미하기 때문에, 잠재적으로 각막의 생체역학 안정성을 높이고 이차성 각막 확장증의 발생을 줄일 수 있다(13장 참고) [7-9].

안구건조증은 각막절삭성형술(Laser in situ keratomileusis, LASIK), 굴절교정레이저각막절제술(photorefractivekeratectomy, PRK), 펨토초 레이저 각막절삭성형술을 포함한, 굴절 수술을 받은 환자에서 흔한 증상이나 수술 방법에 따라 안구건조증의 발병률은 다르다[7-11]. 굴절 수술 후 안구건조증이 생기는 환자는 굴절 퇴행과 안구 표면 손상의 발생 위험이 높아지는 것으로 보고되었다. 또한 굴절 수술은 각막 신경의 정상적인 구조와 재생을 방해하고, 이는 각막 지각의 장기적인 저하를 일으킬 수 있다(3장 참고).

최근 연구에서는 수술이 안구건조증, 눈물막 불안정, 각막 지각 감소를 초래할 수 있다는 중요한 문제를 언급했다. 또한 스마일수술 후 각막 플루오레신 염색 정도의 위험이 낮고, 각막 지각 저하가 적다는 점에서 펨토초 각막절삭성형술 보다 우수하다[12].

스마일수술에서는 절편이 만들어지지 않고 이로 인해 각막실질층의 앞쪽 부분이 보존됨으로써, 이론적으로 수술 후 생체역학 안정성이 더 높고 이차성 각막 확장증의 발생 위험이 낮을 것으로 생각된다. 수술은 보우만층 아래에서 이루어지고, 이런 수술 방법이 각막 저항성(corneal resistance)을 높여주게 된다. 여러 저자들이 생체역학적 관점에서 각막 절삭성형술을 받은 각막에 대해, 유용한 각막 두께는 잔여 실질 각막 두께이며, 절편 두께는 각막 구조를 유지하는데 있어서 중요하지 않다고 주장한다. 잔여 실질 각막 두께가 얇아질수록 각막 약화가 더 심해진다(추천되는 잔여 실질 각막 두께는 250-300 μm다)[12-14]. 스마일수술에서는 이런 개념이 변했다: 보우만 층의 보존 때문에, 렌티큘 깊이(=캡 두께)가 커질수록 각막 저항성이 같이 증가하게 된다[13, 14].

반대로, 캡 두께가 두꺼워질수록 펨토초 레이저 정확성이 떨어져서 수술의 굴절 예측성이 저하될 수 있다. 이런 에너지 손실 가능성을 극복하기 위해 비쥬맥스 제조사와 토의를 한 후, 130 μm 캡 두께를 기준으로 10 μm씩 두꺼워질 때마다 구면렌즈대응치에서 3%씩 교정량을 증가시키기로 했다. 이것은 캡 두께 160 μm 스마일수술 모두 10% 높게 교정한 것을 의미한다.

다른 캡 두께에도 불구하고, 서로 다른 경과 관찰 기간 동안 4그룹(130, 140, 150, 160 μm) 사이에 수술 중 추가적인 합병증은 없었고 시력의 질, 굴절력, 안전성, 예측성에서 차이가 없었다.

이 연구의 또 다른 목적은 재수술이 가능한 경우에 이차 스마일수술을 조금 더 표면에서 실행할 수 있는지 확인하는 것이었다. 현재 재수술에 관한 수술 기법은 챕터 10에 정리되어 있다.

개념적으로 160 μm 깊이에서 스마일수술 후 130 μm 깊이에서 스마일수술을 반복해서 할 수 있다. 이런 개념은 160 μm 깊이에서 1차 스마일수술과 130 μm에서 2차 스마일

재수술을 받은 두 케이스에서 이미 테스트되어 양호한 굴절 및 시력 결과를 얻었다. 이 두 케이스는 처음부터 단안시를 목표로 하였기 때문에 수술 후 잔여 굴절값이 -1.0디옵터(저자 견해로는 스마일수술을 할 수 있는 최소 굴절값) 이상을 보였다. 하지만 수술 후 환자들이 양안으로 볼 때 불편함을 호소했다(사례 보고서로 발표하기 위해 제출됨).

본 연구는 또한 130 µm와 비교하여 160 µm에서 동일한 굴절 결과를 얻기 위해서 레이저 에너지 세팅의 변경 없이 10%의 추가 교정을 적용해야 한다는 가정을 검증하였다.

요약하면, 본 연구는 4개의 다른 캡 두께를 사용했을 때 시력, 굴절 결과 및 객관적 시각 질에 차이가 없음을 보여준다. 1차 스마일수술을 160 µm로 설정하면 각막 안정성이 더 향상될 수 있고, 130 µm 또는 이 보다 얇은 위치에서 2차 스마일 재수술을 위해 충분한 앞쪽 각막실질을 남길 수 있다.

1차 및 2차 스마일수술의 이상적인 깊이를 결정하기 위해서는 이런 결론을 뒷받침해 주는 추가 비교 연구가 필요하다.

참고문헌

1. Vestergaard A, Ivarsen A, Asp S, Hjortdal J (2013) Femtosecond (FS) laser vision correction procedure for moderate to high myopia: a prospective study of ReLExfl ex and comparison with a retrospective study of FS-laser in situ keratomileusis. Acta Ophthalmol 91(4):355-362.
2. Verdaguer P, El-Husseiny MA, Elies D, Gris O, Manero F, Biarnés M, Güell JL (2013) Small incision lenticule extraction (SMILE) procedure for the correction of myopia and myopic astigmatism. J Emmetropia 4:191-196.
3. Sekundo W, Kunert KS, Blum M (2011) Small incision corneal refractive surgery using the small incision lenticule extraction (SMILE) procedure for the correction of myopia and myopic astigmatism: results of a 6-month prospective study. Br J Ophthalmol 95(3):335-339.
4. Vestergaard A, Ivarsen A, Asp S, Hjortdal J (2012) ReLEx smile for moderate to high myopia: a prospective study of predictability, safety and patient satisfaction. J Cataract Refract Surg 38(11):2003-2010.
5. Hjortdal J, Vestergaard AH, Ivarsen A, Ragunathan S, Asp S (2012) Predictors for the outcome of small incision lenticule extraction for myopia. Journal of Refractive Surgery 28(12): 865-871.
6. Miao H, He L, Shen Y, Li M, Yu Y, Zhou X (2014) Optical quality and intraocular scattering after femtosecond laser small incision lenticule extraction. J Refract Surg 30(5):296-302.
7. Wu D, Wang Y, Zhang L, Wei S, Tang X (2014) Corneal biomechanical effects: small-incision lenticule extraction versus femtosecond laser-assisted laser in situ keratomileusis. J Cataract Refract Surg 40(6):954-962.
8. Kamiya K, Shimizu K, Igarashi A, Kobashi H (2014) Visual and refractive outcomes of femtosecond lenticule extraction and small-incision lenticule extraction for myopia. Am J Ophthalmol 157(1):128-134.
9. Gatinel D, Chaabouni S, Adam PA, Munck J, Puech M, Hoang-Xuan T (2007) Corneal Hysteresis, resistance factor, topography, and pachymetry after corneal lamellar fl ap. J Refract Surg 23:76-84.
10. Chang DH, Stulting RD (2005) Change in intraocular pressure measurements after LASIK the effect of the refractive correction and the lamellar flap. Ophthalmology 112:1009-1016.
11. Ivarsen A, Asp S, Hjortdal J (2014) Safety and complications of more than 1500 small-incision lenticule extraction procedures. Ophthalmology 121(4):822-828.
12. Li M, Zhao J, Shen Y, Li T, He L, Xu H, Yu Y, Zhou X (2013) Comparison of dry eye and corneal

sensitivity between small incision lenticule extraction and femtosecond LASIK for myopia. PLoS One 8(10):e77797

13. Sekundo W, Gertnere J, Bertelmann T, Solomatin I (2014) One-year refractive results, contrast sensitivity, high-order aberrations and complications after myopic small-incision lenticule extraction (ReLEx SMILE). Graefes Arch Clin Exp Ophthalmol 252(5):837-843.

14. Kamiya K, Shimizu K, Igarashi A, Kobashi H, Sato N, Ishii R (2014) Intraindividual comparison of changes in corneal biomechanical parameters after femtosecond lenticule extraction and small-incision lenticule extraction. J Cataract Refract Surg 40(6):963-970.

Part III

스마일수술과 관련된 임상과학

13 각막굴절수술의 주요 특징 - 스마일수술 이후 생체역학(Biomechanics), 구면수차(Spherical Aberration), 각막 감각(Corneal Sensitivity)

Dan Z. Reinstein, Timothy J. Archer, Marine Gobbe / 김국영

목차

13.1 스마일수술의 잠재된 생체역학적 장점

스마일수술의 잠재적 이점 중 하나는 각막절편이 없기 때문에 생체역학적 안정성이 증가한다는 것이다. 이와 관련한 두 가지 주요 이유는 다음과 같다;

① 수직 절개(예: 각막 절편 측면 절개)은 수평 절개보다 생체역학적 영향이 더 크다.
② 전방 기질 층판은 후방 기질층판보다 강하다.

13.1.1 수평 절개(horizontal cuts)보다 생체역학적 영향이 더 큰 수직 절개(vertical cuts)

2000년에 저자들은 (그림 13-1)[1]과 같이 라식 후 각막 주변부 기질이 실제로 두꺼워진다는 생체연구결과를 발표하였다. 이러한 생체역학적 변화는 더 일반적으로 논의되었던 원인인 각막의 곡률로 인한 주변부의 레이저 형광 투영(laser fluence projection) 및 반사 오류(reflection errors) 보다는 대부분에 구면 수차(spherical aberration) 유발(약 85%)의 주된 원인인 것으로 보인다. 이 연구 결과는 Dupps와 Roberts[2, 3]가 보고한 생체 외 기증 안구에서의 치료레이저각막절제술(phototherapeutic keratectomy)후 치료 영역(treatment zone) 주변부 각막 기질 비후에 대해 보고한 결과와 일치한다.

Dupps와 Roberts도 이 발견을 설명하는 모델을 제안했다[3, 4]. 그 모델을 요약해보면, 각막은 콜라겐 층판의 윤부에서 반대편 윤부를 향해 이어지는 층별구조로 이루어지고 인접 층판에 대해 정확한 각도로 배치되며, 이는 각막 투명성과 강도에 기여한다. 각막 기질 콜라겐 층판은 콜라겐의 적절한 간격과 기질 수화를 담당하는 여러 프로테오글리칸(proteoglycans)으로 둘러 싸여 있다. 각막절편(flap)의 형성이나 각막 기질 절삭(ablation)은 전부 각막 층판을 절단하는데, 이는 주변부 전부 각막 층판이 더 이상 장력을 받지 않고 이완되고 주변부로 퍼져서 각막 기질 비후를 초래한다는 것을 의미한다. 주변부 전부 각막 층판의 이런 주변부 확장은 후부 각막 창판에 당겨지는 힘을 가하여 결과적으로 각막 중심 편평화를 유발한다. 그러나 후부 각막층판은 수술로 변화가 초래되니 않는 안압에 대응하며, 이는 각막이 앞쪽으로 구부러지는 결과를 초래할 수 있다.

최근 Knox Cartwright 등[15]은 장기 배양에서 인간의 사체 눈에 대한 연구를 보고했는

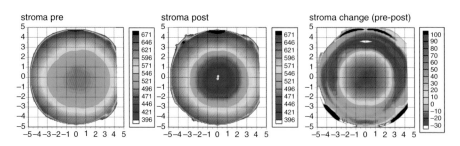

그림 13-1. MEL80 엑시머 레이저(Carl Zeiss Meditec)를 사용하여 -9.00 D 근시에 대한 라식 수술을 6 mm 광학부 영역으로 시행하기 전 전(왼쪽) 및 3개월 후(중앙)의 초고주파 디지털 초음파 각막 기질 두께 지도 Artemis® (ArcScan Inc.). 색상 눈금은 µm 단위의 두께 표현이며 직각 좌표 격자는 10 mm 직경으로 1 mm 간격으로 교차되어 표현한다. 차이 맵(오른쪽)은 근시 교정 절삭에서 예상되는 것처럼 주변으로는 적은 조직 제거와 함께 절삭에 의한 중앙에서 제거된 조직을 보여주는 기질 두께(빨간색/주황색은 기질 얇아짐, 파란색/녹색은 기질 비후를 나타냄)의 변화를 보여준다. 그러나 6 mm 광학 영역 밖은 실제로 라식 후 기질이 더 두꺼워 보인다.

표 13-1. Knox Cartwright 등[5]의 연구 결과. 90 및 160 µm에서 라식 절편 형성, 측면 절개 또는 판분리 절개 생성 후 중심 각막 변형의 증가 백분율(안압이 15에서 15.5 mmHg로 변경됨).

	90 µm	160 µm
LASIK flap	9%	32%
Side cut only	9%	33%
Delamination only	5%	5%

데, 라식 플랩, 측면 절개 및 판분리delamination 절개를 90 및 160 µm에서 단위로 각각 시행하였고, 이로인해 유발된 각막 변형을 비교했다. (표 13-1)은 결과를 요약한 것으로, 라식 플랩과 측면 절단에서 두 깊이에서 동일한 각막변형의 증가를 보였고, 160 µm 깊이에서 훨씬 더 크게 증가함을 발견했다. 대조적으로, 판분리 절개만(즉, 수직 측면 절개 없음) 후 각막 변형의 증가는 라식 플랩 또는 측면 절개만 경우보다 낮았다. 또한 160 µm 이상의 깊이에서 판분리 절개만을 수행한 경우 각막 변형률이 증가하지 않았다. Medeiros et al.의 연구에서도 유사한 결과가 발견되었다[6]. 돼지 눈에서 100 µm의 얇은 각막 절편에 비해 300 µm의 두꺼운 절편을 만든 경우 각막의 생체역학적 변화가 훨씬 더 크다는 것을 보여주었다.

　이 발견을 스마일수술에 적용하면 스마일수술은 전부 각막 측면 절개이 생성되지 않기 때문에 얇은 절편을 만드는 라식에 비해 스마일수술에서 각막 변형의 증가가 약간 적을 것이다. 두꺼운 절편을 만드는 라식과 비교하면 각막 변형의 유의한 차이가 있을 것으로 예상된다.

13.1.2 후부 기질 층판보다 강한 전부 기질 층판

　Randleman 등[7]은 각막 기질의 응집 장력 강도(cohesive tensile strength) (즉, 기질 층판이 함께 유지되는 정도)가 중앙 각막 영역 내에서 전부에서 후부로 갈수록 감소한다는 것을 보여주었다(그림 13-2). 기증 각공막 이식편의 다른 깊이에서 절단된 각막기질 층판 조각들에 대해 응집 장력 강도를 측정한 실험에서 기질 깊이와 응집 장력 강도 사이에 강한 음의 상관 관계가 발견되었다. 중앙 각막 기질의 전방 40%는 각막의 가장 강한 영역인 반면 후방 60%는 최소 50% 더 약한 응집 장력강도는 가진 영역으로 밝혀졌다. 많은 다른 저자들이 다른 간접적인 방법으로 이 결론에 도달했다[8-13]. 응집 장력 강도 외에도 접선 장력 강도(tangential tensile strength) (즉, 기질 층판에 강성) 및 전단 강도(shear strength) (즉, 비틀림 힘에 대한 저항)가 기질의 깊이에 따라 변하는 것으로 밝혀졌다. Kohlhaas 등[14] 및 Scarcelli 등[15]은 접선 장력 강도가 후방 기질보다 전방 기질에 대해 더 크다는 것을 각각

그림 13-2. Randleman et al.의 연구 데이터를이용한 잔여각막기질두께의 백분율에 대한 최대 응집 장력 강도 백분율의 산점도[7]. 회귀 분석으로 4차 다항식이 데이터에 가장 가까운 적합을 제공함을 발견했으며 R2가 0.93으로 높은 상관성을 보여준다. 4차 다항식 회귀 방정식을 이용하여 굴절교정레이저각막절제술(PRK), 라식 및 스마일수술(SMILE) 후 각막 기질 깊이별로 강도 정도를 곡선 아래 면적으로 계산하고 녹색 음영 영역으로 표시하였다. 빨간색 영역은 제거된 각막 조직(엑시머 레이저 절삭/렌티큘 lenticule 추출)을 나타내고 라식의 보라색 영역은 라식 절편을 나타낸다[24].

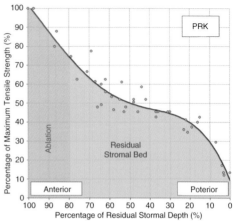

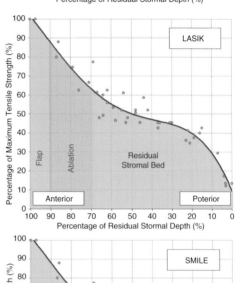

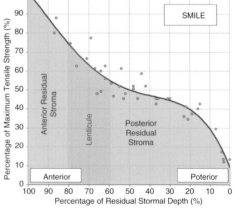

그림 13-3. 상피(I), 전부 각막 기질(II), 후부 각막 기질(III) 및 내피근처의 가장 안쪽 영역(IV)의 다양한 각막 깊이에서 브릴 루앙 Brillouin 현미경(브릴 루앙 산란 분석)으로 측정한 소 bovine 각막의 접선 장력 강도(종방향 탄성 계수)[15].

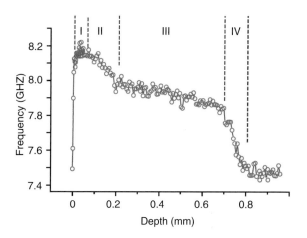

다른 방법론을 사용하여 발견했다. Petscheet 등[16]은 횡방향 전단 강도가 기질 깊이에 따라 감소하는 유사한 결과를 발견했다. 같은 연구 그룹은 횡단 콜라겐 섬유의 3차원 분포를 이미지화하기 위해 비선형 광학 고해상도 매크로스코프를 사용했으며, 각막 기질을 통하는 장력 강도(tensile strength)의 비선형성을 보여주었다. 이는 서로 평행하게 놓여 있는 후부 각막기질에 비해 전부 각막기질의 콜라겐 섬유가 더 큰 상호 연결성을 가지고 있음에 의한 것임을 보여주었다[17].

이 연구의 흥미로운 점은 각막 기질을 통한 기질간 장력 강도 변화가 비선형적이라는 특성이다. 응집 장력 강도는 전부 기질 최전방 30%에서 급격히 감소하는 것으로 나타난다[7]. 그런 다음 응집 장력 강도가 천천히 감소하는 70-20% 깊이 사이의 영역이 있고, 후부 기질 최후방 20%에 대해 다시 급격히 감소한다. 이런 기질 장력 강도의 비선형적 변화는 기질 내 서로 다른 콜라겐의 유기적인 조직층과 연관될 수 있다[10, 18, 19]. 주목할 만한 점으로 Scarcelli et al.이 보고한 접선 장력 강도에 대한 그림 13-3의 곡선과 현저하게 유사하다는 것이다(그림 13-3)[15]. 이는 기질 깊이에 따른 각막 생체역학적 특성과 강한 상관관계를 보여준다. 이 발견은 기질의 깊이에 따른 각막 기질의 특성을 발견한 다른 연구들, 예를 들어 깊이별로 감소하는 굴절 상수(refractive index)[20], 전방 기질에서의 더 큰 UV-B 흡수[21] 및 깊이 별로 다양한 엑시머 레이저 절삭율[22, 23]과 같은 연구들과 일치한다.

13.1.3 잔여 각막 기질 두께 계산에 있어 패러다임의 변화

술자들은 라식에서 잔여 각막 기질 두께를 절편 아래에 남아 있는 기질 조직의 양으로 계산하는 데 익숙하므로 자연스럽게 규칙을 스마일수술에 적용한다. 그러나 스마일수술 후의 실제 잔여 각막 기질 두께는 렌티큘 후방 경계면 아래의 기질 두께에 작은 절개창을 제외하고는 전부 각막 기질 층판에 절개가 없기 때문에 렌티큘 전방 경계면과 보우만층 사이의 기질 두께를 더한 값으로 계산해야 한다. 따라서 첫 번째로 고려한 변경 사항은 라식 잔여 각막 기질 두께와 다르게, 스마일수술에서는 절단되지 않은 총 기질 두께를 고려해야 한다는 것이다. 그러나 스마일수술이 효과적으로 전부 각막 기질을 손상시키지 않고 각막 절삭술이 각막의 더 깊고 구조적으로 약한 부분에서 행해진다는 점을 감안할 때(위에서 설명한 대로), 같은 각막 굴절 교정을 하는 가정하에 스마일수술이 라식 또는 굴절교정레이 저각막절제술보다 각막 장력 강도를 더 크게 남길 것이다. 이러한 관점에서, 우리는 단순히 잔여 각막 기질 두께의 관점에서보다 각막 장력 강도(tensile strength)의 관점에서 더 많이 생각할 필요가 있다. 예를 들어, 전부 각막 기질이 후부 각막 기질보다 약 50% 더 강하므로 라식 잔여 각막 기질 두께와 비교할 때는 스마일수술에서 절삭하지 않은 전부 각막 기질의 50% 두께를 감안해서 생각해야 한다고 대략적으로 생각할 수 있다. 실제로 우리는 실제 각 막 기질 장력 강도 데이터를 기반으로 계산하여 이보다 더 많이 감안해 볼 수도 있다.

13.1.4 생체 역학 모델: 스마일수술과 굴절교정레이저각막절제술 및 라식 비교

저자들은 최근에 *Randleman*[7] 연구에 기반한 각막 깊이에 따른 종속 장력 강도 데이터에 기반하여 수술 후 각막 장력 강도를 계산하고 굴절교정레이저각막절제술, 라식 및 스마일수술[24] 간의 인장 강도를 비교하는 수학적 모델을 개발했다. 저자들은 위에서 설명한 다른 유형의 각막 장력 강도를 측정하는 여러 연구 간의 유사성을 감안할 때 각막의 응집 장력 강도가 전체 각막 생체 역학을 대표한다고 가정하였다. 저자들은 이제 각막 굴절 수술의 제한 요소로서 잔여 각막 기질 두께를 이 총 각막 장력 강도 값이 대체해야 한다고 제안한다.

모델을 도출하기 위해 먼저 Randleman[7] 데이터에 대해 비선형 회귀 분석을 수행한 결과, 4차 곡선이 R2가 0.930인 데이터에 대한 적합성을 극대화하여 비선형 적합성에 의해 달성된 매우 높은 상관 관계를 입증했다. 굴절교정수술이 행해지지 않은 각막의 전체 장력 강도는 적분에 의해 회귀선 아래 면적으로 계산되었다(그림 13-2). 라식 후 각막의 전체 장력 강도는 (절편이 수술 후 각막의 장력 강도에 기여하지 않는다고 가정하여) 잔여 각막 기질 두께 이하의 모든 깊이에 대한 회귀선 아래의 면적을 계산하여 도출하였다[25]. 이 값을 절삭하지 않은 각막의 전체 장력 강도로 나누어 상대적인 수술 후 전체 장력 강도 (PTTS, postoperative total tensile strength)를 백분율로 나타내었다. 마찬가지로 굴절교정 레이저각막절제술 후 각막의 전체 장력 강도는 절삭 후 각막 기질 두께 이하의 모든 깊이에 대해 회귀선 아래의 면적을 계산하여 도출하였다. 마지막으로, 스마일 후 각막의 총 인장 강도는 상부 렌티큘 경계면 위 또는 각막기질 캡cap 쪽의 모든 깊이에 대해 회귀선 아래 영역과 하위 렌티큘 경계면 아래의 모든 깊이에 대한 회귀선 아래 영역을 합하여 계

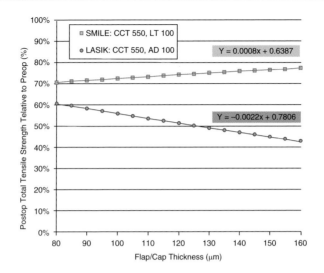

그림 13-4. 중심 각막 두께를 550 μm으로 고정하고 절삭량/렌티큘 두께 100 μm(약-7.75 D)에 대한 절편/캡cap 두께 범위에 대한 라식(보라색) 및 스마일수술(녹색) 후의 상대적 총 각막 장력 강도에 대한 산포도. 라식에서는 절편 두께가 클수록 수술 후 상대적인 총 각막 장력 강도가 0.22%/μm 감소하였다. 스마일수술에서는 수술 후 상대적인 총 장력 강도가 캡(cap)두께가 두꺼워질수록 0.08%/μm 증가했다[24].

산되었다.

그런 다음 모델을 다양한 경우에 적용했으며 분석이후 다양한 결론을 도출할 수 있었다.

① 예상대로 수술 후 각막의 장력 강도는 라식보다 스마일수술 후가 더 높았다. 즉, 전부 각막 기질이 스마일수술 후 그대로 남아있기 때문에 같은 굴절 보정을 한다는 가정하에 라식보다 더 큰 각막 장력 강도를 남긴다.

② 수술 후 각막 장력 강도는 굴절교정레이저각막절제술보다 스마일수술 후가 더 컸으며, 스마일에서 굴절 기질 조직 제거는 더 깊고 상대적으로 약한 기질층에서 이루어졌으며, 더 강한 전부 각막기질은 그대로 남아있었다. 즉, 어떤 굴절 교정량에 대해서도 스마일수술은 굴절교정레이저각막절제술보다 더 큰 각막 장력 강도를 남긴다

③ 캡(cap) 두께가 증가할수록 수술 후 각막 장력 강도가 증가하였다(그림 13-4). 스마일수술이 각막 기질 깊은 곳에서 행해지면 더 강한 전부 기질층이 남아서 수술 후 각막 장력 강도는 커진다. 이는 치료 후 각막 생체역학에 대한 각막절편의 최소 기여도를 고려할 때 절편이 두꺼울수록 수술 후 각막장력 강도가 낮아지는 라식과는 대조적이다.

④ 각막이 얇을수록 수술 후 각막 장력 강도는 감소했지만 얇은 각막일수록 시술 간 차이도 커졌다(그림 13-5). 예를 들어, 라식(LASIK)에서 각막절편부의 기질층과 함께 장력

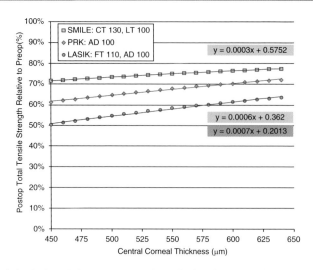

그림 13-5. 라식수술시는 절편은 110 μm, 스마일수술때는 캡(cap) 두께를 130 μm로 하고 고정된
절삭깊이/렌티큘 두께를 100 μm(약 -7.75 D)를 수술한다는 조건에서, 라식후, 굴절교정레이저각막
절제술(photorefractive keratectomy, PRK) 후, 스마일수술 후에 다양한 각막두께별 고정된 절삭
을 가정하였을 때 총 각막 장력 강도에 대한 산포도. 수술 후 상대적인 총 장력 강도는 스마일 다음으
로 굴절교정레이저각막절제술가 높았고, 라식 이후 가장 낮았다[24].

이 강한 전부 기질 내의 절삭(ablation)을 하는 라식은 강한 전부 기질을 절삭하지 않은
채 각막 기질내의 비교적 약한 기질 조직에서 렌티큘의 제거하는 스마일수술보다 더
큰 비율의 총 각막 장력 강도의 손실을 초래한다.

이러한 결과는 라식 절편 두께 110 μm, 스마일수술 캡 두께 130 μm을 기준으로 고정
된 중심 각막 두께 550 μm에 대해 절제 깊이 범위별로 라식(보라색), 굴절교정레이저각막
절제술(photorefractive keratectomy, PRK)(파란색) 및 스마일수술(초록색) 후 상대적인 총
인장 강도를 보여주는 (그림 13-6)에 표시된 예시 시나리오에서 정량화할 수 있다. 주황색
선은 라식에서 73 μm(약 -5.75D), 굴절교정레이저각막절제술에서 132 μm(약 -10.00D),
스마일수술에서 175 μm(약 -13.50 D)의 절삭 깊이에 대해 수술 후 상대 총 각막 장력 강
도가 60%에 도달했음을 나타낸다. 또한 동일한 수술 후 상대 총 각막 장력 강도의 각막에
대해 라식과 스마일 라식 사이의 7.75 D 도수 차이(절삭량의 차이)로 해석된다. 빨간색 선
은 100 μm 조직 제거 후 수술 후 상대적인 각막 장력 강도가 라식에서 54%, 굴절교정레
이저각막절제술에서 68%, 스마일수술에서 75%임을 나타낸다.

이 모델에는 고려되지 않은 몇 가지 요소가 있다. 첫째, 이 모델은 각막의 중심점만을
고려하였다. 예를 들어, 기질 두께 진행과 절제 프로파일의 부피를 고려한 유한 요소 분석
(finite element analysis)에 의한 각막의 전체 모델은 상당한 개선이 될 수 있지만, 절대 장력

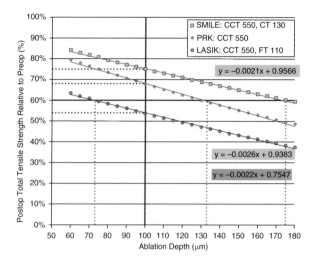

그림 13-6. 이 그래프는 라식(보라색), 굴절교정레이저각막절제술(파란색), 스마일수술(초록색) 후 550 µm의 고정된 중심 각막 두께인 경우에 라식 플랩 두께 110 µm, 스마일 캡 두께 130 µm로 한 절삭 깊이에 따른 상대적인 총 장력 강도를 보여준다. 주황색 라인은 라식에서 73 µm (약 -5.75 diopters), 굴절교정레이저각막절제술 132 µm(약 -10.00 D), 스마일수술 175 µm (약 -13.50 D)의 절삭 깊이에 대해 수술 후 상대적 총 인장 강도가 60%에 도달했음을 나타내며, 동일한 수술 후 상대 총 장력 강도의 각막에 대해 라식과 스마일 사이의 7.75 D 차이로 해석된다. 빨간색 선은 100 µm 조직 절삭 후 수술 후 상대적인 총 장력 강도가 라식에서 54%, 굴절교정레이저각막절제술에서 68%, 스마일수술에서 75% 임을 나타낸다[24].

강도 변화 측면에서 정확하지는 않더라도, 어느정도 질적으로 동일한 데이터를 제공할 가능성이 높다. 실제로, 한 연구는 스마일수술과 라식 이후의 스트레스 분포를 비교하기 위해 유한 요소 모델링을 사용했고 스마일수술 모델보다 라식 모델에서 잔여 기질층에서 스트레스가 더 많이 증가했다는 것을 발견했다[27].

　이 모델에서 우리는 라식 절편의 기질층이 각막의 전체 장력 강도에 전혀 기여하지 않는다는 가정을 세웠으며, 이 가정은 이러한 장력 강도에 기여하지 않는 점을 입증하는 이전 연구에 근거하였다. *Schmack* 등[25]은 중심부 및 중심부 주변 라식 반흔들의 평균 장력 강도가 대조군보다 측정된 값에 2.4%에 불과하다는 것을 발견했다. 앞에서 설명한 바와 같이, Knox Cartwright 등[5]은 실험적으로 각막깊이에 따라 각막에 압박강도(corneal strain)의 증가를 보여줬으며, 110 µm 절편의 경우 9%, 160 µm 절편의 경우 33%의 각막에 압박강도의 증가를 보고하였다. 이 결과는 현재 모델에 의해서도 예측되며, 이는 남아 있는 상대적인 총 장력 강도가 예상대로 두꺼운 절편에서 더 작다는 것을 보여준다.

　또 다른 고려되지 않은 요소는 라식이나 굴절교정레이저각막절제술과는 다르게 스마일수술 이후에는 각막의 보우만층이 그대로 유지된다는 것이다. 엑시머 레이저로 보우만

층을 제거하면 Young 계수(*Young's modulus*)가 4.75% 감소한다는 것을 보여준 Seiler 등의 연구에 의해 증명된 바와 같이 보우만층은 각막 기질 조직에 대해 매우 다른 생체역학적 특성을 가지고 있는 것으로 나타났다. 보우만 층을 손상시키지 않으면 라식, 굴절교정 레이저각막절제술에 비해 스마일 후 각막 생체역학적 안정성이 더욱 높아질 수 있다. 마지막으로, 현재 모델은 스마일수술 시 터널 절개(tunnel incision)의 각막 장력 강도 변화에 대한 영향을 고려하지 않으며, 터널 절개에 의한 장력 강도 변화는 작지만 0은 아닐 것이다.

요약하자면, 장력 강도 측면에서 각막 조직의 감소를 동반한 각막 굴절 수술 안전성의 고려는 기존의 잔여 기질 두께를 고려하는 한계에서 벗어나는 패러다임의 변화를 가져온다. 각막 레이저 굴절 교정 수술의 잔여 각막 기질 두께에 기반한 안전성은 최소한 절제되지 않은 잔여 기질 측면에서 고려되어야 한다. 이상적으로는 기질 강도의 비선형성을 고려한 총 각막 장력 강도와 같은 값이 더 적절해 보인다. 예를 들어, 라식후에 잔여 각막 기질 두께가 250 μm를 기준으로 전체 각막 장력 강도를 비교한다면, 스마일수술 시에는 캡 안에 절삭되지 않은 기질층판에서 추가되는 장력 강도로 인해 절삭면 아래 잔여 각막기질 두께는 250 μm 이하로 줄일 수 있을 것이다. 남아있는 전체 각막 장력강도를 기준으로 생각한다면, 그 최소값은 250 um의 잔여 각막 기질두께로 라식한 후에 남아있는 전체 각막 장력 강도로 정의되어야 한다.

13.2   스마일수술의 생체역학적 이점에 대한 근거

앞서 설명한 것처럼 구면 수차 유발은 주로 절삭 영역 외부의 주변부 각막 기질 확장으로 인한 것이다. 주변부 각막 기질 확장은 절제된 기질 콜라겐 층판의 이완에 의해 발생하므로 스마일수술 이후에 더 적은 수의 콜라겐 층판이 절단되면 각막 기질 확장이 적을 것으로 예상되며, 따라서 더 적은 구면 수차가 유도될 것으로 예상된다.

최근 연구[33]에서 저자들은 굴절 각막실질조각이 최소 비구면인 스마일수술과 비선형적 비구면에 최적화된 절삭 프로파일을 사용하는 Laser Blended Vision 모듈[29]을 이용하는 MEL80으로 시행한 라식 사이의 구면 수차의 유발을 비교했다. 라식 그룹은 ±0.25D 이내의 굴절률로 매칭하였고 두 그룹에서 모든 눈은 6 mm 광학 영역으로 굴절교정하였다. 각막 구면 수차(Atlas, Carl Zeiss meditec로 측정)는 각막 중심 6 mm에서 분석되었으며 두 그룹 간에 차이는 발견되지 않았다. 따라서 스마일수술은 최소 비구면 절삭이지만 고도로 비구면에 최적화된 근시 Laser Blended Vision 프로파일과 유사한 구면 수차 유발했다. 이것은 펨토초레이저를 이용한 절편이 없는 시술방법이 기존의 비구면을 유발하지 않는 엑시머레이저 근시 프로파일에서 예상되는 것보다 구면 수차의 유발이 더 적다는 것을

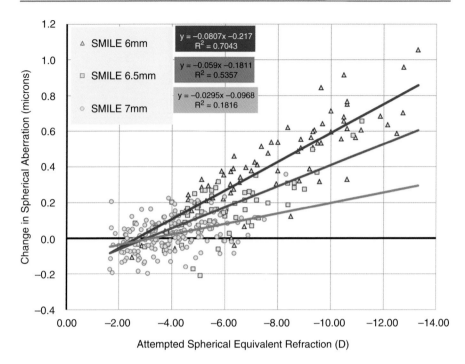

그림 13-7. 6, 6.5 및 7 mm 광학 영역에서 스마일수술로 변화시킨 구면렌즈대응치별에 대응하는 구면 수차(OSA 표기법)의 변화를 보여주는 산점도

나타낸다. 이러한 결과는 이전에 발표된 연구들과 유사하다. 두 연구에서는 라식보다 스마일수술에 의해 유도된 수차가 적다는 것을 보여주었고[30, 31], 한 연구에서는 수차 유도가 유사했음을 보여주었다[32].

이 연구에 이어, 우리는 스마일수술 후 구면 수차의 유도가 6, 6.5, 7 mm의 광학부 영역에서 어떻게 변화하는지 조사했다. 유발된 구면 수차는 예상대로 더 큰 광학부 영역에서 감소했다; 선형회귀분석에서 기울기는 6 mm에서 0.081, 6.5 mm에서 0.059, 7 mm에서 0.030로 나타났다(그림 13-7).

그러나 고려해야 할 또 다른 요소는 절삭 깊이이다. Laser Blended Vision ablation 프로파일의 비구면 최적화로 인해 절삭 깊이는 동일한 광학 영역에 대해 렌티큘 두께보다 더 크다; 6 mm Laser Blended Vision 절삭술은 기질 조직 제거면에서 6.25 mm 렌티큘과 동일하다. 따라서 더 큰 광학 영역에서 구면 수차 유발이 감소한다는 것을 알고 있으므로 스마일수술 후 구면 수차 유발은 동등한 기질 조직 제거에 대해 라식보다 훨씬 적다.

마지막으로 앞서 설명한 두 시술사이에 생체역학적 차이도 고려해야 한다. 우리 모델에 따르면 각막 장력 강도의 차이는 스마일수술에서 훨씬 더 큰 광학 영역(optical zone)을 수술하더라도(즉, 더 큰 조직 제거) 스마일수술 후에 각막이 라식보다 충분하게 더 큰 장

그림 13-8. 구면 굴절력 원주
굴절력 및 각막 두께값을 동일
하게 적용한 통상적인 스마일
수술 증례들과 라식 증례들 대
해 치료된 최대 근시 굴절력
중심값에 대해 수술 후 총 장
력 강도 표시하였다. 스마일수
술 그룹에서 더 큰 광학 영역
에 시술하였음에도 불구하고
수술 후 총 장력 강도는 여전
히 라식 그룹보다 평균 16%
더 컸다.

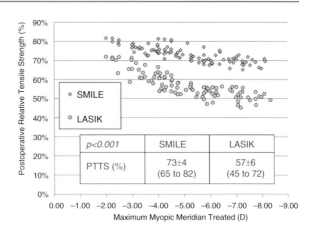

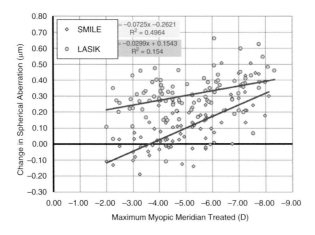

그림 13-9. 구면 굴절력 원주 굴절력 및 각막 두께값을 동일하게 적용한 통상적인 스마일수술 증례
들과 라식 증례들 대해 치료된 최대 근시 굴절력 중심값에 대해 수술 후 구면 수차(OSA 표기법)의 변
화를 나타내었다. 수술 후 총 인장 강도의 증가는 스마일수술 시 더 큰 광학영역을 사용할 수 있게 했
으며 결과적으로 구면 수차의 유도가 낮아 라식 그룹보다 광학 품질을 더 좋게 할 수 있다.

력 강도를 보인다. 광학 영역을 크게 수술하게 되면 구면 수차 유도가 줄어들어 각막을 더
강하게 유지하면서 더 나은 광학 품질을 얻을 수 있다.

　　이를 입증하기 위해 저자들은 연구 모델에 초기 증례들(n = 96)에 굴절력(±0.25D)
및 각막 두께(±20μm)를 적용한 라식 수술한 눈을 대조군으로 소급 적용하고 수술 후 총
각막 장력 강도를 비교했다. 수술 시 광학 영역은 연구에서 동일한 기준으로 적용한 경우
가 아니므로 연구대상들은 두 시술에서 일반적인 임상 기준을 따라 적용하였다. 평균 광
학 영역은 스마일수술 그룹의 경우 6.70 ± 0.39 mm(범위 5.90-7.00 mm), 라식 그룹의 경

우 6.08 ± 0.22 mm(범위 5.75-7.00 mm)였다. 평균 절삭 깊이는 스마일수술 그룹의 경우 107 ± 19 μm(범위 72-149 μm), 라식 그룹의 경우 87 ± 25 μm(범위 25-134 μm)였다. 평균 캡(cap) 두께는 130 μm(범위 120-140 μm)였다. 평균 라식 절편 두께는 96 μm(범위 80-120 μm)였다. 평균 구면 렌즈 굴절값은 두 그룹에 대해 -4.83 ± 1.59 D(최대 –8.00 D 범위)였다. 평균 중심 각막 두께는 스마일수술 그룹의 경우 539 ± 30 μm(범위 468-591 μm), 라식 그룹의 경우 545 ± 36 μm(범위 469-626 μm)이었다.

　(그림 13-8)은 저자들의 연구 모델을 사용하여 모든 눈에 대해 계산된 수술 후 총 각막 장력 강도를 보여준다. 수술 후 평균 총 장력 강도는 스마일수술 그룹의 경우 73%(범위 65-82%), 라식 그룹의 경우 57%(범위 45-72%)였다. (그림 13-9)는 두 그룹의 각막 6 mm 분석 영역에 대한 각막 구면 수차 유발(Atlas)을 보여줍니다. 구면 수차(OSA 표기법)의 평균 변화는 스마일수술 그룹의 경우 0.11 ± 0.16 μm(범위 -0.19~0.51 μm), 라식 그룹의 경우 0.31 ± 0.12 μm(범위 -0.110~0.66 μm)이었다.

　생체 내에서(in vivo) 스마일수술과 라식 간의 생체역학적 차이를 측정하는 것은 현재 이 목적을 위해 설계된 연구 장비가 거의 없기 때문에 어렵다. Ocular Response Analyzer (Reichert Inc, Depew, NY) 안구반응분석기를 사용하여 각막이력현상(corneal hysteresis, CH) 및 각막 저항 인자(corneal resistance factor, CRF)를 분석한 5건의 연구가 있으며 모두 스마일수술 이후에 CH 및 CRF가 감소한 것으로 나타났다[34-38]. 2건의 대측 눈 연구 (contralateral study)에서 CH와 CRF는 라식보다 스마일수술 후 약간 더 컸으며[37, 38], 다른 3건의 연구에서는 스마일수술과 라식 그룹 간에 CH 또는 CRF에서 차이가 없다고 보고했 다[34-36]. 이러한 결과는 위에서 설명한 스마일수술 후 예상되는 증가된 생체 역학적 강도와 일치하지 않는다. 그러나 많은 연구에서 각막 콜라겐 교차 결합술 후 CH와 CRF에 변화가 없음을 보여주었기에[40] CH와 CRF는 각막 생체 역학을 측정하는 데 이상적인 매개 변수 가 아닐 가능성이 높다[40]. 또한 CH와 CRF가 각막 두께와 상관관계가 있는 것으로 알려져 있으므로[41], 스마일수술 후 렌티큘 제거로 인해 CH와 CRF가 감소할 것으로 예상된다.

　마지막으로 샤임플러그 비접촉 동적 안압계(Corvis ST)를 사용하여 측정한 스마일 수술 및 라식 후의 변화를 보고하는 두 개의 연구가 있다[28, 65]. 두 연구 모두 두 시술 후에 Corvis 측정 변수가 감소했지만 두 시술 간에 통계적으로 유의한 차이가 없음을 보여주었 다. 그러나 다른 이전 연구에서는 스마일수술과 라식 사이에 차이가 없음을 보여주었다[28].

13.3　스마일수술 이후의 다른 생체역학적 변화에 대한 근거

　Artemis® 초고주파 디지털 초음파 스캐너(ArcScan Inc, Morrison, Colorado)를 사용하 여 스마일수술에서 얻은 캡 두께와 제거된 렌티큘 두께의 정확도도 측정했다. 환자 37명의 70명의 눈을 포함한 연구[42]에서 평균 중앙 캡 두께 정확도는 80-140 μm 범위에 걸쳐 의도된 캡 두께에 대해 –0.7 μm(범위 -11~+14 μm)인 것으로 밝혀졌다(즉, 캡 두께가 의도된 캡 두께보다 평균 0.7 μm 얇았다). 캡 중심 두께의 재현성은 4.4 μm[42]인 것으로 밝혀졌다. 같은 집단을 대상으로 한 두 번째 연구에서 평가된 중심 렌티큘 두께는 Artemis가 측정한 기질 두께 변화보다 평균 8.2 μm 더 두꺼웠다.

　8 μm의 전체적인 차이는 다음 세 가지 이유 (1) 두 각막절개증 중 하나에 대한 비쥬맥스 절개 정확도의 오류, (2) Artemis® VHF 디지털 초음파의 각막 기질 측정에 오류, 또는 (3) 각막 기질의 생체역학적 변화에 대한 증거 중 하나(또는 이들의 조합) 때문일 수 있다.

　비쥬맥스 절개 정확도로 인해 제거된 렌티큘 두께에 오차가 있으려면 인터페이스 중 하나에만 오차가 있어야 한다. 그러나 앞서 설명한 것처럼 캡 두께는 -0.7 μm의 중심 두께 오차로 정확한 편이다[42]. 따라서 렌티큘의 두께 차이가 비쥬맥스 절개 정확도로 인한 것이라면 절개 오류는 제거된 렌티큘 하단 경계면에 있어야 한다. 그러나 이전 저자들의 연구에서 80-140 μm 사이의 캡 두께에 대해 정확도는 유사한 것으로 밝혀졌다. 이는 비쥬맥스의 정확도가 깊이에 따라 변하지 않는다는 증거를 제공한다(단, 렌티큘의 하부 절개면이 생성되는 깊이에 대해 확인해야 함).

　모든 다른 안구 계측과 마찬가지로 항상 관련된 측정 오류를 생각해볼 수 있다. 이 연구에서 Artemis VHF 디지털 초음파의 기질 두께 측정은 수술 전과 수술 후 최소 3개월 사이에 평가되었다. 이 방법은 전체 각막 두께 변화를 측정하는 경우에 발생할 수 있는 상피 두께 변경으로 인한 오류를 제거한다[42, 44]. Artemis 장비는 또한 각막(1.68 μm) 및 기질(1.78 μm) 두께 측정에 대해 매우 높은 반복성을 가지므로 이러한 오류 가능성이 최소화되었다[45]. 어떤 경우에도 이러한 오류는 랜덤하게 분포되어 시스템 오류가 발생하기보다는 평균화되어 나타날 가능성이 높다. 또 다른 생각해볼 수 있는 오차의 원인은 두 스캔 간의 정렬(alignment)이다. 다른 측정 오류 발생원과 달리 정렬 오류는 한 방향으로 발생할 가능성이 더 높을 것으로 예상할 수 있다. 각막 두께 측정은 중앙에서 가장 얇고 주변으로 갈수록 더 두꺼우므로 각막 두께 측정이 각막 정점(corneal vertex)에서 유의하게 크게 벗어나지 않는 한 대부분의 경우 렌티큘은 각막의 가장 얇은 지점에 가깝게 중앙에 위치한다. 따라서 수술 후 각막 두께 평가 시 정렬 이상은 수술 후 가장 얇은 지점이 수술 전 가장 얇은 지점과 일치하지 않음을 의미한다. 이는 대부분의 경우 정렬 오차가 이 연구의 모집단에서 관찰된 바와 같이 각막 기질 두께의 변화를 과소평가하는 경향이 있다는 것을 의미한다.

　그러나 중심부 각막 기질의 두께 변화가 상대적으로 점진적인 양상이므로 이러한 정렬 오차가 8 μm의 전체적인 차이를 설명할 수 있을 것 같지는 않다[46]. 따라서, 본 연구는 스마일 이후에 일어나는 생체역학적 변화에 의한 어느 정도의 중심부 각막 기질 확장에 대한 증거를 제공하는 것으로 보인다. 한 가지 가능한 메커니즘은 잔여 기질 바닥부와 캡

(cap) 사이의 렌티큘이 제거된 절단된 층이 더 이상 장력을 받지 않기 때문에 후퇴(recoiling)하고 주변부로의 각막기질의 확장을 야기할 수 있다. 이는 라식 후 알려진 주변부 각막 기질 팽창과 유사할 수 있다[1, 4]. 이러한 확장으로 인해 캡의 하단 기질층이 잔여 기질바닥면의 상단 기질층과 약간 떨어져 있을 수 있다. 잔존 각막지질이나 캡에 있는 기질이 여전히 각막 장력하에 있기 때문에 팽창할 이유는 없을 것으로 보인다. 예를 들어, 저자들이 이전에 보고한 캡 두께의 높은 정확도[42]는 캡 내 생체역학적 안정성에 대한 증거를 제공하는 것이다.

모든 각막 수술 후 생체 역학적인 변화가 있는 것은 거의 불가피하므로 이론상 제거될 렌티큘 두께와 실제로 제거된 렌티큘 두께에 차이가 있는 것은 놀라운 일이 아니다. 그 차이가 측정 오차인 8 μm에 불과하다는 사실은 스마일수술 이후에 실제로 생체역학적 변화가 거의 없다는 것을 의미한다. 수술 시 굴절교정에 필요한 기질만 제거되고 가장 강한 전부 각막 기질[7] 및 보우만 층[26]은 손상되지 않은 상태로 남아있다. 이것은 또한 연구에서도 입증되었는데, 이는 유사한 절삭 깊이를 한 라식 연구결과과 비교했을때 스마일수술에서 렌티큘 두께에서의 산란(scatter) 정도가 더 낮았기 때문에 스마일수술 후 각막에 가변적인 생체 역학적 반응이 덜 있었음을 나타낸다.

13.4 안구 표면과 각막 감각

각막은 인간에서 가장 조밀하게 신경분포된 말초 조직 중 하나입니다. 전부 각막 기질 내의 신경 다발은 주변에서 중심 각막을 향해 방사상으로 내측으로 자라 들어간다[47, 48]. 그 이후로 각막 신경은 보우만층을 관통하고 보우만층과 기저 상피 세포 사이에서 수직 및 수평으로 분기하여 기저 신경총(subbasal nerve plexus)으로 알려진 신경 섬유의 조밀한 네트워크를 만듭니다. 라식에서 절편 경계면의 기저 신경 다발(subbasal nerve bundles)과 표재 기질 신경 다발(superficial stromal nerve bundles)은 미세각막절개도(microkeratome) 또는 펨토초레이저에 의해 절단되고 경첩(hinge) 영역을 통해 각막절편으로 들어가는 신경만 남겨진다. 이어지는 엑시머 레이저 각막절삭은 기질 신경 섬유 다발을 더 절단한다. 따라서 신경이 재생되는 동안 각막 민감도가 감소한다. 낮아진 각막 민감도는 눈 깜박임의 감소를 유발하고 안구 표면 노출 증가로 인한 상피병증(라식 유도 신경영양성 상피병증, LASIK-induced neurotrophic epitheliopathy)을 유발하고 환자는 "안구건조증" 증상을 느낄 수 있다[49, 50]. 그 외 다른 관련 요인도 있지만 일반적으로 이러한 각막 탈신경화가 가장 큰 요인으로 받아들여지고 있다[51-53].

따라서 스마일수술 도입 이후 작은 절개창을 제외하고 각막의 손상이 없고, 캡의 직경이 라식수술 시 각막절편의 직경보다 작은 점을 고려할 때 스마일수술이 라식에 비해 수술 후 안구건조증 개선 효과를 나타낼 수 있을 것이라는 기대가 있었다. 캡 직경 내에서 각막 상피층으로 올라가는 신경 다발(trunk nerves)은 여전히 스마일수술 시 절단되지만 캡 직경 외측으로 올라가거나 캡 절개면 전방에 있는 각막 신경은 보존된다. 많은 연구에서 공초점 현미경을 사용하여 각막 신경 분포를 평가하고[57, 61, 63], 각막지각계(esthesiometry)를 사용하여 각막 민감도를 측정하여 이를 연구했다[51-62].

156안을 포함한 우리 연구에서 스마일수술 후 초기 수술 후 각막 민감도가 감소했지만 3개월 이내에 76%의 눈, 6개월에 89%의 눈에서 기준선에서 5 mm 이내로 회복되었다. 이 연구에서 추가적으로 라식 후 각막 민감도를 보고한 과거 연구에 대한 문헌 검토를 수행하고 21개 라식 연구의 평균에 대해 결과를 제시했다. 본 연구에서 스마일수술에 대한 결과는 특히 처음 수술후 3개월 동안 라식 비해 모든 시점에서 중심 각막 민감도의 감소가 적으면서 더 유리한 것으로 비교되었다.

다른 스마일수술 연구에서도 유사한 결과가 보고되었다. Wei 등[55]의 연구에서 1주, 1개월, 3개월에 스마일수술 그룹(n = 61)이 라식 그룹(n = 54)에 비해 중심 각막 민감도가 유의하게 더 높음을 발견했다. 중심 각막 민감도는 1주에 약간만 감소하고 스마일수술 후 3개월 후에 기준선으로 회복되었지만 라식 그룹에서는 기준선에 도달하지 않았다. 같은 그룹의 다른 대규모 연구에서도 비슷한 결과가 나타났다[56].

Vestergaard 등[57]은 35명의 근시 환자를 대상으로 FLEx와 스마일수술 후 중심 각막 민감도를 비교한 대측 눈 연구(contralateral study)를 수행했다. 술후 6개월 시점에서 평균 중심 각막 민감도는 스마일수술 그룹에서 기준선 수준으로 돌아온 것으로 확인되었다(기준선보다 1.0 mm 낮음, p> 0.05). 대조적으로, 평균 중심 각막 민감도는 FLEx 그룹에서 기준선보다 3.8 mm 낮았고(p< 0.05) 스마일수술 그룹보다 통계적으로 유의하게 낮았다.

Demirok 등[58]은 근시 환자를 대상으로 6개월 동안 라식과 스마일수술 후 중심 각막 민감도를 비교한 대측 눈 연구(contralateral study)를 시행하였다. 평균 중심 각막 민감도는 1주, 1개월 및 3개월에 스마일수술 및 라식 모두에서 감소했다. 그러나 각각의 측정 시점에서 스마일수술그룹에서 통계적으로 유의하게 더 높았다. 중심 각막 민감도는 두 그룹 모두에서 6개월 시점에 기준선 수준으로 돌아왔다. 각막 민감도에는 차이가 있었지만 눈물막 파괴 시간(tear breakup time), 쉬르머 검사(Schirmer test) 및 눈물막 삼투압 농도를 포함한 다른 안구 건조 매개 변수에는 영향을 미치지 않았다.

Li 등[59, 60]은 6개월 간의 추적 관찰 기간 동안 스마일수술(n = 38)과 라식(n = 31) 간의 중심 각막 민감도 변화를 비교했다. 평균 중심 각막 민감도는 1주, 1개월, 3개월 및 6개월에 스마일수술 및 라식 후 감소했다. 그러나 각 시점에서 스마일수술 그룹에서 통계적으로 유의하게 더 높았다. 이전 연구와 마찬가지로 각막 민감도에는 차이가 있었지만 눈물막 파괴 시간(tear breakup time), 쉬르머 검사(Schirmer test) 및 안구표면질환지수(Ocular Surface Disease Index, OSDI) 설문지와 같은 다른 안구 건조 매개 변수에 대해서는 그룹 간에 실질

그림 13-10. 동료 검토 문헌을 검색하여 8개의 스마일수술 연구와 21개의 LASIK 연구에서 평균한 12개월의 추적 기간 동안의 평균 중심 각막 민감도를 보여주는 선 그래프.

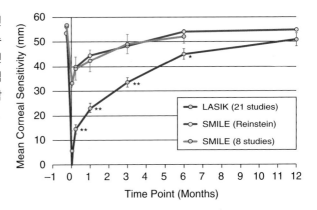

적인 차이가 없었다. 두 번째 연구[61]에서도 동일한 그룹에 의해 유사한 결과가 발견되었다.

Gao 등[62]은 3개월간의 추적 관찰 기간 동안 스마일수술(n = 30)과 라식(n = 64) 간의 중심 각막 민감도 변화를 비교했다. 평균 중심 각막 민감도는 스마일수술 후 1주 및 1개월에 감소했지만 3개월에 기준선으로 회복되었다. 라식 후 중심 각막 민감도의 감소 정도는 모든 시점에서 스마일수술 후보다 훨씬 더 크며 3개월 시점에서 기준선보다 여전히 39% 낮았다. 이 연구는 또한 스마일수술이 각결막형광염색도, 눈물막 파괴 시간(tear breakup time), 안구표면질환지수(Ocular Surface Disease Index, OSDI) 설문지 점수, IL-6 및 NGF 농도, TNF-α 및 ICAM-1 농도 측면에서 라식보다 약한 안구 표면 변화를 유발하는 것을 보여주었다.

(그림 13-10)은 시간 경과에 따른 평균 각막 민감도(스마일수술 이후 8개 연구 모두)를 보여준다[54-62]. 비교를 위해 그래프는 시간 경과에 따른 평균 각막 민감도[각막지각계(Cochet-Bonnet esthesiometer)로 측정된 라식 후 21개 연구][54]를 보여준다.

몇몇 연구에서는 공초점 현미경을 사용하여 각막 신경 분포의 변화를 조사했다. Vestergaard 등[57]은 술후 6개월 시점에서 스마일수술에 비해 라식 후 각막 신경의 감소가 더 크다는 것을 보여주었다. Li 등[61]은 각막상피 바닥세포하 신경 섬유(subbasal nerve fiber) 밀도의 감소가 라식 후보다 스마일수술 후 첫 3개월 동안 덜 심하다는 것을 발견했다. 마찬가지로 Mohamed-Noriega 등은 라식에 비해 스마일수술 4주 후에 토끼 눈에서 신경 손상이 적고 신경 회복이 더 빠르다는 것을 발견했다[63]. 이 주제에 대한 자세한 검토는 이 책의 3장에 나와 있다.

마지막으로 Xu 등[64]의 최근 연구에서는 스마일수술과 라식 간의 안구건조증과 관련한 지표들을 비교했다. 그들은 두 그룹 모두에서 수술 후 초기에 모든 안구건조증 관련 지표가 더 악화되었음을 발견했다. 그러나 쉬르머 검사(Schirmer test), 눈물막 파괴 시간(tear breakup time) 및 McMonnies 점수는 모두 스마일수술 그룹에서 더 우수했다.

13.5   요약

절편이 없는 기질내 작은 구멍을 통한 각막 절삭 가공 성형술(Flapless intrastromal key-hole keratomileusis procedure)인 스마일수술의 진화는 더 강한 전부 각막 기질을 손상시키지 않고 기존에 굴절교정레이저각막절제술 및 라식에 비해 각막 생체 역학의 변화를 최소화하는 각막 굴절 수술을 위한 새로운 방법으로 소개되었다. 스마일수술에서 제거되는 렌티큘이 본질적으로 구형임에도 불구하고, 스마일수술에서 구면 수차(spherical aberration)의 유발은 비슷하거나 더 큰 조직을 제거하는 비구면 라식보다 낮았다. 더 강한 전부 각막 기질 층판을 보존하면서 스마일수술에서 광학 영역을 안전하게 증가시켜 구면 수차의 제어를 개선하는 동시에 동등한 최근의 비구면 라식보다 수술 후 상대 각막 장력 강도를 더 높게 유지할 수 있다. 또한 스마일수술의 절편이 없는 수술기법은 전부 각막 신경총의 보존에 더 유리하여 각막 신경 분포 및 각막 민감도가 수술 후 더 빨리 회복된다.

참고문헌

1. Reinstein DZ, Silverman RH, Raevsky T, Simoni GJ, Lloyd HO, Najafi DJ, Rondeau MJ, Coleman DJ (2000) Arc-scanning very high-frequency digital ultrasound for 3D pachymetric mapping of the corneal epithelium and stroma in laser in situ keratomileusis. J Refract Surg 16(4):414-430.
2. Dupps WJ Jr, Roberts C (2001) Effect of acute biomechanical changes on corneal curvature after photokeratectomy. J Refract Surg 17(6):658-669.
3. Dupps WJ, Roberts C, Schoessler JP (1995) Peripheral lamellar relaxation. Paper presented at the ARVO 1995, Fort Lauderdale.
4. Roberts C (2000) The cornea is not a piece of plastic. J Refract Surg 16(4):407-413.
5. Knox Cartwright NE, Tyrer JR, Jaycock PD, Marshall J (2012) Effects of variation in depth and side cut angulations in LASIK and thin-fl ap LASIK using a femtosecond laser: a biomechanical study. J Refract Surg 28(6):419-425. doi: 10.3928/1081597x-20120518-07.
6. Medeiros FW, Sinha-Roy A, Alves MR, Dupps WJ Jr (2011) Biomechanical corneal changes induced by different flap thickness created by femtosecond laser. Clinics (Sao Paulo) 66(6): 1067-1071.
7. Randleman JB, Dawson DG, Grossniklaus HE, McCarey BE, Edelhauser HF (2008) Depthdependent cohesive tensile strength in human donor corneas: implications for refractive surgery. J Refract Surg 24(1):S85-S89.
8. MacRae S, Rich L, Phillips D, Bedrossian R (1989) Diurnal variation in vision after radial keratotomy. Am J Ophthalmol 107(3):262-267.
9. Maloney RK (1990) Effect of corneal hydration and intraocular pressure on keratometric power after experimental radial keratotomy. Ophthalmology 97(7):927-933.
10. Muller LJ, Pels E, Vrensen GF (2001) The specifi c architecture of the anterior stroma accounts for maintenance of corneal curvature. Br J Ophthalmol 85(4):437-443.
11. Ousley PJ, Terry MA (1996) Hydration effects on corneal topography. Arch Ophthalmol 114(2):181-185.
12. Simon G, Ren Q (1994) Biomechanical behavior of the cornea and its response to radial keratotomy. J Refract Corneal Surg 10(3):343-351; discussion 351-346.
13. Simon G, Small RH, Ren Q, Parel JM (1993) Effect of corneal hydration on Goldmann applanation tonometry and corneal topography. Refract Corneal Surg 9(2):110-117.
14. Kohlhaas M, Spoerl E, Schilde T, Unger G, Wittig C, Pillunat LE (2006) Biomechanical evidence of the distribution of cross-links in corneas treated with riboflavin and ultraviolet A light. J Cataract

Refract Surg 32(2):279-283. doi: 10.1016/j.jcrs.2005.12.092.

15. Scarcelli G, Pineda R, Yun SH (2012) Brillouin optical microscopy for corneal biomechanics. Invest Ophthalmol Vis Sci 53(1):185-190. doi: 10.1167/iovs.11-8281.

16. Petsche SJ, Chernyak D, Martiz J, Levenston ME, Pinsky PM (2012) Depth-dependent transverse shear properties of the human corneal stroma. Invest Ophthalmol Vis Sci 53(2):873-880. doi: 10.1167/iovs.11-8611.

17. Winkler M, Shoa G, Xie Y, Petsche SJ, Pinsky PM, Juhasz T, Brown DJ, Jester JV (2013) Three-dimensional distribution of transverse collagen fi bers in the anterior human corneal stroma. Invest Ophthalmol Vis Sci 54(12):7293-7301. doi: 10.1167/iovs.13-13150.

18. Dawson DG, Grossniklaus HE, McCarey BE, Edelhauser HF (2008) Biomechanical and wound healing characteristics of corneas after excimer laser keratorefractive surgery: is there a difference between advanced surface ablation and sub-Bowman's keratomileusis? J Refract Surg 24(1):S90-S96.

19. Roy AS, Dupps WJ Jr (2011) Patient-specifi c computational modeling of keratoconus progression and differential responses to collagen cross-linking. Invest Ophthalmol Vis Sci 52(12): 9174-9187. doi: 10.1167/iovs.11-7395.

20. Patel S (1987) Refractive index of the mammalian cornea and its infl uence during pachometry. Ophthalmic Physiol Opt 7(4):503-506.

21. Kolozsvari L, Nogradi A, Hopp B, Bor Z (2002) UV absorbance of the human cornea in the 240- to 400-nm range. Invest Ophthalmol Vis Sci 43(7):2165-2168.

22. Seiler T, Kriegerowski M, Schnoy N, Bende T (1990) Ablation rate of human corneal epithelium and Bowman's layer with the excimer laser (193 nm). Refract Corneal Surg 6(2):99-102.

23. Huebscher HJ, Genth U, Seiler T (1996) Determination of excimer laser ablation rate of the human cornea using in vivo Scheimpfl ug videography. Invest Ophthalmol Vis Sci 37(1):42-46.

24. Reinstein DZ, Archer TJ, Randleman JB (2013) Mathematical model to compare the relative tensile strength of the cornea after PRK, LASIK, and small incision lenticule extraction. J Refract Surg 29(7):454-460. doi: 10.3928/1081597x-20130617-03.

25. Schmack I, Dawson DG, McCarey BE, Waring GO 3rd, Grossniklaus HE, Edelhauser HF (2005) Cohesive tensile strength of human LASIK wounds with histologic, ultrastructural, and clinical correlations. J Refract Surg 21(5):433-445.

26. Seiler T, Matallana M, Sendler S, Bende T (1992) Does Bowman's layer determine the biomechanical properties of the cornea? Refract Corneal Surg 8(2):139-142.

27. Sinha Roy A, Dupps WJ, Jr., Roberts CJ (2014) Comparison of biomechanical effects of small-incision lenticule extraction and laser in situ keratomileusis: finite-element analysis. J Cataract Refract Surg. 40:971-980.

28. Shen Y, Chen Z, Knorz MC, Li M, Zhao J, Zhou X (2014) Comparison of corneal deformation parameters after SMILE, LASEK, and femtosecond laser-assisted LASIK. J Refract Surg. 30(5):310-318.

29. Reinstein DZ, Archer TJ, Gobbe M (2011) LASIK for myopic astigmatism and presbyopia using non-linear aspheric micro-monovision with the carl zeiss meditec MEL 80 platform. J Refract Surg 27(1):23-37.

30. Ganesh S, Gupta R (2014) Comparison of visual and refractive outcomes following femtosecond laser-assisted lasik with smile in patients with myopia or myopic astigmatism. J Refract Surg 30(9):590-596.

31. Lin F, Xu Y, Yang Y (2014) Comparison of the visual results after SMILE and femtosecond laserassisted LASIK for myopia. J Refract Surg 30(4):248-254. doi: 10.3928/1081597x- 20140320-03.

32. Agca A, Demirok A, Cankaya KI, Yasa D, Demircan A, Yildirim Y, Ozkaya A, Yilmaz OF (2014) Comparison of visual acuity and higher-order aberrations after femtosecond lenticule extraction and small-incision lenticule extraction. Cont Lens Anterior Eye. doi: 10.1016/j.clae.2014.03.001.

33. Reinstein DZ, Archer TJ, Gobbe M (2014) ReLEx SMILE induces signifi cantly less spherical aberration than wavefront optimised sub-Bowman's LASIK for any given residual postoperative relative tensile strength. Paper presented at the ARVO 2014, Orlando.

34. Vestergaard AH, Grauslund J, Ivarsen AR, Hjortdal JO (2014) Central corneal sublayer pachymetry and biomechanical properties after refractive femtosecond lenticule extraction. J Refract Surg 30(2):102-108. doi: 10.3928/1081597x-20140120-05.

35. Agca A, Ozgurhan EB, Demirok A, Bozkurt E, Celik U, Ozkaya A, Cankaya I, Yilmaz OF (2014) Comparison of corneal hysteresis and corneal resistance factor after small incision lenticule extraction and femtosecond laser-assisted LASIK: a prospective fellow eye study. Cont Lens Anterior Eye 37(2):77-80. doi: 10.1016/j.clae.2013.05.003.

36. Kamiya K, Shimizu K, Igarashi A, Kobashi H, Sato N, Ishii R (2014) Intraindividual comparison of changes in corneal biomechanical parameters after femtosecond lenticule extraction and small-incision lenticule extraction. J Cataract Refract Surg 40(6):963-970. doi: 10.1016/j.jcrs.2013.12.013.

37. Wu D, Wang Y, Zhang L, Wei S, Tang X (2014) Corneal biomechanical effects: Small-incision lenticule extraction versus femtosecond laser-assisted laser in situ keratomileusis. J Cataract Refract Surg 40(6):954-962. doi: 10.1016/j.jcrs.2013.07.056.

38. Wang D, Liu M, Chen Y, Zhang X, Xu Y, Wang J, To CH, Liu Q (2014) Differences in the corneal biomechanical changes after SMILE and LASIK. J Refract Surg 30(10):702-707. doi: 10.3928/1081597x-20140903-09.

39. Reinstein DZ, Gobbe M, Archer TJ (2011) Ocular biomechanics: measurement parameters and terminology. J Refract Surg 27(6):396-397.

40. Goldich Y, Barkana Y, Morad Y, Hartstein M, Avni I, Zadok D (2009) Can we measure corneal biomechanical changes after collagen cross-linking in eyes with keratoconus?-a pilot study. Cornea 28(5):498-502.

41. Touboul D, Roberts C, Kerautret J, Garra C, Maurice-Tison S, Saubusse E, Colin J (2008) Correlations between corneal hysteresis, intraocular pressure, and corneal central pachymetry. J Cataract Refract Surg 34(4):616-622.

42. Reinstein DZ, Archer TJ, Gobbe M (2013) Accuracy and reproducibility of cap thickness in small incision lenticule extraction. J Refract Surg 29(12):810-815. doi: 10.3928/1081597x- 20131023-02.

43. Reinstein DZ, Archer TJ, Gobbe M (2014) Lenticule thickness readout for small incision lenticule extraction compared to artemis three-dimensional very high-frequency digital ultrasound stromal measurements. J Refract Surg 30(5):304-309.

44. Reinstein DZ, Archer TJ, Gobbe M (2010) Corneal ablation depth readout of the MEL80 excimer laser compared to artemis three-dimensional very high-frequency digital ultrasound stromal measurements. J Refract Surg 26(12):949-959.

45. Reinstein DZ, Archer TJ, Gobbe M, Silverman RH, Coleman DJ (2010) Repeatability of layered corneal pachymetry with the artemis very high-frequency digital ultrasound arc-scanner. J Refract Surg 26(9):646-659.

46. Reinstein DZ, Archer TJ, Gobbe M, Silverman R, Coleman DJ (2009) Stromal thickness in the normal cornea: three-dimensional display with artemis very high-frequency digital ultrasound. J Refract Surg 25(9):776--86.

47. He J, Bazan NG, Bazan HE (2010) Mapping the entire human corneal nerve architecture. Exp Eye Res 91(4):513-523. doi: 10.1016/j.exer.2010.07.007.

48. Tuisku IS, Lindbohm N, Wilson SE, Tervo TM (2007) Dry eye and corneal sensitivity after high myopic LASIK. J Refract Surg 23(4):338-342.

49. Wilson SE (2001) Laser in situ keratomileusis-induced (presumed) neurotrophic epitheliopathy. Ophthalmology 108(6):1082-1087

50. Savini G, Barboni P, Zanini M, Tseng SC (2004) Ocular surface changes in laser in situ keratomileusis- induced neurotrophic epitheliopathy. J Refract Surg 20(6):803-809

51. Solomon R, Donnenfeld ED, Perry HD (2004) The effects of LASIK on the ocular surface. Ocul Surf 2(1):34-44.

52. Shtein RM (2011) Post-LASIK dry eye. Expert Rev Ophthalmol 6(5):575-582. doi: 10.1586/eop.11.56.

53. Chao C, Golebiowski B, Stapleton F (2014) The role of corneal innervation in LASIK-induced neuropathic dry eye. Ocul Surf 12(1):32-45. doi: 10.1016/j.jtos.2013.09.001.

54. Reinstein DZ, Archer TJ, Gobbe M, Bartoli E (2014) Corneal sensitivity after small incision lenticule extraction (SMILE). J Cataract Refract Surg (in press)

55. Wei S, Wang Y (2013) Comparison of corneal sensitivity between FS-LASIK and femtosecond lenticule extraction (ReLEx fl ex) or small-incision lenticule extraction (ReLEx smile) for myopic eyes. Graefes Arch Clin Exp Ophthalmol 251(6):1645-1654. doi: 10.1007/s00417-013-2272-0.

56. Wei SS, Wang Y, Geng WL, Jin Y, Zuo T, Wang L, Wu D (2013) Early outcomes of corneal sensitiv-

ity changes after small incision lenticule extraction and femtosecond lenticule extraction. Zhonghua Yan Ke Za Zhi 49(4):299-304.

57. Vestergaard AH, Gronbech KT, Grauslund J, Ivarsen AR, Hjortdal JO (2013) Subbasal nerve morphology, corneal sensation, and tear fi lm evaluation after refractive femtosecond laser lenticule extraction. Graefes Arch Clin Exp Ophthalmol 251(11):2591-2600. doi: 10.1007/s00417-013-2400-x.

58. Demirok A, Ozgurhan EB, Agca A, Kara N, Bozkurt E, Cankaya KI, Yilmaz OF (2013) Corneal sensation after corneal refractive surgery with small incision lenticule extraction. Optom Vis Sci 90(10):1040-1047. doi: 10.1097/OPX.0b013e31829d9926

59. Li M, Zhao J, Shen Y, Li T, He L, Xu H, Yu Y, Zhou X (2013) Comparison of dry eye and corneal sensitivity between small incision lenticule extraction and femtosecond LASIK for myopia. PLoS One 8(10):e77797. doi: 10.1371/journal.pone.0077797.

60. Li M, Zhou Z, Shen Y, Knorz MC, Gong L, Zhou X (2014) Comparison of corneal sensation between small incision lenticule extraction (SMILE) and femtosecond laser-assisted LASIK for myopia. J Refract Surg 30(2):94-100. doi: 10.3928/1081597x-20140120-04.

61. Li M, Niu L, Qin B, Zhou Z, Ni K, Le Q, Xiang J, Wei A, Ma W, Zhou X (2013) Confocal comparison of corneal reinnervation after small incision lenticule extraction (SMILE) and femtosecond laser in situ keratomileusis (FS-LASIK). PLoS One 8(12), e81435. doi: 10.1371/journal.pone.0081435.

62. Gao S, Li S, Liu L, Wang Y, Ding H, Li L, Zhong X (2014) Early changes in ocular surface and tear infl ammatory mediators after small-incision lenticule extraction and femtosecond laser-assisted laser in situ keratomileusis. PLoS One 9(9), e107370. doi: 10.1371/journal.pone.0107370.

63. Mohamed-Noriega K, Riau AK, Lwin NC, Chaurasia SS, Tan DT, Mehta JS (2014) Early corneal nerve damage and recovery following small incision lenticule extraction (SMILE) and laser in situ keratomileusis (LASIK). Invest Ophthalmol Vis Sci 55(3):1823-1834. doi: 10.1167/iovs.13-13324.

64. Xu Y, Yang Y (2014) Dry eye after small incision lenticule extraction and LASIK for myopia. J Refract Surg 30(3):186-190. doi: 10.3928/1081597x-20140219-02.

65. Pedersen IB, Bak-Nielsen S, Vestergaard AH, Ivarsen A, Hjortdal J (2014) Corneal biomechanical properties after LASIK, ReLEx flex, and ReLEx smile by Scheimpflug-based dynamic tonometry. Graefes Arch Clin Exp Ophthalmol 252(8):1329-1335.

근시교정에서 스마일수술 시 중심축 잡기 14

Apostolos Lazaridis and Walter Sekundo / 김국영

목차

각막 굴절 수술 중 치료 영역(treatment zone)의 중심축 잡기는 굴절 교정 수술 의사들 사이에서 큰 주요 쟁점으로 남아 있다. 동공기준에 중심축 잡기(pupillary centration)의 이점에도 불구하고, 시축(visual axis) 기준의 중심축 잡기는 치료 후 기능적 각막 형태를 유지하면서 최적화된 시력결과를 낼수 있다는 것이 널리 받아들여지고 있다. 안구 추적 기능의 발전은 치료영역에서 벗어나는 탈중심화를 현저히 감소시켰고 원거리 교정 시력 감소, 불규칙한 난시, 후광(halo), 눈부심(glare)[5], 대비감소(contrast sensitivity)의 저하[6], 단안 복시(monocular diplopia)[7]과 같은 기능적 이상을 감소시켰다. 그러나 안구 추적 시스템에 기반한 레이저 치료의 효과에도 불구하고, 무증상 탈중심화(< 1.0 mm)와 고위수차 유발(HOAs)의 문제는 여전히 남아 있다[8].

14.1 스마일수술 중 축정렬(Alignment)

엑시머 레이저굴절교정수술과는 달리 펨토초레이저 렌티큘 추출(femtosecond lenticule extraction, FLEx) 및 스마일수술[9-11]과 같은 올인원 펨토초레이저 굴절교정수술에서는 광절제(photoablation)의 정렬(alignment)이 수술자에 의한(객관적인 정렬) 조정과, 장

비의 안구추적기능에 의해 조정되고 광파괴(photodisruption)의 정렬은 주관적이고 전적으로 흡입 과정과 레이저 스캔의 초기 단계동안 깜박이는 빛을 보며 시점을 고정해야 하는 환자에게 의존한다(각막 실질조각 후면이 레이저에 의해 절개된 후에 깜박이는 대상시점은 각막내 발생된 기포에 의해 가려짐). 술자는 특히 흡입 실패(suction loss)을 방지하기 위해 레이저 절차의 후반 동안 각막 기질 내 기포에 의해 환자의 시야가 가려지는 경우 안구에 흡입고정을 유지하도록 환자를 제어하고 교육, 격려한다. 근시 교정에서 스마일수술 시 중심축은 동축의 각막대광반사(coaxially sighted corneal light reflex, CSCLR) 또는 푸르키니에(Purkinje)의 첫 번째 이미지로 식별되는 각막꼭짓점(Corneal vertex, CV)을 기준으로 조정한다.

　근시 교정을 위한 스마일수술 및 기타 각막 굴절교정수술과정에서 중심축 조정에 문제는 원시 치료에 비해 덜 중요한 것으로 여겨질수 있다. 근시에서 작거나 중간 정도의 카파각, 큰 광학영역을 가진 치료 영역으로 인해 동축 각막대광반사(coaxially sighted corneal light reflex, CSCLR)에 중심축을 조정하면 입사동공중심(entrance pupil center, EPC)을 대상으로 하는 것과 유사한 굴절 및 시력 결과를 얻을 수 있다. 그러나 그러한 경우에 얻어진 중심축 양상을 분석하는 것은 큰 각도의 카파각을 가진 원시 또는 고도 근시 눈에서 중심축을 조정하는 데 도움이 된다. 이 챕터에서는 스마일수술로 치료한 작은 정도에 혹은 중등도에 카파각을 가진 근시에서 치료영역의 중심축 분석을 제시하고, 시축에 대한 수술중 중심축 정렬의 예측가능성과 패턴을 분석, 기술하고자 한다.

14.2　동축 각막대광반사에 타겟팅하기

　굴절교정 렌티큘 추출술 및 표준화된 각막 절삭 프로파일은 근시 및 근시성 난시를 효과적으로 교정할 수 있다. 그러나 많은 경우에 0.2 mm만큼 작은 무증상 중심축 편위에 의해서도 고위수차가 유발되어 특히 중등도조명시각 및 저대비 조건[12, 13]에서 시력의 질이 상당히 감소할 수 있다. 1987년 Uozato와 Guyton을 포함한 몇몇 연구자들은 각막 굴절 교정수술시 동축 각막대광반사(coaxially sighted corneal light reflex, CSCLR)보다 입사동공중심(entrance pupil center, EPC)에 기준으로 중심화를 맞추어야 한다는 의견을 내세웠다. 실제로 입사동공중심(entrance pupil center, EPC)를 목표로 하는 중심축 잡기는 눈의 광학 시스템의 전체 조리개가 절삭 영역 프로파일로 덮일 수 있게 하고 이에 필요한 광학부 영역을 최소화한다. 또한 입사동공중심(entrance pupil center, EPC)는 안구 추적 시스템으로 쉽게 찾고 추적할 수 있다. 이는 탈중심화의 확장 또는 비균질한 절삭 패턴의 위험을 잠재적으로 제거할 수 있다. 그러나 그 공공 중심은 동공 직경의 변화에 따라 이동하는 불안정한 기준점[14]이며, 기준점으로 사용되는 입사 동공은 실제 동공이 각막을 통해 반사되어 보이는 허상이라 할 수 있다. 더욱이, 안구 추적 기능이 바로 아래의 입사동공중심을 추적하여 각막 위치를 찾기 때문에 시차 오류(parallax error)로 인해 동공 추적의 효율성이 제한될 수 있다[15, 16].

대조적으로 동축 각막대광반사(CSCLR)은 안정적인 형태학적 참조를 제공하며, 작거나 중간 정도의 카파각의 경우 시각 축이 각막과 교차하는 지점의 좋은 근사값으로 간주되어 수술 후 기능적 각막 형태를 유지할 수 있는 기회를 제공한다. 많은 이전 연구에서 동축 각막대광반사(CSCLR)를 이용한 중심축 잡기로 수술에 유리한 결과를 보고했다. Pande와 Hillman은 각막꼭짓점(Corneal vertex, CV)에 가장 가까운 이상적인 중심에 대한 기준점으로 동축 각막대광반사(CSCLR)을 제안했습니다. Arbelaez 등[12]은 각막꼭짓점(Corneal vertex, CV)과 동공 중심으로 수술 시 둘 사이에 시각 및 굴절 결과에 대해 유의한 차이를 보이지 않았다. 그럼에도 불구하고 굴절 수술 시 각막꼭짓점(Corneal vertex, CV)에 집중시킨 후 더 적은 수의 HOA가 유도되었다. Kermani 등[17]은 원시 굴절교정시 시축을 기준으로 수술 시 탈중심화 및 고위수차의 유발의 더 큰 위험을 보고했다. 동축 각막대광반사(CSCLR)는 점점 더 선호되는 중심축 기준점으로 여겨진다. K. Reinstein 등[4]이 2013년에 발표한 주요 연구에서는 동축 각막대광반사(CSCLR)를 절삭의 중심축으로 중등도 혹은 고도 원시 라식 수술시에 작은 카파각과 큰 카파각을 가진 두 그룹 간의 굴절 결과, 시각적 품질 및 주관적 야간 시력을 비교했다. 결과는 테스트된 모든 매개변수에 대해 두 그룹에서 유사한 결과를 보여 각막 굴절교정 수술 시 입사동공중심(entrance pupil center, EPC)를 중심축으로 전체적으로 적용해서는 안 된다는 증거를 제공했다. 그러나 동축 각막대광반

표 14-1. Patient data

Groups	Patients	Gender (M/F)	Total eyes OD/OS	Age	SEQ (Dpt)	Cylinder (Dpt)
SMILE	36	16/20	34/35	38 ± 10 (22–55)	−5.96 ± 1.9 (−1.25 to −10)	−0.95 ± 1.0 (0 to −4.0)

* SEQ spherical equivalent, Dpt diopter
* Descriptive statistics (i.e., average, standard deviation, minimum, maximum, and range) were performed using Microsoft Excel 2010 (Microsoft Corporation, Redmond, WA)

표 14-2. Surgical data

Groups	SEQ of the correction (Dpt)	Cylinder of the correction (Dpt)	Flap/cap thickness (μm)	Flap/cap diameter (mm)	Lenticule thickness /ablation depth (μm)	Letnicule/ablation diameter (mm)
SMILE	−5.70 ± 1.95 (−1.25 to −4.0)	−0.79 ± 1.04 (0 to −4.0)	118±3.8 (100–120)	7.8± 0.1(7.5–8.0)	120±27(48– 164)	6.7±0.2 (6.2–7.0)

* SEQ spherical equivalent, Dpt diopter
* Descriptive statistics (i.e., average, standard deviation, minimum, maximum, and range) were performed using Microsoft Excel 2010 (Microsoft Corporation, Redmond, WA)

사(CSCLR)를 이용한 중심축 잡기에 의해 발생할 수 있는 문제는 정확한 위치를 결정하는 요소로 수술자의 우세안, 눈 균형 또는 현미경의 입체 시 각도에 달려 있다는 것이다[12, 18].

스마일수술에서 수술 중 중심축 정렬의 예측 가능성을 평가하고 시축을 기준으로 달성된 중심축의 패턴을 평가하기 위해 저자들은 근시안에서 작거나 중간 정도의 카파각을 가진 경우에 동축 각막대광반사(CSCLR)를 이용한 중심축에 대한 연구를 하였다. 모든 절차는 비쥬맥스 플랫폼(Carl Zeiss Meditec AG/독일)을 사용하여 단일 안과의가 수행했다. Pentacam™(Oculus, Germany)의 pachymetry 맵을 이용하여 평가하였다. 환자 및 수술 데이터는 (표 14-1) 및 (표 14-2)에 나와 있다. 결과는 다음 하위 섹션에 나와 있다.

14.3　카파각과 수술 시 적용된 중심축의 양상

수술시 설정된 중심축 설정과 관련하여 가장 중요한 점은 시축에 대한 양상을 고려하는 것이다. 시축은 눈의 절점(nodal point)을 통해서 중심와(fovea)와 주시점(fixation point)을 연결하는 선이다. 시선(line of sigh)은 주시점(fixation point)과 입사 동공(entrance pupil)의 중심을 연결하는 선으로 정의된다. 동공축은 각막에 수직으로 입사동공중심(entrance pupil center, EPC)를 통과하는 선이다. 카파각은 시축과 동공축 사이의 각도[19-21]로, 근시에서는 약 2.0°이고 대부분 양의 값을 나타낸다[19, 22]. 양의 카파각은 푸르키니에(Purkinje)의 첫 번째 반사 이미지는 동공 중심에서 코 쪽에 위치하고, 음의 카파각은 귀 쪽에 위치한다. 근시에서 카파각의 분포를 평가하기 위한 연구에서 실험 대상자의 대다수에

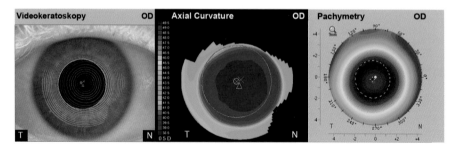

그림 14-1. Altas (Carl Zeiss Meditec AG, 독일) 및 Pentacam™(Oculus, 독일)이 동일한 환자에 대해 식별한 각막 영역표지. 처음 두 이미지(videokeratoskopy 와 axial curvature)는 Atlas에서 촬영한 것이다. 각막 꼭짓점(CV)은 X로 표시되고, 입사동공중심(EPC)은 O로, 각막 정점(CA)은 △로 표시됩니다. 마지막 이미지는 Pentacam의 수술 후 각막두께지도를 보여준다. EPC는 십자가로, 동공 가장자리는 흰색 점선 원으로, CA는 흰색 점으로 표시된다. Pentacam에 의해 CA로 식별된 지점은 EPC와 관련하여 Atlas 이미지의 CV와 동일한 변위가 있다. 이 예는 Pentacam 소프트웨어의 CA가 실제로 CV라는 관찰을 뒷받침한다.

서 양의 카파각을 보인 반면, 음의 카파각 또는 카파각이 없는 경우는 상당히 적은 경우에 식별되지 않았다[19, 23].

저자들의 연구 목적을 위해 카파각의 평가는 수술 전 Pentacam의 pachymetry 맵에서 각막꼭짓점(Corneal vertex, CV)의 좌표에 의해 간접적으로 추정되었다. 환자가 단색 슬릿 광원(475nm의 파란색 LED) 중앙의 빨간색 점을 주시하면 기기의 기준축(측정축, measurement axis)과 환자의 시축(visual axis)이 동축이 된다. 이 경우 기기의 기준축과 각막의 접점이 각막꼭짓점(Corneal vertex, CV)가 된다[19, 24]. 이 점을 Pentacam 소프트웨어에서 각막 정점(CA)이라고 하지만, 이는 정점[19, 25]에 대한 잘못된 명칭이다. 각막 정점(CA)는 학문적으로 가장 큰 각막 곡률(corneal curvature) 또는 최단 반경(radius)[24]의 점을 참조해야 하기 때문이다(그림 14-1). 각막꼭짓점(Corneal vertex, CV)의 위치를 알면 수술 전 동축 각막대광반사(CSCLR)의 위치를 추정하고 카파각도 평가할 수 있다. 동축 각막대광반사(CSCLR)은 시축이 각막과 교차하는 지점에 대한 좋은 근사값이기 때문이다.

검사된 눈의 카파각을 평가하기 위해 수술 전 동축 각막대광반사(CSCLR)에 해당하는 지점을 입사동공중심(entrance pupil center, EPC)과 관련하여 데카르트 좌표계 Cartesian system에 나타냈다(그림 14-2). 오른쪽 눈의 카파각(파란색 점)과 관련하여 양의 x 좌

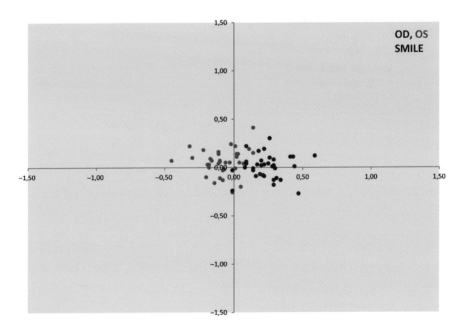

그림 14-2. 스마일수술 그룹의 EPC(0,0)와 관련된 수술 전 동축 각막대광반사CSCLR 지점. 동축 각막대광반사CSCLR 은 시축이 각막과 교차하는 지점의 좋은 근사치이기 때문에 카파각은 수술 전 동축 각막대광반사CSCLR의 위치에 의해 평가될 수 있다.

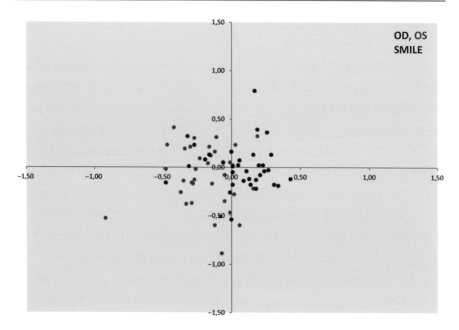

그림 14-3. EPC(0,0)와 관련하여 스마일수술 시 얻어진 중심축 분포. 수술시 조정된 중심축을 나타내는 점의 분포는 카파각의 수술 전 패턴을 따른다(그림 14-2).

표 14-3. Centration data

Group	Mean distance between PMPD and preoperative CSCLR (mm)	Preoperative pattern of angle K (no. of eyes)				Achieved centration following the preoperative pattern of angle K
			Pos	Neg	None	
SMILE	0.315±0.211 (0.0t0-1.131)	OD	32	2	0	26/34 (76.47%)
		OS	24	11	0	26/35 (74.28%)
		Total	56	13	0	52/69 (75.36%)

PMPD point of maximum difference, CSLR coaxially sighted corneal light reflex, EPC entrance pupil centr

표를 갖는 점은 양의 카파각에 해당하고 음의 x 좌표를 갖는 점은 음의 카파각에 해당한다. 왼쪽 눈의 카파각(빨간 점)과 관련하여 음의 x 좌표를 가진 점은 양의 카파각에 해당하고 양의 x 좌표를 가진 점은 음의 카파각에 해당한다. 점이 y축(0, y)에 위치할 때 각도 K는 0°입니다. 수술 전 동축 각막대광반사(CSCLR)은 대부분의 눈에서 카파각이 양수였기 때문에 비측에 위치하는 양상을 보여주었다. 입사동공중심(entrance pupil center, EPC)로부터 수술 전 동축 각막대광반사(CSCLR) 사이의 평균 거리는 0.227 ± 0.121, 범위는 0.014에서 0.602였다.

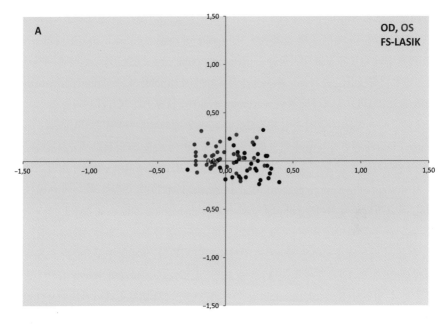

그림 14-4. 펨토초라식 그룹의 EPC(0,0)와 관련된 수술 전 동축 각막대광반사(CSCLR) 지점 설명[26]

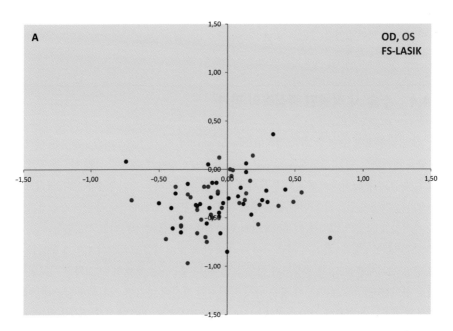

그림 14-5. EPC(0,0)와 관련하여 펨토초라식에서 얻어진 중심축 분포. 이 챕터에서 제시된 스마일수술 시 그룹과 유사한 펨토초라식 수술 그룹에 대한 중심화 분석을 수행했다. 중심축 정렬은 EPC를 기준으로 했다. 수술 전 카파각의 패턴과 관련하여 치료 영역 중심의 무작위 분포에 주목할 수 있다(그림 14.4)[26].

시각축과 관련하여 수술시 적용된 중심축의 양상을 평가하기 위해, 우리는 각 눈에서 차등 각막두께지도에서 최대 각막두께 차이(point of maximum pachymetrical difference, PMPD) 점의 좌표를 찾고 입사동공중심(entrance pupil center, EPC)와 관련하여 데카르트 좌표계에 나타냈다(그림 14-3). 최대 각막두께 차이 지점(point of maximum pachymetrical difference, PMPD)은 최대 굴절력(maximum refractive power)과 제거된 렌티큘 조직의 중심에 해당하며 이는 수술 시 중심화 정도를 나타낸다. 결과를 입사동공중심(entrance pupil center, EPC)과 관련하여 동축 각막대광반사(CSCLR)의 수술 전 양상과 비교하였다(그림 14-2). 연구자들은 수술 전 동축 각막대광반사(CSCLR)과 관련하여 x축에서 최대 각막두께 차이(point of maximum pachymetrical difference, PMPD)의 변위를 각 눈에 대해 조사했다. 최대 각막두께 차이점(point of maximum pachymetrical difference, PMPD)의 x 좌표가 수술 전 동축 각막대광반사(CSCLR)의 x 좌표와 동일한 부호(+ 또는 -)를 유지하는 경우, 수술 시 적용된 중심축은 카파각의 양상을 따라 나타날 것이다. 연구자들은 오른쪽 눈 34개 중 26개(76.47%)와 왼쪽 눈 35개 중 26개(74.28%)가 카파각의 양상을 따른다고 경과를 볼 수 있었다(표 14-3). Lazaridisl 등[26]이 최근 연구에서 펨토초 레이저를 이용한 라식(femtosecond laser assisted-LASIK, 펨토초라식)으로 치료를 받은 유사한 환자 그룹에서 수술 시 적용된 중심축 양상을 평가하였다. 이 연구에서는 중심축의 기준점은 입사동공중심(entrance pupil center, EPC)였다. 시축에 대해 수술 시 적용된 중심축은 무작위 분포 패턴을 결과에서 보여주었다(그림 14-4 및 14-5).

14.4　수술 시 적용된 중심축의 평가

각막 굴절교정 수술 후 치료 영역(treatment zone)의 편심도(eccentricity) 추정은 시력에 영향을 평가하고 특히 재교정을 시도할 때 거짓 탈중심화에서 실제 중심화 정도를 구별하기 위해 중요하다. 따라서 중심화 분석의 표준 방법을 정의하는 것이 필수적이다. 굴절교정 수술자는 이전에 컴퓨터 화면에 놓인 투명 필름 시트를 조작하여 치료 부위의 겉보기 중심을 가리키고 그것의 변위를 측정함으로써 탈중심화 정도를 추정하려고 시도했었다[27]. 다른 연구자들은 x축과 y축에서 치료 구역의 가장 먼 네 모서리의 교차점의 평가를 중심화 분석 방법으로 제안했고, 그 탈중심화 정도를 입사동공중심으로부트의 이 교차점 사이의 거리로 정의했다[28, 29]. 그러나 이 접근 방식은 저자의 계산에 따르면 정확하지 않은데, 이는 거짓 탈중심화의 경우나 각막 주변부 이상이 있는 경우 치료 영역의 실제 중심을 가리키지 않기 때문이다. 중심화 분석에 대한 많은 연구는 각막 지형도에 익숙한 연구자들의 주관적인 시각적 추정을 기반으로 했으며 대부분은 접선 지도(tangential maps), 축 지도(axial map) 또는 높이 지도(elevation map)에서 평가되었다[30]. 중심화 분석의 객관적인 접근 방식은 굴

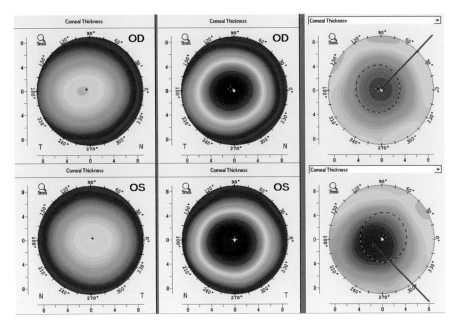

그림 14-6. 스마일수술 증례

동일한 환자에서 수술 전, 수술 3개월 후의 각막 두께 지도 및 차등 각막 두께 지도. EPC는 십자가로, 동공 가장자리는 흰색 점선 원으로, CA는 흰색 점으로 표시한다. 빨간색 화살표는 최대 pachymetrical 차이의 지점을 보여준다. 오른쪽 눈(OD): 중심축이 잘 맞추어진 각막 실질 조각 영역(CA에서 가장 두꺼운 지점까지의 거리: 0.103 mm, EPC에서 가장 두꺼운 지점까지의 거리: 0.243 mm). 왼쪽 눈(OS): 탈중심화된 각막 실질 조각 영역(CA에서 가장 두꺼운 지점까지의 거리: 0.863 mm, EPC에서 가장 두꺼운 지점까지의 거리: 1.062 mm)

절 지도(refractive map)에서 각막지형도상 기능적인 광학 영역을 판단하고 이 영역의 중심화 정도를 평가하기 위해 Orbscan 각막지형도에 맞춤형 소프트웨어를 사용하여 Qazi 등[15]에 의해 제시되었다.

　이 챕터에서 설명하는 중심화 분석은 Pentacam의 Differential pachymetry 지도에서 시행하였다. 제거된 렌티큘의 최대 굴절력 지점과 렌티큘 중심에 해당하는 최대 각막두께 차이 지점(point of maximum pachymetrical difference, PMPD)을 찾아 각막지형도상 동공 중심과 각막정점(CA)로부터의 거리를 측정하였다(그림 14-6). 이미 설명했듯이 동축 각막대광반사(CSCLR)은 기기의 기준 축과 환자의 시축이 동축일 때 각막정점의 좌표로 표시한다. Pentacam의 Differential pachymetry 지도에서 입사동공중심(EPC)과 각막정점(CA)의 좌표는 수술 전 각막지형도에서의 지도와 동일하다. 이를 통해 수술 전 각막 측정치들과 관련하여 중심화 정도를 평가할 수 있었고, 따라서 수술 후 각막지형도에서 각막 형태, 각막 광학 및 동공 직경의 변화로 인해 관찰될 수 있는 각막정점 또는 지형도상의 동

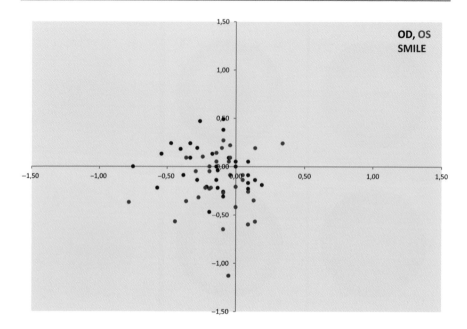

그림 14-7. 스마일수술 시 달성된 중심축 분포
수술 전 CSCLR(0,0) 지점에 대하여 최대 각막두께 차이 지점의 분포도. 수술시 달성된 중심축을 보여주는 지점들은 펨토초라식 후 달성된 중심점에 비해 목표점(CSCLR) 주변에 더 많이 분포한다(그림 14-5).

표 14.4.

Decentration	0 – 0.2 mm	0.2 – 0.5 mm	0.5 – 1 mm	>1 mm
No. of SMILE eyes	24/69 (34.78 %)	32/69 (46.38 %)	12/69 (17.39 %)	1/69 (1.45 %)

공 중심 이동과 관련된 잘못된 측정을 피할 수 있었다.

수술 전 동축 각막대광반사(CSCLR)과 관련된 데카르트 직교 좌표계에서 각 눈의 최대 각막두께 차이 지점(point of maximum pachymetrical difference, PMPD)를 함께 모아서 오른쪽 눈을 파란색으로, 왼쪽 눈을 빨간색으로 표시하여 수술 시 의도한 중심화와 수술 시 달성된 중심화를 시각화할 수 있었다(그림 14-7). 관찰한 바와 같이 렌티큘의 중심에 해당하는 지점은 동축 각막대광반사(CSCLR) 타겟 포인트 주변에 상당히 모여 있는 것을 볼 수 있다. 스마일수술에서 수술 시 의도한 목표(CSCLR)에서 달성된 중심화의 평균 거리 차이는 0.315 ± 0.211 mm로 측정되었으며 범위는 0.0에서 1.131 mm로 나타났다(표 14-3). Lazaridis 등[26]은 연구에서 펨토초라식과 중심화 결과를 비교하였다. 펨토초라식의 안구 추적기를 이용한 중심화 보정에도 불구하고 스마일수술로 치료한 눈에서 더 나은 중심화 결과를 나타냈으며 펨토초라식의 탈중심화는 0.452 ± 0.224 mm(0.02-1.040 mm

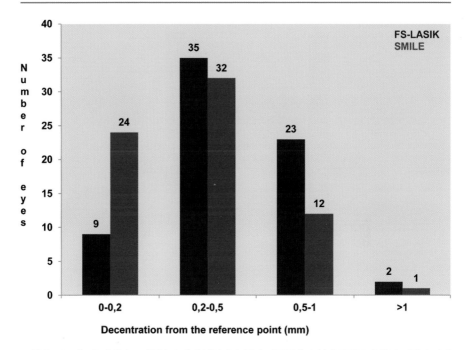

그림 14-8. 펨토초라식과 스마일수술에서 해당 수술법의 기준점에서 최대 각막두께 차이 지점의 거리 히스토그램(mm). 스마일수술한 눈은 빨간색 열로 표시되고 펨토초라식 눈은 파란색으로 표시한다[26].

범위)로 측정되었다. 작은(0-0.2 mm), 중간(0.2-0.5 mm) 및 높은(0.5-1 mm 또는 >1 mm) 탈중심화들도 분석하였다. (표 14-4)에서 볼 수 있듯이, 최대 0.2 mm의 작은 무증상 편위를 갖는 24안, 최대 0.5 mm까지 중등도의 편위를 갖는 32안, 더 높은 편위(0.5-1 mm 또는 >1 mm)를 갖는 13건의 경우를 볼 수 있다. 펨토초라식와 비교했을 때, Lazaridis 등은 펨토초라식에서 더 높은 탈중심화된 절삭프로파일이 유의하게 많았다고 보고했다(그림 14-8). 스마일수술의 또 다른 중심화 분석은 Li 등에 의해 제시되었고, 치료 구역의 편심도를 샤임플러그 기반 측정장비에 의해 평가하였다. 이 연구의 저자는 0.17 ± 0.09 mm의 평균 편심 변위를 보고했다. 굴절교정된 모든 눈(100안)의 중심이탈된 변위는 0.50 mm이내인 반면, 70안은 0.20 mm이내, 90안은 0.30 mm이내였다.

중심화 분석에 사용된 The differential pachymetry 지도는 치료 영역을 잘 표현해주었으며, 더욱이 이 영역의 중심은 탈중심화 정도에 관계없이 최대 각막두께 차이 지점(point of maximum pachymetrical difference, PMPD)과 일치하며 따라서 제거된 렌티큘의 중심에 해당한다. 그러나 differential tangential 지도에서는 큰 탈중심화나 주변 각막 이상의 경우 치료 영역의 중심이 잘 묘사되지 않았다. 또한, 이러한 경우 최대 굴절값 차이 지점이 치료 영역의 중심에 해당하지 않았다. 문헌에 따르면 Tangential differential maps에서 치료

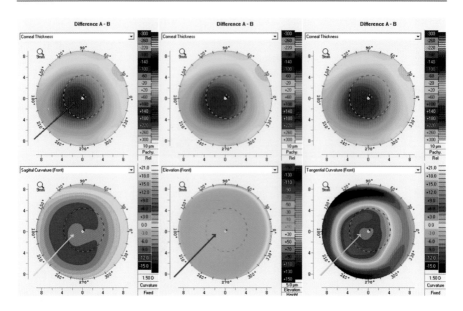

그림 14-9. 광범위한 탈중심된 스마일수술 증례

CA에서 가장 두꺼운 지점까지의 거리: 0.863 mm. EPC에서 가장 두꺼운 지점까지의 거리 : 1.062 mm. Pentacam 소프트웨어를 사용하여 각막두께 지도의 한 지점에 커서를 놓으면 다른 모든 지도에 동일한 지점이 표시된다. 치료 영역의 중심에 대한 시각적 추정은 차등 각막두께 측정 지도에서 더 쉽다는 점을 주목해보자. Pentacam으로 측정한 각막 두께는 전방 표면 접선에 수직으로 측정된 전방 및 후방 각막 표면 사이의 거리이다. 이 방식은 일반적으로 제거된 렌티큘 또는 절삭된 양과 각막 기질의 공간 분포를 평가하는 데 사용된다. 또한 각막 두께지도는 2차원 디스플레이에 투영되어 있음에도 불구하고 충분한 3차원 데이터(각막두께 측정은 z축에 해당)를 제공하고 수술 전후 측정이 모두 잘 정렬된 경우 신뢰할 수 있는 차이지도(subtraction maps)을 생성한다. 차이 지도에서, 주변부에서 가장 두꺼운 지점으로의 각막두께의 변화는 추출된 렌티큘이나 광절제된 조직의 실제 부피와 그것의 중심을 보여준다.

영역의 중심은 differential map에서 얻은 제로 굴절력보다 1.0 디옵터 이상의 굴절력을 갖는 영역의 중심으로서 정의된다[8]. (그림 14-9)에 나타난 스마일수술의 경우, 노란색-오렌지 안쪽 영역이다. 접선 지도 Tangential map는 탈중심화의 굴절 효과를 평가하고, 각막 주변부 국소 이상 정도를 추정하거나, 치료 영역의 모서리를 결정하기 위해 사용하는 가장 적절한 지도일 것이다. 차등 축 지도(differential axial maps)에서도 동일한 문제가 관찰된다. 이 경우 치료 영역의 중심화에 대한 시각적 평가는 곡률의 작은 변화를 무시하는 축성 알고리즘 (axial algorithm)의 영향으로 인해 더 어렵다[30]. 차등 높이 지도(differential elevation map)에서 치료 영역의 중심화를 시각적으로 추정하는 것도 해상도 설정이 용이하지 않기에 어렵다. 접선, 축 및 높이 지도는 영역 가장자리가 잘 정의된 치료 영역 중심에서 중심을 시각적으로 식별하기 위해 사용할 수 있다. 그러나 상당한 탈중앙화가 있는 경우에 차등 각막 두께 지도(differential pachymetry maps)가 아닌 다른 지도에서 치료 영역의 중심을 시각적으로 추정하는 것은 어려웠다(그림 14-9). 또한 2차원 디스플레이에도 불구하고 3차원 데이터(z축에 해당하는 각막두께측정)를 제공하는데, 이는 제거되는 렌티큘과 같은 3차원 물체의 중심을 잘 평가하는 데 중요한 정보를 준다.

14.5 요약

스마일수술 시 술자의 주관적인 중심축 정렬은 안구추적기능이 없기 때문에 좋은 중심이 보장될 수 없다는 주장들이 제기되었다. 발표된 연구 데이터에 따르면, 스마일수술에서 우리는 대부분의 경우 카파각[26]의 수술 전 양상을 따르는 좋은 중심화[26, 31]를 얻을 수 있다. 또한 광파괴(Photodisruption)는 흡인된 상태에서 진행되기 때문에 일단 좋은 중심화를 얻으면 전체 레이저 조사시간 동안 좋은 중심화를 유지할 수 있다. 마지막으로 동축 각막대광반사(CSCLR)을 목표로 하는 수술 중 중심축 정렬은 입사동공중심을 기준으로 한 중심축 정렬과 비교하여 시축에 더 가까운 보다 자연스러운 중심화를 달성할 수 있게 한다[26].

참고문헌

1. Uozato H, Guyton DL (1987) Centering corneal surgical procedures. Am J Ophthalmol 103:264-275.
2. Soler V, Benito A, Soler P et al (2011) A randomized comparison of pupil-centered versus vertex-centered ablation in LASIK correction of hyperopia. Am J Ophthalmol 152:591-599.
3. Pande M, Hillman JS (1993) Optical zone centration in keratorefractive surgery: entrance pupil center, visual axis, coaxially sighted corneal reflex, or geometric corneal center? Ophthalmology 100:1230-1237.
4. Reinstein DZ, Gobbe M, Archer TJ (2013) Coaxially sighted corneal light reflex versus entrance pupil center centration of moderate to high hyperopic corneal ablations in eyes with small and large angle kappa. J Refract Surg 29(8):518-525
5. Fay AM, Trokel SL, Myers JA (1992) Pupil diameter and the principal ray. J Cataract Refract Surg 18(4):348-351
6. Terrell J, Bechara SJ, Nesburn A, Waring GO, Macy J, Maloney RK (1995) The effect of globe fixation on ablation zone centration in photorefractive keratectomy. Am J Ophthalmol 119(5):612-619
7. Mulhern MG, Foley-Nolan A, O'Keefe M, Condon PI (1997) Topographical analysis of ablation centration after excimer laser photorefractive keratectomy and laser in situ keratomileusis for high myopia. J Cataract Refract Surg 23(4):488-494
8. Mrochen M, Kaemmerer M, Mierdel P, Seiler T (2001) Increased higher-order optical aberrations after laser refractive surgery: a problem of subclinical decentration. J Cataract Refract Surg 27(3):362-369
9. Sekundo W, Kunert K, Russmann C, Gille A, Bissmann W, Stobrawa G, Sticker M, Bischoff M, Blum M (2008) First efficacy and safety study of femtosecond lenticule extraction for the correction of myopia: six-month results. J Cataract Refract Surg 34(9):1513-1520
10. Blum M, Kunert K, Schröder M, Sekundo W (2010) Femtosecond lenticule extraction for the correction of myopia: preliminary 6-month results. Graefes Arch Clin Exp Ophthalmol 248(7):1019-

1027

11. Sekundo W, Kunert KS, Blum M (2011) Small incision corneal refractive surgery using the small incision lenticule extraction (SMILE) procedure for the correction of myopia and myopic astigmatism: results of a 6-month prospective study. Br J Ophthalmol 95(3): 335-339.

12. Arbelaez MC, Vidal C, Arba-Mosquera S (2008) Clinical outcomes of corneal vertex versus central pupil references with aberration-free ablation strategies and LASIK. Invest Ophthalmol Vis Sci 49(12):5287-5294.

13. Mastropasqua L, Toto L, Zuppardi E, Nubile M, Carpineto P, Di Nicola M, Ballone E (2006) Photorefractive keratectomy with aspheric profile of ablation versus conventional photorefractive keratectomy for myopia correction: six-month controlled clinical trial. J Cataract Refract Surg 32(1):109-116.

14. Yang Y, Thompson K, Burns S (2002) Pupil location under mesopic, photopic and pharmacologically dilated conditions. Invest Ophthalmol Vis Sci 43(7):2508-2512.

15. Qazi MA, Pepose JS, Sanderson JP, Mahmoud AM, Roberts CJ (2009) Novel objective method for comparing ablation centration with and without pupil tracking following myopic laser in situ keratomileusis using the bausch & lomb technolas 217A. Cornea 28(6):616-625.

16. Bueeler M, Mrochen M (2004) Limitations of pupil tracking in refractive surgery: systematic error in determination of corneal locations. J Refract Surg 20(4):371-378.

17. Kermani O, Oberheide U, Schmiedt K, Gerten G, Bains HS (2009) Outcomes of hyperopic LASIK with the NIDEK NAVEX platform centered on the visual axis or line of sight. J Refract Surg 25:98-103.

18. de Ortueta D, ArbaMosquera S (2007) Centration during hyperopic LASIK using the coaxial light reflex. J Refract Surg 23(1):11.

19. Park CY, Oh SY, Chuck RS (2012) Measurement of angle kappa and centration in refractive surgery. Curr Opin Ophthalmol 23(4):269-275.

20. Tabernero J, Benito A, Alcon E, Artal P (2007) Mechanism of compensation of aberrations in the human eye. J Opt Soc Am A Opt Image Sci Vis 24(10):3274-3283.

21. Basmak H, Sahin A, Yildirim N, Papakostas TD, Kanellopoulos AJ (2007) Measurement of angle kappa with synoptophore and Orbscan II in normal population. J Refract Surg 23(5): 456-460.

22. Von Noorden G, Campos E (2002) Examination of the patient II. In: Binocular vision and ocular motility-theory and management of strabismus, 6th ed. Mosby, St. Louis, pp 168-173.

23. Scott WE, Mash AJ (1973) Kappa angle measures of strabismic and nonstrabismic individuals. Arch Ophthalmol 89(1):18-20.

24. Mandell RB, Chiang CS, Klein SA (1995) Location of the major corneal reference points. Optom Vis Sci 72(11):776-784

25. Xu J, Bao J, Lu F, He JC (2012) An indirect method to compare the reference centres for corneal measurements. Ophthalmic Physiol Opt 32(2):125-132.

26. Lazaridis A, Droutsas K, Sekundo W (2014) Topographic analysis of the centration of the treatment zone after SMILE for myopia and comparison to FS-LASIK: subjective versus objective alignment. J Refract Surg 30(10):680-686.

27. Deitz MR, Piebenga LW, Matta CS, Tauber J, Anello RD, DeLuca M (1996) Ablation zone centration after photorefractive keratectomy and its effect on visual outcome. J Cataract Refract Surg 22(6):696-701.

28. Azar DT, Yeh PC (1997) Corneal topographic evaluation of decentration in photorefractive keratectomy: treatment displacement vs. intraoperative drift. Am J Ophthalmol 124(3):312-320.

29. Lin DT, Sutton HF, Berman M (1993) Corneal topography following excimer photorefractive keratectomy for myopia. J Cataract Refract Surg 19(Suppl):149-154.

30. Vinciguerra P, Randazzo A, Albè E, Epstein D (2007) Tangential topography corneal map to diagnose laser treatment decentration. J Refract Surg 23(9 Suppl):S1057-S1064.

31. Li M, Zhao J, Miao H, Shen Y, Sun L, Tian M, Wadium E, Zhou X (2014) Mild decentration measured by a Scheimpflug camera and its impact on visual quality following SMILE in the early learning curve. Invest Ophthalmol Vis Sci 55(6):3886-3892.

스마일수술의 굴절 정확도를 향상시키는 방법 **15**

Jesper Hjortdal , Anders Vestergaard , and Anders Ivarsen / 황규연

목차

15.1 개요

　스마일수술(ReLEX® SMILE)은 각막 내 렌티큘이 펨토초 레이저에 의해 절단되고 주변부 각막 터널 절개를 통해 수기로 추출되는 각막 굴절 플랩프리(flap-free) 수술로 개발되었다[9]. 이 수술은 안구건조증, 플랩 가장자리의 상피 내생, 장기간 가능한 외상성 플랩 위치 이탈에 대한 위험[11], 그리고 수술 후 수년간 발생할 수 있는 각막 확장증과 같은 라식의 잠재적인 부작용을 감소시킬 것으로 기대된다. 지금까지 이루어진 연구에서 ReLEx® 스마일수술의 기대굴절값, 안전성 및 환자 만족도는 펨토초라식에 비슷하게 높다[1, 4].

　이 장에서는 스마일수술의 기대굴절값을 더욱 최적화하는 방법에 대한 이론적 및 경험적 고려사항을 제시하고 토론할 것이다. 주관적 기대 굴절값에 대한 이론적 한계가 다

루어지고 실제 렌티큘의 절단과 박리에 관해 논의될 것이며, 각막 상처 치유에서 생물학적 변이의 중요성도 고려될 것이다. 마지막으로 기대굴절값에 영향을 미치는 개별 요인은 중등도 및 고도근시에서 스마일수술로 치료받은 1,800안의 코호트를 경험적으로 이용하여 평가될 것이다.

15.2   구면렌즈 대응치 굴절예측력의 이론적 한계

구면렌즈 대응치(Spherical Equivalent, SE) 굴절예측력은 일반적으로 시도된 굴절 변화와 달성된 주관적 굴절변화 사이의 차이를 계산하여 평가된다. 시도된 변화는 수술 전 주관적 구면렌즈 대응치 굴절값과 구면렌즈 대응치 목표굴절값의 차이이며, 이러한 값은 펨토초 레이저에 입력된다. 달성된 굴절의 변화는 수술 후 주관적인 구면렌즈 대응치 굴절값에서 수술 전 주관적 구면렌즈 대응치 굴절값을 빼 계산한다. 따라서 굴절예측력 또는 수술적 교정에서의 오차는 구면렌즈 대응치 목표 굴절값과 수술 후 구면렌즈대응치 주관적 굴절값의 차이와 동일하다. 과보정은 양의 값을 나타내고 저교정은 음의 값을 보일 것이다. 많은 눈에서의 평균 오차는 정확도를 의미하며, 이러한 오차에 대한 표준 편차는 수술의 정밀도를 나타낸다. 반복성의 조건은 단일 관찰자가 짧은 시간 동안 동일한 장비를 사용하여 한 설정에서 반복 측정이 수행되는 경우이다. 재현성 조건의 일반적인 정의는 다른 클리닉에서 일하는 다른 관찰자가 장기간에 걸쳐 다른 장비를 사용하여 반복 측정을 수행하는 것이다.

15.3   주관적 굴절의 변동성(variation)

임상적 주관적 굴절에는 일정한 차이가 있다고 잘 알려져 있다. 동일한 환자가 두 번 측정된다면 어떠한 개입이 없었어도 반복된 굴절값 사이의 차이는 어느 정도 발생할 것이다. 수술적 개입이 없는 눈에서 반복적인 임상 굴절값의 실제적인 차이가 자세히 연구되었다[7, 10]. 두 임상적 굴절값 사이의 구면렌즈대응치의 차이에 대한 표준 편차는 0.22와 0.40 디옵터 사이인 것으로 밝혀졌다. 낮은 값은 일반적으로 동일한 검안사나 술자가 같은 클리닉에서 동일한 장비를 사용하고 동일한 프로토콜로 측정할 때 나타나고(관찰자 내 반복성), 다른 관련 없는 관찰자가 동일한 진료소에서 동일한 장비를 사용하여 측정을 수행하는 경우 더 높은 값이 관찰되며(관찰자간 반복성), 다른 클리닉에서 다른 장비를 사용할 경우에는 그보다도 더 높다(관찰자간 재현성).

대부분의 술자들은 임상적 굴절값이 아마도 광학적 고위수차의 증가로 인해 각막 굴절 수술로 치료받은 눈에서 덜 정확한 경향이 있다는 것에 동의할 것이다. 그러나 각막 굴절 레이저 수술을 받은 눈에서 임상적 주관적 굴절에 대해 반복성에 대한 연구를 해내는 것은 가능하지 않았다.

따라서 수술의 목표 굴절값은 두 가지의 임상적 굴절값에 기초한다는 점을 고려할 때, 예를 들어 스마일수술의 이론으로 가장 낮은 정밀도는 0.22-0.40 디옵터 사이지만 수술 후 레이저 시술 눈에서의 관대한 주관적 굴절로 인해 약간 더 높을 수 있다.

펨토초 레이저 굴절 수술의 실제 예측 오차는 임상 굴절의 차이(0.22-0.40 디옵터)로 인한 오차, 렌티큘의 실제 레이저 절단에 의한 오차 그리고 눈과 개별 환자 사이에서 생체 역학적인 반응 또는 상처 치유 반응의 차이에 의한 오류로 나뉠 수 있다.

15.4 렌티큘 절단의 변동성

스마일수술에서 캡 두께는 이론적으로 앞부분 렌티큘 컷에 걸쳐 일정하고, 굴절 교정량은 뒷부분 렌티큘 컷을 변화시킴으로써 달성된다. 연구에 따르면 캡 두께는 5-11 μm의 정밀도(SD)를 가지며[6, 12, 14] 한 눈 안에서 약 4.3 μm의 평균 캡 두께 차이 내에서 정확하게 생성될 수 있다. 캡 두께의 차이가 중심에서 주변부까지 체계적인 변화가 있는 경우에는 굴절 재현성에 영향을 준다. 만약 캡 두께가 주변부에서 의도된 것보다 더 크면, 더 큰 굴절 효과를 얻을 수 있고, 반대로 흩어진 차이는 전체적인 영향을 주지 않을 것이다.

한 연구는 실제 시도된 중심부 렌티큘의 두께를 초고주파 초음파(Artemis, 이 문제에 대한 자세한 내용은 13장 참조)로 측정한 실질 두께의 변화와 비교하였다[8]. 평균적으로 비쥬맥스의 판독 렌티큘 두께는 Artemis가 실질변화를 측정한 것보다 8.2 ± 8.0 μm 더 두꺼웠다(범위: -8~+29 μm). 이 차이의 일부는 실제일 수도 있지만 정렬오류나 수술에 의한 각막에서의 초음파 속도 변화로 인해 발생할 수도 있다.

우리는 릴렉스 플렉스 및 스마일수술(ReLEX® FLEX 및 SMILE)에 관한 전향적인 무작위 반대안 연구로부터 원본 데이터를 분석하였다[12, 13]. 35명의 환자들은 중등도에서 고도 근시에 대해 한쪽 눈에 플렉스 수술로, 다른 쪽 눈은 스마일수술으로 치료받았다. 광학 저간섭 반사계는 수술 전과 수술 6개월 후 중앙 각막 두께(Central Corneal Thickness, CCT)를 측정하기 위해 사용되었다. 측정을 통해 중앙각막두께의 순 감소를 계산하고 중앙 렌티큘 두께의 비쥬맥스 판독값과 비교할 수 있었다.

분석 결과 중앙각막두께의 순감소량은 플렉스 수술을 받은 눈에서 예상보다 22.9 ± 6.6 μm, 스마일수술을 받은 눈에서는 예상보다 21.5 ± 6.4 μm적었다. 순 각막 두께 감소의 이러한 명백한 오차는 상관 분석을 통해 개별 구면렌즈 대응치의 예측 오차와 비교되었다. 그러나 이러한 매개변수 사이에는 유의한 상관관계가 없었다(그림 15-1). 이것은 렌

그림 15-1. 예측된 변화[비쥬
맥스판독렌티큘 두께] 및 광학
저간섭 촬영에 의해 측정된 변
화 사이의 중앙각막 두께 차이
에 의한 구면렌즈 대응치의 예
측 오차(D)에 관한 그림

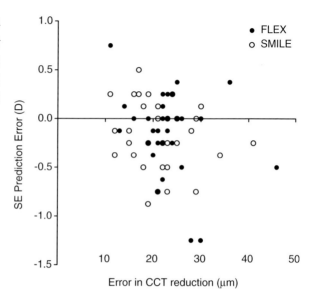

티큘 절단에서의 오류로 중앙각막두께의 감소를 덜 초래하더라도 릴렉스 수술의 굴절 예
측값에 영향을 미치지 않음을 시사한다. 따라서 중심에서 주변으로의 전체적이고 점진적
오류만이 구면렌즈대응치 굴절값의 최종적인 변화에 영향을 미칠 것이다.

펨토초 레이저 절단의 메커니즘은 스마일수술의 굴절 정확도에 영향을 줄 수 있다. 레
이저 초점에서 레이저 에너지가 임계 수준 이상으로 증가하며, 플라즈마 형성과 공동현상
(cavitation)이 일어난다. 실제초점 위치는 가로 및 축 빔 스캔 정확도에 의해 결정되는 어
느 정도의 부정확성과 관련이 있다. 그러나 레이저 펄스와 각막 조직 사이의 축 방향 상호
작용지점은 레일리 길이(Rayleigh length, ZR)로 일컬어지는 특정 범위 안에서의 비선형
효과에 의해 변동할 수 있다(그림 15-2).

비쥬맥스 펨토초 레이저의 파장은 1,043 nm(λ)이고 빔 웨이스트(beam waist, W0)는 1
μm이다. 빔 웨이스트는 펨토초 레이저 시스템과 관련한 여러 광학 요인에 의해 결정된다.
알려진 매개 변수로부터 레일리 길이는 약 3 μm로 계산될 수 있다. 이는 개별 상호 작용
지점의 축 위치가 약 3 μm 범위 내에서 안정적이라는 것을 보여준다. 비쥬맥스 기술은 절
삭된 캡 표면이 수백만 개의 인접한 상호 작용 지점에 의해 정의된다는 점을 고려할 때 적
용 요건을 충족하며, 캡은 절삭 표면의 변화를 평평하게 하기 위한 일종의 저투과 필터 역
할을 할 것이다.

때로 레일리 길이는 직경 6 mm 광학 영역에 대해 1D 교정 시 약 13 μm인 중심 프로필
두께와 관련된다. 그러나 이전의 고려사항으로부터 이것은 오해의 소지가 있는데 우리가
주목할 관련 매개변수는 중심 프로필 두께가 아니라 각막 곡률의 전체적인 변화이기 때문

그림 15-2. 펨토초 레이저의 초점의 실제 위치는 어느 정도의 부정확도가 있고 이는 레일리 길이(ZR)로 특징할 수 있다. 레일리 길이는 파장(λ)과 빔 웨이스트(W0)에 따라 달라진다. (Courtesy: Dirk Mühlhoff, Carl Zeiss MeditecAG, Jena, Germany)

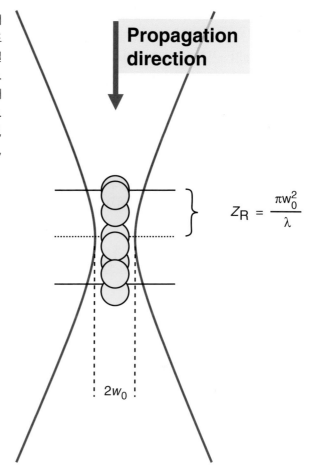

이다. 현재 파장 및 빔 웨이스트에 대한 펨토초 레이저의 추가적인 최적화가 논의되고 있다. 파장을 1/3로 줄일 수 있고 빔 웨이스트를 더 낮출 수 있다면 레일리 길이는 줄어들 것이다. 그러나 그러한 기술적 수정이 실제로 유용하고 가능한 지는 의문이다.

15.5   생물학적 변동성

15.5.1 상피

엑시머 레이저 굴절 시술에 대한 기초 연구로부터 수술 후 보상적 상처 치유가 일어나는 것으로 알려져 있다. 광학굴절 수술에서 각막실질의 리모델링(remodeling)과 노출된 실질 위에 놓인 콜라겐의 새로운 합성이 굴절 재현성에 영향을 미칠 수 있다. 근시에 대해 굴절교정레이저각막절제술과 라식 이후 중심 상피가 상당히 두꺼워지고, 이는 시술의 총 굴절 효과를 감소시킨다. 약 7 디옵터의 근시 교정 후 시간이 지남에 따라 중심 상피의 최대 10 μm 증가가 공초점 현미경으로 관찰되었다[3]. 이는 실질 표면 모양의 급격한 변화를 줄이고자 하는 상피의 정상적이고 유익한 연화(smoothing) 효과이다. 스마일수술 이후, 중심 상피 비후는 빛간섭단층촬영에 의해 측정되었지만, 비후는 평균 6 μm에 불과했고, 수술안에 따라 상당한 차이(-2~13 μm)를 보였다[12]. 그러나 초고주파 초음파를 사용하였을 때, 스마일수술 이후 15 μm의 상피 두께 증가가 관찰되었다[8]. 상피 두께가 6 μm 증가하면 약 0.4 디옵터가 퇴행한 것과 같다. 상피 두께 변화의 일부 차이는 측정의 부정확성으로 인해 발생한다. 그러나 상피 과형성에 관한 환자와 눈 사이의 개인적인 차이는 의심할 여지없이 스마일수술 이후 굴절예측치의 차이에 영향을 주는 주요 요인이다. 라식과 비교하여 유효 광학 영역은 스마일수술 이후가 더 크며, 이는 아마도 보상적으로 일어나는 상피 비후가 스마일수술 이후 더 적다는 것을 시사한다.

15.5.2 생체역학

스마일에서는 라식 이후의 해부학적 상황에 비해 전층판(Anterior lamellae)의 대부분이 보존되며, 이와 같이 스마일수술을 받은 각막은 라식수술을 받은 각막에 비해 생체역학적으로 더 안정하다. 수학적 시뮬레이션을 통해 이를 확인했다[5](13장 참조). 이론적으로 각막 생체역학에서의 개별 차이의 영향과 각막 확장증의 발생에 대한 민감성은 라식을 받은 눈에 비해 스마일을 받은 눈에서 더 적어야 한다. 오늘날 전 세계적으로 10만 건 이상의 시술이 이루어졌음에도 불구하고, 스마일 이후의 각막 확장증은 발표되지 않았다. 전반적으로 각막 생체역학적 특성의 개별 변화는 라식에 비해 스마일수술 후 굴절 예측치에 영향을 줄 가능성이 적다고 예상하는 것이 타당하다.

15.5.3 스마일수술의 굴절예측력에 영향을 미치는 인자에 관한 실험적 연구

2012년에 우리는 스마일수술 결과에 대한 예측 변수에 대한 논문을 발표했다[1]. 근시 최대 10 디옵터(구면렌즈대응치)와 난시 최대 2 디옵터 이하인 335의 환자를 양쪽 눈(670개 눈)에 스마일수술 후 3개월 간 추적 관찰했다. 수술 전 구면렌즈대응치는 평균 -7.19 D ± 1.30 D였다. 목표굴절값이 정시인 눈에서 84.0%는 3개월에 0.10 (logMAR)이하의 원거리 나안시력을 얻었다. 평균 원거리 교정시력은 -0.03~-0.05(logMAR) (p< 0.01)로 향상되었다. 2.4%(16안)는 두 줄 이상의 원거리 교정 시력감소를 보였다. 달성된 굴절값은 3개월 후 시도된 것보다 0.25 ± 0.44 D가 낮았으며, 시도 시 ±0.5와 ±1.0 디옵터 이내가

각각 80.1%(537안)와 94.2%(631안)였다. 다중 선형 회귀 분석 결과 환자 연령 증가(10년 당 0.1D, p< 0.01)와 가파른 각막 곡률(D 당 0.04 D, p< 0.01)에 의해 구면렌즈대응치의 저교정이 예측되었다. 시술의 안전성과 효율성은 연령, 성별 및 난시 동시 교정 등에 의해 영향이 적었다. 결론적으로 0.25 디옵터의 저교정과 환자 연령 및 각막 곡률의 작은 영향에 대한 발견은 스마일수술에 대한 표준 노모그램(nomogram)이 작은 조정만 필요하다는 것을 시사한다. 그러나 이 결론은 표준 컵 두께(최대 130 μm)에서만 관련이 있다. 12장에서 설명한 바와 같이 두꺼운 캡(또는 더 깊은 렌티큘)은 레이저에 입력된 굴절 데이터의 일부 조정이 필요할 수 있다.

이제 Aarhus 대학병원 안과에서 스마일수술로 근시 치료를 받은 1,500안 이상에 대한 연구를 살펴보겠다. 환자의 코호트는 Ivarsen 등의 연구[4]에서 설명한 것과 동일하다. 숙련된 검안사의 철저한 수술 전 평가 후, 환자들은 알려진 부작용과 합병증을 포함한 각막 굴절 수술에 대해 철저히 설명을 받았다.

2011년 1월부터 2013년 3월까지 덴마크 Aarhus 대학병원 안과에서 922명의 연속 환자의 1,800명 눈을 스마일수술을 했다. 수술 다음 날과 3개월 째에 진찰을 받았지만 3개월 사후관리 방문에는 808명(1,574안)만이 참여했다. 평균 수술 전 환자 특성은 (표 15-1)에 제시되어 있다.

환자들은 비쥬맥스 펨토초 레이저로 스마일수술을 받았다. 12시 위치에서, 렌티큘 적출을 위한 30-60° 각도에 절개가 생성되었다. 렌티큘 직경은 6.0-7.0 mm이며, 렌티큘 측면 절단은 모든 경우에 15 μm였다. 캡의 직경은 7.3-7.7 mm로 다양했고, 의도한 캡 두께는 110-130 μm이었다. 모든 케이스는 두 개의 서로 다른 레이저 에너지 설정 중 하나로 작동되었다. 설정 1은 25-27(~130 nJ)의 레이저 컷 에너지 지수와 2.5-3.0 μm의 스폿 간

표 15-1 근시 치료를 위해 스마일수술 받은 1,800 안에 대한 술전 인구학적 조사

	총 숫자(n = 1,800)
성별(남/여)	1012/698
나이(세)	38±8(19−59)
구면렌즈도수(D)	−6.79 ± 1.99 (−14.25 to +1.75)
난시렌즈도수(D)	−0.93 ± 0.90 (−5.75 to 0.00)
구면렌즈대응치(D)	−7.25 ± 1.84 (−14.50 to −0.25)
각막곡률(D)	43.27 ± 1.47 (38.93−48.35)
각막중심두께(μm)	535 ± 27.7 (473−634)
안압(mmHg)	15.2 ± 2.8 (7−24)

*수치는 평균 ± 표준편자 를 의미하며 괄호안은 범위이다.

격을 사용하였다. 설정 2에서는 레이저 컷 에너지 지수 34(~170 nJ), 스폿 간격 4.5 μm를 사용하였다. 레이저 설정 1은 656안의 수술에 사용되었으며, 설정 2는 1,144개의 시술에 사용되었다. 레이저 치료 후 남은 조직 연결을 끊기 위해 둔탁한 주걱(spatula)을 사용했고, 겸자로 렌티큘을 제거하였다. 렌티큘 제거 후 실질 포켓은 식염수로 씻어낸 후 클로람페니콜 1방울과 디클로페낙 1방울을 점안하였다.

수술 후 치료는 플루오로메톨론과 클로람페니콜 안약으로 1주일간 매일 4회, 둘째주에는 1일 2회로 구성됐다. 추가적인 인공 눈물의 사용이 권장되었다. 수술 후 3개월 후, 환자들은 각막굴절계, 펜타캠 HR, 현성 굴절, 나안 및 교정 원거리 시력검사를 받았다

통계 분석에는 정규 분포를 따르는 것으로 가정한 결과 매개변수의 예측 가능성에 대한 예측 변수의 영향을 평가하기 위한 독립표본 t-검정(이분변수), 분산 분석(삼분변수), 이변량 상관 분석(연속 변수) 및 다중 선형 회귀 분석이 포함되었다. 환자 연령과 성별, 눈 방향(오른쪽/왼쪽), 각막 곡률 및 중심 두께, 구면렌즈 대응치 굴절의 시도된 차이 등의 영향을 독립적인 변수로 분석하였다. 또한, 두 개의 펨토초 레이저 설정이 결과 매개변수에 영향을 미치는지 여부를 결정하기 위해 분석되었다. 통계 분석은 SPSS 버전 11(SPSS Inc, 시카고, 일리노이)로 실행되었다. 다중 선형 회귀 분석[포함 기준: p< 0.05 및 제외 기준: p> 0.10]에는 유의한(p< 0.05) 이변량 상관 연속 변수] 또는 유의한 독립표본 t-검정 또는 분산 분석 결과(이분 또는 삼분 변수)를 갖는 변수만 포함되었다.

달성 및 시도된 구면렌즈 대응치는 -0.28±0.52 D의 평균 수술 후 굴절값과 -0.15± -0.50 D의 평균 오차(범위: -2.00~+2.25 D; 그림 15-1)로 높은 상관관계를 보였다(R2.0.94; p< 0.01)(그림 15-3 a).치료에서 오차와 시도된 굴절 변화 간의 연관성은 유의미하였다(R2 = 0.044, p< 0.01)(그림 15-3 b).

예측 가능성, 안전성 및 효율성에 대한 예측 변수의 영향에 대한 이변량 분석 결과는 (표 15-2)에 요약되어 있다. 수술 3개월 후에 구면렌즈 대응치 굴절값의 오차는 환자 연령, 성별, 눈(오른쪽 또는 왼쪽), 각막곡률, 렌티큘의 직경, 에너지 설정, 경험(시간) 등에 의해 크게 영향을 받았다.

다중 선형 회귀 분석의 결과는 (표 15-3)과 같다. 이 모형은 3개월에 구면렌즈 대응치 굴절값 오차의 총 차이의 5.0%만을 설명할 수 있다. 시도된 굴절 교정량은 보정 중 6%에 달하는 저교정의 가장 중요한 예측 변수였다. 환자 연령이 증가할수록 나이당 0.006 D의 저교정의 예측 오차에 영향을 미쳤다. 수술 전 볼록한 각막곡률은 디옵터 당 0.039 D의 저교정만큼 굴절 결과에 영향을 미쳤다. 여성은 0.085 D의 저교정에 대한 유의미한 예측인자였고, 오른쪽 눈은 왼쪽 눈에 비해 0.09 D만큼 저교정되었다.

그림 15-3. (a) 스마일수술로
치료한 +1,500 안에서 달성
된 구면렌즈대응치 변화와 시
도된 구면렌즈대응치 차이. 상
관 계수 및 선형 회귀 분석 결
과, 동일선이 표시되어 있다.
(b) 구면 렌즈 대응치의 오차
(달성된 변화에 의해 감산됨).
상관 계수 및 선형 회귀 분석
결과, 회귀선이 표시되어 있
다.

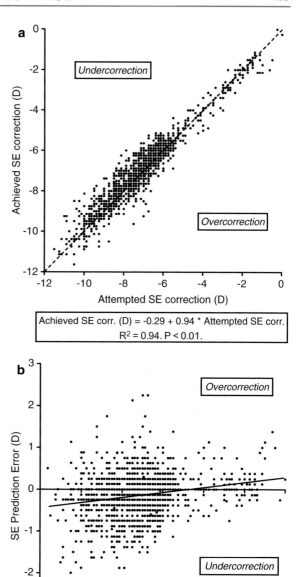

표 15-2. 근시에 대한 스마일의 굴절 결과에 영향을 미치는 인자의 이변량 분석

이변량분석	평균 혹은 R	표준편차(SD)	숫자(N)	P값(P)
성별(남/여)	−0.058/−0.196	0.458/0.512	575/978	<0.001
눈방향(우/좌)	−0.185/−0.105	0.477/0.512	777/776	0.002
렌티큘직경(mm) (<6.00/6.00−6.50/>6.50)	−0.281/−0.130/−0.085	0.594/0.488/0.392	210/1,168/174	<0.001
에너지(1/2)	−0.109/−0.167	0.491/0.500	594/959	0.026
시간(날수)	−0.074		1,553	<0.01
연령(세)	−0.076		1,553	<0.01
시도한 교정량(D)	0.212		1,553	<0.01
중심각막두께(μm)	0.028		1,553	0.27
각막곡률(D)	−0.154		1,553	P<0.01

그룹화 된 변수(성별, 눈, 렌티큘 직경, 에너지 설정)와 피어슨 상관 계수(R)에 대한 예측 오차에 대한 평균 및 표준 편차(SD)는 Aarhus 대학 병원에서 환자 연령, 수술 전 중심 각막 두께(CCT) 및 각막 곡률계에서 시작되었다. 이분 또는 삼분 변수에 대한 독립표본 t-검정 또는 분산 분석과 연속형 변수에 대한 Pearson의 상관 계수의 유의성에 대한 통계적 유의성(P)

표 15-3. 근시에 대한 스마일의 굴절 결과에 영향을 미치는 인자들에 대한 다변량 분석

다변량 분석	계수(Coefficient)	SEM	P
성별(남성)	0.085	0.0260	<0.001
눈방향(우안)	−0.087	0.0241	<0.001
연령(나이)	−0.006	0.0015	<0.001
시도한 교정량(D)	0.058	0.0081	<0.001
각막곡률(D)	−0.039	0.0086	<0.001

스마일 후 구면렌즈대응치의 예측 오차에 대해 가능한 예측 변수의 다중 선형 회귀 분석 결과[계수 및 표준 오차(SEM)]

15.6   고찰

중등도 및 고도근시에 대한 스마일수술은 미세각막절삭기(microkeratome) 기반 라식이나 펨토초 레이저 기반 라식에 비해 더 정확하고 정밀하다. 이 장에서는 임상적인 굴절값 결과의 차이에 영향을 미치는 다양한 변동 요소들이 제시되었다. 스마일수술의 굴절 결과에 대한 예측 변수에 대해 가장 큰 임상 연구에서 나온 새로운 결과는 스마일수술 이후 굴절 결과의 차이 중 5%만이 인구 통계학, 생체 인식 및 식별 가능한 수술 요인에 의해

설명될 수 있다는 것이다.

여기에 제시된 원래 분석에서 스마일수술의 예측 오차는 시도된 교정량과 꽤 독립적으로 보이지만, 굴절 교정 목표량이 증가함에 따라 정도는 크지 않지만 저교정이 유의하게 증가하였다. 본 연구에서는 우리 과에서 수술한 모든 눈이 포함되었고, 이전 연구에서는 -10 디옵터까지의 근시와 낮은 도수의 난시(2 디옵터 미만)과 복잡하지 않은 수술로 치료된 눈만 포함되었다. 본 연구에 포함된 더 많은 환자케이스는 치료 시도의 유의미한 효과의 증거를 발견할 수 있다. 본 연구에서는 연령, 성별, 각막 곡률의 증가에 따른 작지만 유의미한 영향이 이전 연구와 일치했다. 그러나 눈 방향에 따른 차이는 미미하지만 유의한 것으로 보고되었다. 오른쪽 눈은 왼쪽 눈에 비해 0.1 디옵터 저교정 되었다. 그러나 예측 변수의 영향은 매우 작았으며, 교정 시도를 제외하고 이러한 결과가 노모그램 조정에 사용된다고 생각하지 않는다. 시도된 교정의 경우 낮은 도수의 교정(-1~-2 디옵터)의 경우 0.25정도 감소시키고, 높은 도수 교정(-8 이상)의 경우 시도된 교정량을 0.25만큼 증가시키는 것을 고려할 수 있다.

구면렌즈대응치의 예측 오차 차이의 95%는 본 연구에서 설명할 수 없었다. 예측 오차에 대한 총 표준 편차는 0.50 디옵터였으며, 이는 0.25 디옵터 2의 분산에해당한다. 임상적 굴절이 0.16 디옵터2의분산에해당하는 0.4 디옵터의 표준 편차와 연관될 수 있고, 나이, 성별, 눈, 각막 곡률, 치료 시도와 관련한 경험적 인자들이 0.05 디옵터^{2}만을 설명할 수 있음을 고려할 때, 오직 분산의 0.04 디옵터^{2}가 설명이 필요하다. 이는 예측 오차에 관하여 0.2 디옵터 2의 표준편차에 해당한다. 펨토초 레이저를 더 최적화하면 예측 오차를 줄일 수 있지만, 나머지 오차의 대부분은 상피의 보상적 과형성에서 발생하는 개별적인 차이와 관련이 있을 수 있다.

스마일의 굴절 예측 가능성을 향상시키는 가장 중요한 요소는 환자의 수술 전 굴절 평가를 위한 매우 표준화된 프로토콜이며, 가급적이면 수술을 계획하기 전에 임상 굴절의 반복 측정하는 것이 타당해 보인다.

참고문헌

1. Hjortdal J, Vestergaard A, Ivarsen A et al (2012) Predictors for the outcome of small-incision lenticule extraction for Myopia. J Refract Surg 28(12):865-871.
2. Hjortdal J, Ivarsen A (2014) Corneal refractive surgery: is intracorneal the way to go and what are the needs for technology? Proc. SPIE 8930, Ophthalmic Technologies XXIV, 89300B (28 Feb 2014), doi: 10.1117/12.2054449.
3. Ivarsen A, Hjortdal J (2012) Seven-year changes in corneal power and aberrations after PRK or LASIK. Invest Ophthalmol Vis Sci 53(10):6011-6016.
4. Ivarsen A, Asp S, Hjortdal J (2014) Safety and complications of more than 1500 small-incision lenticule extraction procedures. Ophthalmology 121(4):822-828.
5. Reinstein D, Archer T, Randleman J (2013) Mathematical model to compare the relative tensile

strength of the cornea after PRK, LASIK, and small incision lenticule extraction. J Refract Surg 29(7):454-460.

6. Reinstein DZ, Archer TJ, Gobbe M (2013) Accuracy and reproducibility of cap thickness in small incision lenticule extraction. J Refract Surg 29(12):810-815.

7. Reinstein DZ, Yap TE, Carp GI, Archer TJ, Gobbe M, London Vision Clinic optometric group (2014) Reproducibility of manifest refraction between surgeons and optometrists in a clinical refractive surgery practice. J Cataract Refract Surg 40(3):450-9.

8. Reinstein DZ, Archer TJ, Gobbe M (2014) Lenticule thickness readout for small incision lenticule extraction compared to Artemis three-dimensional very high-frequency digital ultrasound stromal measurements. J Refract Surg 30(5):304-309.

9. Sekundo W, Kunert K, Russmann C et al (2008) First effi cacy and safety study of femtosecond lenticule extraction for the correction of myopia: six month results. J Cataract Refract Surg 34(9):1513-1520.

10. Shah R, Edgar DF, Rabbetts R, Harle DE, Evans BJW (2009) Standardized patient methodology to assess refractive error reproducibility. Optom Vis Sci 86:517-528.

11. Shah R, Shah S, Sengupta S (2011) Results of small incision lenticule extraction: all-in-one femtosecond laser refractive surgery. J Cataract Refract Surg 37(1):127-137.

12. Vestergaard A, Grauslund J, Ivarsen A et al (2014) Central corneal sublayer pachymetry and biomechanical properties after refractive femtosecond lenticule extraction. J Refract Surg 30(2):102-108.

13. Vestergaard A, Grauslund J, Ivarsen A et al (2014) Effi cacy, safety, predictability, contrast sensitivity, and aberrations after femtosecond laser lenticule extraction. J Cataract Refract Surg 40(3):403-411.

14. Zhao J, Yao P, Li M, Chen Z, Shen Y, Zhao Z, Zhou Z, Zhou X (2013) The morphology of corneal cap and its relation to refractive outcomes in femtosecond laser small incision lenticule extraction (SMILE) with anterior segment optical coherence tomography observation. PLoS One 8(8):e70208.

스마일수술에서 각막 절단면의 질 평가

16

Jon Dishler, Noël M. Ziebarth, Gregory J. R. Spooner, Jesper Hjortdal,
Sonia H. Yoo / 배신우

목차

1990년대 후반에 펨토초 레이저 각막굴절수술이 도입된 이후 임상적으로 받아들일 만한 치료 시간 내에 질이 높은 각막 절단면을 만드는 것이 수술의 중요한 부분이었다[1]. 오늘날 널리 사용되고 있는 질이 높은 절편, 펨토초 레이저를 이용한 각막이식, 여러 형태의 펨토초 레이저 절개를 만들기 위한 레이저 스캔 설계, 스캔 변수, 스캔 패턴 및 수술 기법을 확립하는데 상당한 노력이 기울여졌다.

펨토초 레이저 절단면의 질은 다양한 마이크로줄(microjoules)의 에너지와 10 μm 스팟 간격을 사용한 초기 모델에 비해 꾸준히 개선되었다[1]. 더 빠르고 정확한 스캔 시스템, 더 작은 레이저 초점, 낮은 에너지가 질이 높은 절단면과 최소한의 불투명 기포층(opaque bubble layer) 형성을 가능하게 한 원동력이 되어 왔다. 펨토초 레이저를 사용한 절편 형성이 완벽해짐에 따라 미세각막절개도(mechanical blade)에 의해 생성되는 층상 절단면의 질에 근접하게 된 후[2], 절단면의 질과 동등하게 되었다[3].

절편 형성과 각막이식의 경우, 절단 조직면의 분리가 미세각막절개도에 만들어진 것만큼 좋아야 했기 때문에 초기부터 펨토초 레이저 절단 및 절단면의 질을 개선하기 위한

노력이 이루어졌다. 우수한 조직 박리가 더 나은 광학 질, 염증 반응 감소, 빠른 시력 회복
[2-7]과 일시적 광혐기증(Transient light sensitivity syndrome) 감소[8]와 관련이 있다고 생각
되어 펨토초 레이저 절단면의 질을 높이기 위한 노력이 계속되었다.

　오랜 목표는 초단(ultrashort) 펄스 레이저를 사용해서 각막에 직접적으로 굴절 교정 효
과를 만들어 내는 것이었다. 각막실질내 시술을 개발하기 위한 초기 시도에 피코초 레이
저와 펨토초 레이저[1]도 사용되었다. 오늘날 펨토초 레이저는 이완 절개(relaxing incisions)
를 통해 각막의 생체역학적 강도를 변화시켜 직접적인 굴절 교정 효과를 내기 위해 사용
된다[10]. 최근까지 펨토초 레이저 스캔의 속도, 질 및 제어가 직접적인 굴절 교정 시술에 사
용되기에는 충분치가 않았다. 이런 제한점이 존재한 것은 세 가지 이유가 있다: (1) 펨토
초 각막절삭성형술(femtosecond keratomileusis) 시도 초기의 디스크 모양 절단과 다르게,
굴절 교정을 위해서는 정확한 모양의 각막실질 조직 절단과 제거가 정밀하고 개인에 맞
춘 곡률로 이루어져야 했다[1]. (2) 제거될 렌티큘이 들어 올려진 절편 아래 절제된 각막 조
직에 직접 접근하지 않으면서 절단된 표면에서 분리되어야 했다. (3) 제거될 조직 덩어리
가 각막 절편이나 각막이식 조직에 만들어진 가장자리보다 얇은 10-30 μm의 가장자리를
가져야 했다. 따라서 각막 절단면의 질은 스마일수술 및 FLEX 같은 직접 교정 시술 또는
KAMRA inlay 같은 펨토초 절단면 특성에 의존적인 굴절 교정 삽입물 시술에서, 기존에
이미 사용되고 있던 펨토초 시술 보다 더 중요할 수 있다[11].

　펨토초 레이저 절단은 일반적으로 더 작은 레이저 펄스 에너지, 더 빠른 스캔 속도, 더
조밀한 스팟 배치를 지향했다. 펨토초 레이저를 이용한 각막 수술 중 레이저 광파괴(pho-
todisruption)가 많은 물리적 요소(레이저 펄스, 레이저 스캔 방법, 각막 압평 정도, 각막 조
직 상태, 치료 목표 깊이, 절단 모양 등)에 영향을 받기 때문에, 이런 방향성이 시간이 지남
에 따라 달라질 수 있다. 이런 개발을 통해 현재 비쥬맥스 레이저 시스템은 각막에 굴절 변
화를 일으킬 수 있는 렌티큘을 만들고 제거할 때, 충분한 절단면의 질을 보여주는 능력에
정점을 찍었다.

　특히 스마일수술을 고려할 때, 절단면 질에 대해 몇 가지 질문을 할 수 있을 것 같다. 펨
토초 레이저로 절단한 렌티큘을 제거할 때 절단면이 충분히 좋은가? 렌티큘을 제거할 때
가장자리가 찢어지지 않을 정도로 가장자리의 질이 괜찮은가? 캡 단면과 렌티큘 단면의
질에 차이가 있는가? 이러한 질문에 답을 찾기 위해 먼저 절단면의 질을 평가하기 위한 방
법을 조사했다.

　펨토초 레이저로 절단한 절단면의 질은 현미경으로 관찰되는 표면의 부드러움 정도나
박리할 때 용이성에 대한 주관적 단계, 각막 실질에서 관찰되는 조직 가교(tissue bridges),
고랑(grooves), 공동 흔적(cavitation marks), 줄무늬(striations), 물결 모양(waviness)의 유무
등으로 다양하게 평가되어 왔다[12]. 절편(FLEX)이나 소절개(SMILE)을 통해 각막 실질을
제거해서 굴절 교정을 하는 경우, 절단면의 질이나 정밀함이 시력 결과에 중요하고 잠재

적으로 시력 회복이나 염증 반응에서도 중요할 수 있다. 200 kHz 속도로 작동하는 최초의 상용 비쥬맥스 시스템을 이용하여 FLEX 시술을 하였으며, 여기서 만들어진 렌티큘의 표면 질을 평가하였다[4, 12]. Kunert 등은 3가지 다른 펄스 에너지(150 nJ, 180 nJ, 195 nJ)와 단일 스팟 밀도 세팅(3 μm × 3 μm)으로 수술받은 환자의 렌티큘 절단면의 질에 대해 연구했다(17장 참조)[12]. 가장 높은 절단면 질은 펄스 에너지가 가장 낮은(150 nJ) 경우와 관련이 있었다. 다음 세대인 500 kHz 속도 비쥬맥스를 이용해서 펄스 에너지 130 nJ, 스팟 밀도 3 μm × 3 μm 세팅으로, FLEX 시술을 통해 추가 연구를 위한 렌티큘을 사체안(cadaver eyes)에 만들었다. 주사전자현미경(Scanning Electron Microscope, SEM) 검사를 노출된 사체안 각막 실질 기저에 시행했다. 공동 기포(cavitation bubbles)로 인해 고르지 못한 부분들(rough patches)이 SEM 영상에서 관찰되었지만, 각막 실질 기저의 표면 질이 초기 연구보다 향상되었다.

전통적으로, 펨토초 레이저로 절단한 각막 조직의 표면 질은 SEM을 이용해서 연구했다. 스마일수술을 통해 만들어진 렌티큘은 각막 절편이나 각막이식 층판 절제 시 각막 두께 보다 매우 얇기 때문에 SEM 검사를 위한 샘플 준비 과정인 조직 고정(mounting), 임계점 건조(critical point drying), 전도 코팅 과정(conductive coating process) 중에 인공산물(artifacts)이나 표면 형태 변화, 거침(roughness) 등이 생길 수 있다[4, 12, 13]. 그래서 환경 주사전자현미경(environmental) SEM (eSEM)이라 불리는 연관된 전자현미경 기술을 대신 사용했다[14]. eSEM 영상 기술은 저진공 조건에서 수화 및 코팅되지 않은 생물학적 샘플에 대해 검사를 진행하기 때문에, 조직 준비 과정에서 생길 수 있는 인공산물 발생을 없앨 수 있다[14].

각막에 남아있는 각막의 기저(bed)와 캡(cap) 표면이 관심있는 실제 절단면이지만, 이러한 절단 표면을 직접적으로 관찰하는 것이 어렵고 환자에게는 불가능할 수도 있다. eSEM을 사용하면 제거된 렌티큘의 양쪽 층판 표면을 관찰할 수 있다. 환자 눈에 남아있는 절단면이 제거된 렌티큘의 표면과 거울상(mirror images)이라는 것을 추론할 수 있고, 제거된 렌티큘의 표면을 영상화 할 수 있다. 만약 렌티큘이 좋은 질의 절단면을 가지고 있다면, 이것이 눈에 남아있는 각막 조직 표면을 반영할 수 있을 것이다. 하지만 이미지를 얻기 위해 제거된 조직을 조작하거나 조직 제거 과정 중의 기계적 손상 등으로, 렌티큘에 영향을 줄 수 있는 인공산물 유발 과정이 존재할 수 있다. 따라서 렌티큘 절단면의 이미지 정보를 해석할 때 주의가 필요하다. 또한 렌티큘 이미지에서 인공산물일 수 있는 것을 기반으로, 각막의 이상(abnormality)에 대해 잘못된 결론에 도달하지 않도록 조심해야 한다. 그럼에도 불구하고, 렌티큘 표면의 현미경 검사를 통해 중요한 정보를 얻을 수 있다고 생각한다.

따라서 eSEM을 사용해서, 비쥬맥스 500 kHz 버전으로 스마일수술 후 만들어진 절단면의 질을 비교분석 하였다[15]. 이 연구는 500 kHz 버전으로 근시에 대해 스마일수술을 받은

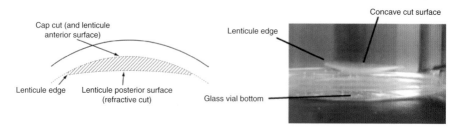

그림 16-1. 좌측 그림은 구면굴절 이상 교정을 위해 스마일수술을 시행했을 때 렌티큘의 기하학적 모양을 나타낸 것이다. 우측 사진은 전자현미경으로 검사 하기 전에 포르말린에 보존된 렌티큘 모습이다. 만곡(Curvature) 상태가 렌티큘 샘플에서 쉽게 관찰되어, 전면과 후면 확인을 가능하게 해준다.

환자의 절단면 질을 검사하고, 동시에 렌티큘의 양쪽 면을 검사한 첫 번째 연구일 것 같다.

덴마크의 Àarhus 대학병원에서 구면 근시 교정을 위해 스마일수술을 받은 환자로부터 소수의 렌티큘을 얻었다. 스마일수술에 사용된 비쥬맥스 레이저 변수는 속도 500 kHz, 레이저 에너지 120 nJ, 스팟 밀도 2.5 μm × 2.5 μm였다. 기하학적(geometric) 변수는 렌티큘 직경 6.5 mm, 가장자리 두께 15 μm, 캡 직경 7.3 mm, 캡 두께 120 μm였다. 주절개창 너비는 60°, 위치는 각막 상측이었다. 렌티큘을 눈에서 제거한 후 바로 고정액(2% 포르말린)에 담그고 이미지를 얻기 위해 Miami 대학(Coral Gables, FL, USA)으로 보냈다[16]. 추가적인 검체 준비가 필요하지는 않았다. 전형적인 렌티큘의 육안 이미지는 (그림 16-1)에 표시 되어있다.

검체는 FEI/Philips XL-30 장 방출(Field Emission) 주사전자현미경을 이용해서 영상화 되었다. 검체의 한 쪽 면에서 이미지를 얻은 후, 검체를 제거하고 방향을 바꾼 후 반대쪽 면의 이미지를 얻었다. 이미지는 100배, 250배, 500배 3가지 배율에서 얻었다. 5가지 근시 교정 후 얻은 렌티큘에 대한 100배 배율의 eSEM 이미지가 (그림 16-2)에 표시 되어있다. (그림 16-2)의 왼쪽 열은 볼록한 면의 이미지를 나타내고, 오른쪽 열은 오목한 면을 나타낸다.

렌티큘 표면의 오목하고 볼록한 부분은 검체 고정(mounting) 중 확인할 수 있었다. 검

그림 16-2. 스마일수술 환자로 부터 얻은 5개 렌티큘의 10개 렌티큘 표면 eSEM 이미지. 각 행은 별도의 렌티큘을 나타낸다. 왼쪽 열은 볼록한 면이고 가운데 열은 오목한 면이다. 각 행의 구면굴절이상 교정량은 다음과 같다. **(a)** -9.75 D. **(b)** -10.0 D. **(c)** -6.75 D. **(d)** -7.00 D. **(e)** -7.25 D. 모든 이미지는 250배 확대된 것이다.

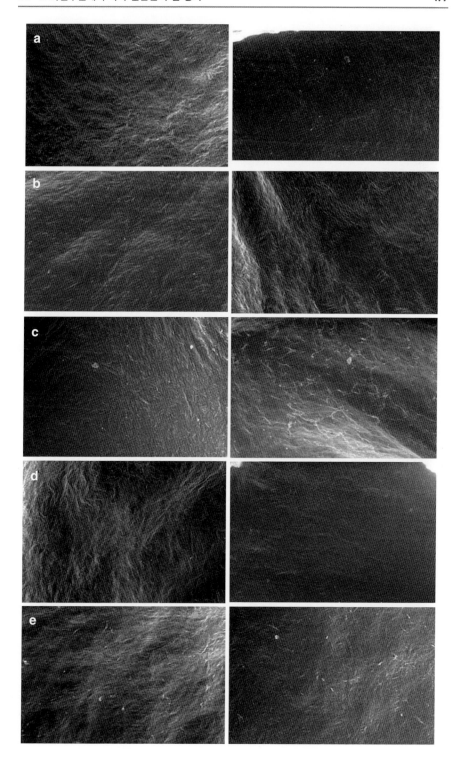

체 표면의 전후를 확인하기 위한 방향 표시가 없었기 때문에 표면 방향을 확실하게 확인할 수 없었다. 각막에서 제거된 렌티큘이 원래 모양의 곡률을 유지할 수 있을 만큼 충분히 단단해서, 오목한 표면이 후면에 해당할 가능성이 높다고 가정했다. 렌티큘의 오목한 면과 볼록한 면은 매끄럽고 표면 요철(regularities) 없는 것처럼 보였다. 오목한 면과 볼록한 면은 뚜렷한 차이가 없이 똑같이 매끄럽게 보였다. 어떤 이미지에서도 공동 기포(avitation bubbles)로 인한 구멍(hole)은 관찰되지 않았다. 부착물(attachments) 또는 조직 가교(tissue bridges)는 아주 적게 관찰되며 가장 높은 배율에서도 표면 형태가 규칙적이고 온전한 것으로 보였다.

스마일수술에서 렌티큘 가장자리 절단면의 질은 층판 형태 절단면의 질만큼 중요하다. 렌티큘을 꺼내는 동안 가장자리가 찢어지거나 끊어지지 않고 그대로 유지되는 것이 성공적이고 문제가 없는 수술의 핵심이다. 이상적으로 렌티큘 가장자리는 깨끗하고 명확한 경계를 가지고 절단되어야 한다. (그림 16-3)을 보면, 100배 배율에서 렌티큘 가장자리 경계가 명확하며 대부분 온전하다. (그림 16-3 a)에서 렌티큘 가장자리가 렌티큘 볼록한 중앙 부위를 덮는 형태로 접혀 있는 것을 볼 수 있다. 반면에 술자가 집게(forceps)를 이용해서 렌티큘을 제거하거나 조작하는 부분은 들쭉날쭉할 수 있으며, 이를 다른 렌티큘 가장자리 일부분에서 관찰할 수 있다(그림 16-3 b). (그림 16-3 c)에서 렌티큘 가장자리 또는 측면 절단 면의 질이 우수함을 확인할 수 있다. (그림 16-3 c)에서 검체는 격자형 구조물에 고정되어 있고, (그림 16-3)에서 다른 두 렌티큘은 편평한 면에 고정되어 있다.

각막 자체가 검사를 위해 처리된 후 이미지화 과정이 필요하기 때문에, 환자에서 SEM을 통해 이런 표면을 직접적으로 관찰하는 연구는 가능하지 않을 것으로 생각된다. 여기서 설명한 이미지화 기술의 장점은 단일 검체를 이용해서 양쪽 층판 절단 면의 특성을 간접적으로 확인할 수 있는 것이다. 단점은 환자 각막에 남아있는 절단 면이 대응되는 렌티큘 단면의 질에 의해 충분히 반영된다는 가정에 의존해야 하는 점이다. 이 검사의 완전한 검증은 사체(cadaver)나 동물의 눈에서 얻은 렌티큘을 이에 대응되는 각막 기저나 절단면과 비교 연구하는 것이지만, 제거된 렌티큘의 절단면을 분석해서 남아있는 각막의 절단면의 질을 유추하는 것도 합리적으로 보인다.

이 특별한 기술은 전체 검체의 합성 이미지를 구성할 수 있다는 점에서 유용할 수 있고, 새로운 저진공 SEM 현미경을 이용하여 구현할 계획이다. 렌티큘 표면을 연구하는 것과 달리, 기증된 각막에서 절단면의 질을 직접 검증하는 것이 앞에 기술된 간접적인 비교 기술을 견고하게 하는데 도움이 될 수 있을 것이다. 또한 렌티큘에 방향 표시를 추가하는 것이, 특히 난시를 교정한 렌티큘을 검사할 때 유용할 수 있다.

펄스 에너지가 낮고 스팟 사이 거리가 더 가까운 것이 더 부드러운 펨토초 레이저 절단과 관련 있기 때문에, 500 kHz 비쥬맥스를 사용해서 더 낮은 펄스 에너지와 조밀한 스팟 간격으로 스마일수술한 절단면이 200 kHz 비쥬맥스에 대해 보고된 것보다 더 양질의 절

그림 16-3. 렌티큘 가장자리 질. **(a)** 이전 그림 16.2a에서 보여진 -9.75 D 교정을 한 렌티큘이 접혀있다. 가장자리가 볼록한 면 위를 덮고 있다. **(b)** -7.0 D 교정을 한 렌티큘 가장자리가 오목한 면에서 관찰된다. 포셉(forcep)에 의해 수술 중 렌티큘이 조작되고 제거되는 과정에서 가장자리가 손상된 것으로 보인다. **(c)** 이전 그림 16.2e에서 보여진 -7.25 D 교정을 한 렌티큘이다. 볼록한 면에서 깨끗하게 절단된 가장자리가 관찰된다. **(a)**와 **(b)**에서 보이는 원형 주변은 현미경 필드 조리개이다. 모든 사진은 100배 확대된 것이다.

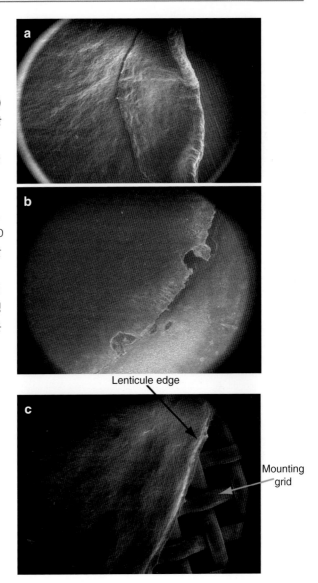

Lenticule edge

Mounting grid

단면을 가질 수 있다[17]. 하지만 스마일수술이 계속 개선되고 있기 때문에, 절단면의 질은 계속 향상될 수 있다. 최근 이행 부위(transition zone)를 포함한 난시 교정 스마일과 FLEX 수술이 도입되고, 구면난시(spherocylindrical) 교정과 관련해서 추가된 기능을 통해 만들어진 렌티큘과 구면(sphere) 굴절 이상만 교정한 렌티큘에서 보인 결과가 일치하는지 여부를 검토하기 위해 추가 연구를 할 가치가 있을 수 있다. 환자의 눈이 압평 및 흡입되는 동안 더 빠른 스캔을 사용할 때 차세대 스캔 변수가 절단면 질에 미치는 영향에 대한 조사가 필요할 수 있다.

스마일수술 또는 이와 관련된 시술에서 펨토초 레이저 절단면의 미시적(microscopic) 질 검사를 통해 유용한 정보를 얻을 수 있으나, 원하는 굴절 변화를 달성하기 위한 핵심 요소는 렌티큘 표면의 거시적(macroscopic) 형태이다. 또한 개인마다 각막실질이 다르며, 각막 깊이에 따라 각막실질 조직의 구조가 변한다는 점도 기억해야 한다. SEM 결과를 해석할 때 이러한 요소를 염두에 두어야 한다. 결론적으로, 굴절 수술의 임상 결과가 안전성과 효율성을 평가하는데 있어서 중요한 기준(gold standard)이 되고 이런 표면 특성 분석 방법은 임상 평가를 보완해 주는 역할을 하는 것으로 보아야 한다.

현재까지 각막실질 표면의 부드러움 정도와 임상 결과를 연관시킬 수 있는 직접적인 근거가 부족하다. 하지만 eSEM을 사용한 렌티큘 표면 검사 방법이 렌티큘 제거 후 각막 형태 변화와 관련된 생체 내 표면 형태를 이해하는 유용한 창을 제공해 줄 것이라고 생각한다. 렌티큘의 eSEM 영상 검사가 스마일수술 또는 이와 관련된 시술을 평가하는데 향후 유용할 수 있을 것이다.

참고문헌

1. Juhasz T, Loesel F, Kurtz R, Horvath C, Bille J, Mourou G (1999) Corneal refractive surgery with femtosecond lasers. IEEE J Sel Topics Quant Electron 5(4): 902-910.
2. Sarayba MA, Ignacio TS, Binder PS, Tran DB (2007) Comparative study of stromal bed quality by using mechanical, IntraLase femtosecond laser 15- and 30-kHz microkeratomes. Cornea 26:446-451.
3. Sarayba MA, Ignacio TS, Tran DB, Binder PS (2007) A 60 kHz IntraLase femtosecond laser creates a smoother LASIK stromal bed surface compared to a Zyoptix XP mechanical microkeratome in human donor eyes. J Refract Surg 23:331-337.
4. Kunert KS, Blum M, Duncker GI, Sietmann R, Heichel J (2011) Surface quality of human corneal lenticules after femtosecond laser surgery for myopia comparing different laser parameters. Graefes Arch Clin Exp Ophthalmol 249:1417-1424.
5. Sarayba MA, Maguen E, Salz J, Rabinowitz Y, Ignacio TS (2007) Femtosecond laser keratome creation of partial thickness donor corneal buttons for lamellar keratoplasty. J Refract Surg 23:58-65.
6. Terry MA, Ousley PJ, Will B (2005) A practical femtosecond laser procedure for DLEK endothelial transplantation: cadaver eye histology and topography. Cornea 24:453-459.
7. Vinciguerra P, Azzolini M, Radice P, Sborgia M, De Molfetta V (1998) A method for examining surface and interface irregularities after photorefractive keratectomy and laser in situ keratomileusis: predictor of optical and functional outcomes. J Refract Surg 14:S204-S206.
8. Stonecipher KG, Dishler JG, Ignacio TS, Binder PS (2006) Transient light sensitivity after femtosecond laser fl ap creation: clinical fi ndings and management. J Cataract Refract Surg 32:91-94.
9. Niemz M, Hoppeler T, Juhasz T, Bille J (1993) Intrastromal ablations for refractive corneal surgery using picosecond infrared laser pulses. Lasers Light Ophthalmol 5:149-155.
10. Holzer M (2009) Update on intraCOR. J Cataract Refract Surg 44-45.
11. Seyeddain O, Bachernegg A, Riha W, Rückl T, Reitsamer H, Grabner G, Dexl A (2013) Femtosecond laser-assisted small-aperture corneal inlay implantation for corneal compensation of presbyopia: two-year follow-up. J Cataract Refract Surg 39(2):234-241.
12. Heichel J, Blum M, Duncker GI, Sietmann R, Kunert KS (2011) Surface quality of porcine corneal lenticules after femtosecond lenticule extraction. Ophthalmic Res 46(2):107-112.

13. Ang M, Chaurasia SS, Angunawela RI et al (2012) Femtosecond lenticule extraction (FLEx): clinical results, interface evaluation, and intraocular pressure variation. Invest Ophthalmol Vis Sci 53:1414-1421.

14. Kirk SE, Skepper JN, Donald AM (2009) Application of environmental scanning electron microscopy to determine biological surface structure. J Microsc 233:205-224.

15. Ziebarth N, Lorenzo M, Chow J, Cabot F, Spooner G, Dishler J, Hjortdal J, Yoo S (2014) Surface quality of human corneal lenticules after SMILE assessed using environmental scanning electron microscopy. J Refract Surg 30(6):388-393.

16. Human Subjects Research Offi ce, University of Miami, Miami, Florida USA 33136. "Assessment of Cut Quality of Corneal Lenticules", study #20120444.

17. Faktorovich E (2009) Femtodynamics: a guide to laser settings and procedure techniques to optimize outcomes with femtosecond lasers. SLACK, Thorofare, pp 20-22. ISBN 13978-1-55642-862-3

17 콜라겐의 특성과 굴절 결과

Kathleen S. Kunert, Marcus Blum, Thabo Lapp, Claudia Auw-Hädrich / 황규연

목차

굴절 수술 후 높은 만족도는 기본적으로 장기적인 굴절 안정성에 달려 있다. 수술 후 굴절 결과에 영향을 미치는 요인은 여러 가지가 있다. 그 예로는 술전 굴절력의 장기 안정성이나 술전 주관적, 객관적 굴절 측정 사이의 차이 등이 있다. 개별 조직 특성은 수술 후 결과에도 영향을 미칠 수 있다. 그러나 지금까지 술전에 조직의 특성을 평가하는 옵션은 없다.

시도 및 달성된 교정량은 이미 플렉스 및 스마일수술에서 분석되었다. 펨토초 렌티큘 추출 절차는 형태학적 분석을 위해 건강한 인간 각막 조직을 얻을 수 있는 독특한 기회를 제공한다.

플렉스 수술 후 시력 결과를 추가로 평가하고 그에 따라 개선하기 위해 플렉스 렌티큘의 다음과 같은 전자 현미경 소견과 수술 전, 내, 후 파라미터 간의 상관관계를 분석했다. 임상적 파라미터로는 (1) 수술 전 콘택트렌즈(CL)의 종류와 하루 착용 시간, (2) 수술 중 렌티큘의 박리 정도, (3) 수술 후 굴절의 정확도, (4) 목표 굴절으로부터의 회귀/편향, (5) 환자의 나이가 있다. 형태학적 파라미터로는 (1) 콜라겐 섬유 직경, (2) 콜라겐 섬유 사이

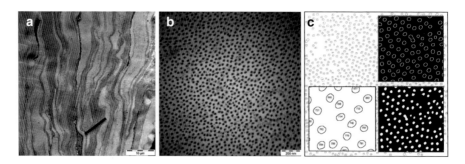

그림 17.1 전자현미경 및 이미지 J 분석
개요 사진(**a**, bar = 50 μm)은 콜라겐 섬유가 교차 절단된 부위를 선택함. 이 개요 단일 각막세포를 감지할 수 있다(화살표). 분석에는 고해상도 사진을 사용함(**b**, bar = 200 nm). ImageJ를 사용하여 단일 콜라겐 섬유를 동그라미로 표시(오른쪽 상단 패널), 색칠하고(오른쪽 하단 패널), 계수하였음.

의 세포외 기질 성분의 면적 (3) 콜라겐 섬유 밀도 (4) 플렉스 렌티큘의 콜라겐 섬유의 균질성이 있으며 상관관계를 분석하였다. 마지막으로 시력 회복, 나이 및 다른 형태학적 매개 변수 사이의 상관관계를 찾았다.

22명의 환자에 대한 30개의 렌티큘(근시 18개, 원시 12개)이 포함되었다. 투과전자현미경(TEM)을 위해 내장된 렌티큘의 초박형 컷(78 nm)을 준비하였다. TEM 샘플은 ImageJ 분석(버전 1.45s, NIH, USA)을 사용하여 분석하였다(그림 17-1).

본 연구의 주요 결과는 다음과 같다.

① 수술 중 렌티큘 박리의 어려움

렌티큘 30개 중 9개는 박리하기 어려웠다. 렌티큘 박리의 난이도는 통계 분석 전에 수술 비디오 분석을 기반으로 결정되었다.

콜라겐 섬유 직경이 두꺼우면 수술 중 렌티큘의 접착성이 증가할 수 있는 잠재적 위험이 있다(p = 0.056). 반대로 섬유 거리가 높고 섬유 밀도가 낮을수록 수술 중 렌티큘 박리의 어려움의 위험이 유의미하게 감소한다(p= 0.036)(그림 17-2). 섬유 밀도의 변동 계수(CV)가 높을수록 렌티큘 접착성의 위험이 감소되는 것으로 보인다(p= 0.033).

콘택트렌즈(CL)를 착용한 환자의 렌티큘 박리가 어려울 승산비(Odds ratio)는 콘택트렌즈 사용자가 사용하지 않는 그룹과 비교할 때 0.06이었다(p= 0.03). 승산비가 0.06이면 콘택트렌즈이 장시간 착용할 경우 복잡한 수술(수술 중 렌티큘의 접착성)의 위험이 6%로 유의하게 감소한다는 것을 의미한다. 나이가 많은 환자의 경우 수술 중 합병증의 위험은 매년 11%로 증가한다(p= 0.09).

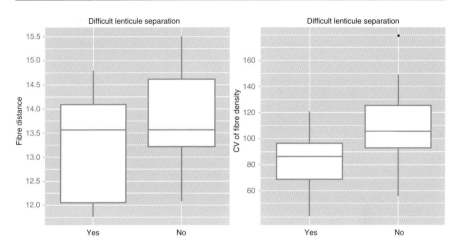

그림 17-2. Correlation of intraoperative lenticule separability and fibre distance and its coefficient of variation, respectively. The correlation of intraoperative difficult lenticule separability and collagen fibre distance **(a)** and coefficient of variation (CV) of fibre density **(b)** showed significant findings

② 퇴행

편차(즉, 수술 12개월 후 구면렌즈대응치에서 수술 6개월 후 구면렌즈대응치를 뺀 값)는 섬유 거리의 CV와 유의한 상관관계를 보였다(p= 0.02). 따라서 섬유 거리의 불균일성이 높은 등급은 수술 후 근시 퇴행의 위험 증가와 관련이 있는 것으로 보인다.

더욱이, 퇴행은 수술 전 콘택트렌즈 사용 시간과 유의하게 연관되었다(p= 0.05). 콘택트렌즈 사용 기간이 길수록 수술 후 근시로 퇴행할 위험이 증가하는 것으로 보인다.

이 연구에서 우리는 섬유 직경이 작으면 더 큰 거리가 생기고, 섬유 밀도가 더 낮을 뿐만 아니라 섬유 불균일성이 더 높을수록 수술 중 플랩과 렌티큘의 분리의 어려움이 줄어든다고 요약할 수 있다. 수술 전 임상 매개변수와 관련하여, 수술 전 콘택트렌즈 사용이 긴 것은 수술 절차에 보호 효과를 가져온 반면, 고령 연령은 렌티큘의 접착에 대한 위험 인자를 구성하는 경향이 있었다.

섬유 간격의 변동 계수가 높고 누적 콘택트렌즈 착용 시간이 길면 근시로 퇴행할 위험이 높아지는 것으로 보인다. 섬유 밀도가 낮고 따라서 섬유 거리가 더 길며, 콘택트렌즈를 착용하는 시간이 길며 수술 시 연령이 높을수록 시력 저하 위험이 증가한다.

이러한 연구 결과 중 일부는 굴절 수술을 위한 의사 결정 시 고려될 수 있으며 수술 후 시력 회복과 굴절력 발달을 대한 예후 매개변수로 사용될 수 있다. 그럼에도 불구하고 이 연구의 결과는 임상적 타당성과 적용 가능성을 시험하기 위해 더 큰 코호트에서 연구될 필요가 있다. 한 가지 중요한 단점은 지금까지 생체 내에서 형태학적 매개 변수를 평가할 수 없었다는 것이다. 따라서 데이터의 임상적 의미는 제한적이며 이미 수술을 받은 환자에 대해서만 사용할 수 있다. 그러나 장기간 콘택트렌즈 착용의 영향은 반드시 고려하고 수술 전에 환자와 논의해야 한다.

참고문헌

Blum M, Flach A, Kunert KS, Sekundo W (2014) Five-year results of refractive lenticule extraction. J Cataract Refract Surg 40(9):1425‒1429

Lapp T, Auw-Hädrich C, Sadler F, Böhringer D, Blum M, Reinhard T, Heichel J, Kunert KS (2014) Morphological analysis of corneal refractive lenticules--is there a correlation with refractive results? Klin Monbl Augenheilkd 231(7):690‒696. Epub 2014 Jul 18. German

Mohamed-Noriega K et al (2011) Cornea lenticule viability and structural integrity after refractive lenticule extraction (ReLEx) and cryopreservation. Mol Vis 17:3437‒3449

Part IV

미래의 개념

초고도근시(-10 디옵터 이상) 환자에서 스마일수술

18

Osama Ibrahim, Moones Abdalla, Amro Saeed, Kitty Mohammed, Ibrahim Ahmed / 배신우

목차

-10 D 이상의 근시 교정을 위한 여러 치료 방법이 존재함에도 불구하고, 초고도근시 환자에 대한 수술적 치료는 오늘날까지 굴절 수술을 하는 의사가 만날 수 있는 가장 어려운 수술 중 하나로 여겨진다. 여러 치료 방법에는 굴절 수정체 교환(refractive lens exchange, RLE), 유수정체 안내렌즈삽입술(phakic IOL, pIOL), 각막절삭성형술(LASIK), 각막표면연마굴절수술(surface ablation) 같은 치료법이 포함되어 있다[1].

굴절 수정체 교환, 유수정체 안내렌즈삽입술은 안구내 시술로 안내염, 수술 유발 난시와 각막내피세포 손상의 위험을 가지고 있다. 굴절 수정체 교환 수술은 망막 박리 위험과 추가로 연관되어 있으며, 일반적으로 조절력을 가지고 있는 근시 환자에서는 고려되지 않는다. 반면에 안내렌즈삽입술은 동공 차단 녹내장, 색소 분산 증후군, 백내장 발생, 그리고 전방 안내렌즈삽입술은 각막내피세포의 지속적인 손상과 연관되어 있다. 또한 유수정체 안내렌즈삽입술에는 생체 계측과 안내렌즈를 삽입하는 과정에서 특별한 기술이 요구되며, 다양한 형태의 유수정체 안내렌즈에 대한 장기적인 임상 결과가 알려져 있지 않다[1].

MMC를 사용하는 각막절삭성형술(LASIK)과 굴절교정레이저각막절제술(PRK)은 경도 근시 교정보다 고도근시에서 예측성이 낮기 때문에, -10 D이상의 근시 치료에 더 이상 합리적인 옵션으로 여겨지지 않는다. 굴절교정레이저각막절제술(PRK)로 치료받은 고도 근시 환자에서 각막혼탁이 중요한 장기적인 문제로 보고된 바 있다[2]. 고도근시 환자에서 굴절교정레이저각막절제술(PRK)의 장기적인 임상 결과를 평가한 연구는 MMC의 단일 (45초) 또는 이중(45초 적용 후 추가 15초 적용) 사용에도 불구하고 근시 퇴행이 관찰되었음을 보여주었다[3].

Reinstein 등에 의해 13장에 기술된 바와 같이, 가장 강한 앞쪽 각막실질이 절단되지 않은 상태로 유지되는 한, 주어진 굴절 교정에 대해 스마일수술이 각막절삭성형술(LASIK) 또는 굴절교정레이저각막절제술(PRK) 보다 수술 후 더 큰 인장강도를 가진 각막을 남길 것이라고 추정하는 것이 타당하다. 이것은 제거되어야 할 각막 조직의 양이 많아서 수술 후 각막확장증 발생 위험이 증가할 수 있는 초고도근시 환자의 치료에서 특히 중요하다. 스마일수술에서 문헌에 설명된 것처럼 캡 두께의 높은 정확도가 잔여 기저 각막실질뿐만 아니라 캡 내부의 각막 생체역학적 안정성에 대한 근거가 된다. 스마일수술에서 기능적 광학부[(functional optical zone), 양질의 광학 기능을 달성하기 위해 치료하는 범위[4]]를 보면, 같은 크기의 광학부로 치료했을 때 엑시머(excimer) 레이저로 절제한 것 보다 스마일수술에서 각막지형도상 편평화(flattening)가 되는 부분이 더 넓은 것으로 관찰되었다.

-14 D를 교정하는 시간과 –1 D를 교정하는 데 필요한 시간이 같기 때문에(광학부와 캡 크기가 같다고 가정할 때) 실내 습도, 각막 수화, 시차 오차(parallax error), 레이저 플루언시(fluency), 그리고 특히 과도하게 발생하는 열 같이 광학부(photoablative) 시술의 정확성에 영향을 줄 수 있는 요소들이 모두 없어진다.

스마일수술 결과가 각막절삭성형술(LASIK)과 비교해서 유리하게 고려되는 점은 각막 지각신경, 안구 표면 상태, 고위 수차 유발, 수술 후 각막기질세포 증식 및 퇴행과 관련된 회복과 염증 반응 등이 있다.

위에 언급한 고려 사항을 바탕으로, -14 D까지 교정 가능한 연구 소프트웨어를 사용해서 –10 D 이상 근시 환자를 대상으로 스마일수술의 사용 가능성에 대해서 조사했다. 본 연구에 근시로 치료받은 382안이 포함되었으며, 평균 근시는 -12.48 ± 1.76 D(범위 –10.0~-14.0 D), 평균 난시는 -1.26 ± 1.04 D (-4.0 D까지)였다. 평균 원거리 최대 교정시력은 0.67 ± 0.94 (범위 0.5-1.0)였다. 수술 후 6개월, 365안의 평균 굴절 오차는 -1.28 ± 1.76 D(범위 +0.75~-3.25 D), 수술 후 평균 난시는 -0.83 ± 1.04 D (-1.75 D까지)였다. 6개월째 경과 관찰 시, 평균 원거리 최대 교정시력은 0.74 ± 0.4(범위 0.5-1.0)였다. 수술 후 1년째, 280안의 평균 굴절 오차는 -1.83 ± 1.33 D(범위 +0.5~-4.25 D), 평균 난시는 -0.76 ± 1.04 D (-2.0 D까지), 평균 원거리 최대 교정시력은 0.79 ± 0.4(범위 0.5-1.0)였다. 마지막 경과 관찰 시, 약 94%의 환자가 최대 교정시력을 유지하거나 1줄 이상의 시력 호전을 보였고, 6%에서 최대교정시력에 비해 1줄의 시력 저하, 1%에서 2줄의 시력 저하를 보였다. 유의한 퇴행도 없었고, 각막확장증을 보인 환자도 없었다. (그림 18-1)과 (그림 18-2)에서 대표적인 수술 전 및 수술 후 Pentacam® 이미지를 확인할 수 있다.

이 수술은 최소 중심각막두께가 500 μm 이상, 잔여 각막실질 두께가 250 μm 이상, 캡 두께가 최소 100 μm 이상인 각막에서 진행되었다. 렌티큘 직경(광학부)은 암소 시 동공 크기와 잔여 각막실질두께에 따라 조정되었다. 잔여 각막실질두께, 동공 크기와 렌티큘 직경 사이에는 균형이 필요하다.

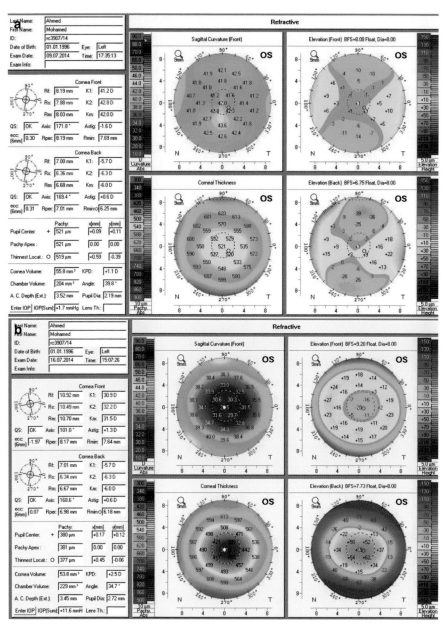

그림 18-1. (a) 현성 굴절값이 -12.0 -1.0 @ 165°인 환자의 수술 전 펜타캠 사진. (b) 같은 눈에서 수술 후 1주 뒤 사진. 현성 굴절값은 +0.25 -0.5 @ 120° 이다. 각막 후면에 뚜렷한 융기가 관찰된다. (c) 수술 후 3개월 뒤 굴절값과 각막지형도는 변화가 없는 상태다: +0.25 +0.25 @ 100°

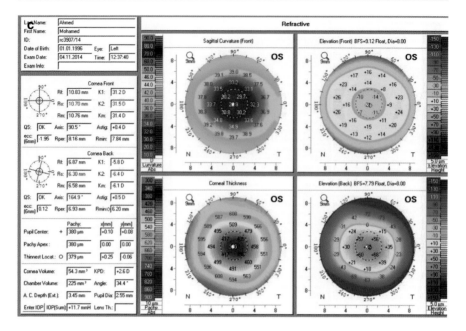

그림 18-1. (continued)

    기계 설정대로 수술할 경우 저교정되는 경향 때문에, 노모그램(nomogram)을 조정해서 환자 나이에 따라 현성굴절검사 수치보다 5-15% 추가 교정을 하였다. 그러나 일부 환자에서는 나이를 고려하거나 구면과 난시 교정량의 합이 14 D 이상인 경우, 각막 두께가 충분치 않은 경우에는 의도적으로 저교정을 하였다. 몇몇 환자에서는 매우 높은 구면 굴절이상을 교정하기 위해서 난시 교정량을 조절해야 했다.

    현재 결과에 비추어 볼 때, -16 D 이상 또는 최대 -18 D까지 동일한 안전성과 예측성을 가지고 교정할 수 있을 것으로 생각한다. 고도 굴절이상 교정에 있어서 새로운 방법(novel nature)때문에, 각막절삭성형술(LASIK)처럼 잔여 각막실질 두께를 250 μm 이상 유지할 수 있었다. 13장에 기술한 바, 잔여 각막실질 두께라는 용어는 각막절삭성형술(LASIK)이나 FLEx같이 절편이 형성되는 수술에 사용되는 용어이다. 전체 각막 두께(total corneal thickness) 라는 용어가 스마일수술에 더 적합한 용어다. 또한 캡 두께가 더 두껍고 후방 각막실질이 더 얇은 것이 현재 연구에 사용된 설정보다 훨씬 더 장점이 될 수 있다. 스마일수술은 계속 발전하고 있기 때문에 스마일수술 이후 생체역학(biomechanics)이나 광학(optics)에 대한 추가적인 실험 연구가 더 많은 새로운 정보를 제공해주고 각막 굴절 교정수술을 할 수 있는 경계를 명확히 해주는데 도움이 될 것이다.

    중요한 점으로 보강수술(enhancement)이 필요할 때마다 스마일수술 기술에 의해 만들어진 이점을 잃지 않기 위해 20초간 0.02% MMC를 사용한 굴절교정레이저각막절제술

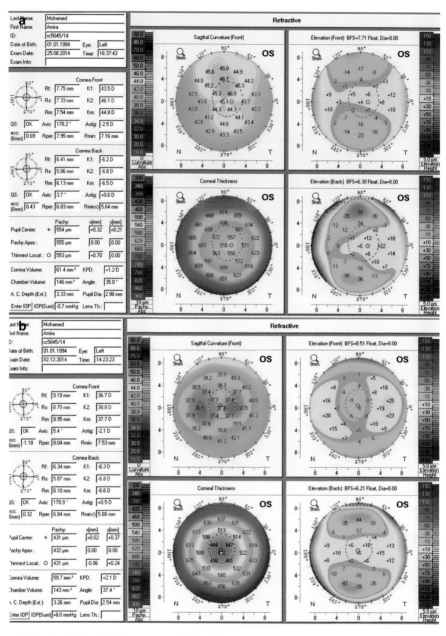

그림 18-2. (a) 난시가 있는 고도 근시 환자의 다른 예. MR= -14.0 -2.0 @ 10°. (b) 근시 및 난시에 대해 저교정으로 수술 후 3개월 뒤 MR은 -2.0 -1.25 @ 30°였다. 각막 후면부 융기 상태는 변화가 없다. (c) 수술 전(좌측 열)과 수술 후 3개월(가운데 열) 사이의 전면부 곡률 차이를 보여주는 각막 지형도. 또한 매우 높은 교정량에도 불구하고 잔여 각막 굴절력이 37 D 이상을 보여준다.

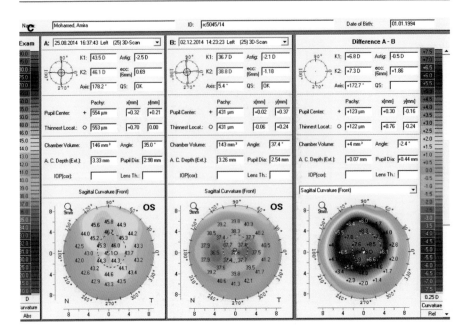

그림 18-2. (continued)

(PRK)을 선택했다.

　마지막으로 스마일수술은 가역적인 시술이다. 제거된 각막실직조각을 저장한 후 나중에 각막에 다시 넣어줄 수 있다(20장 참조). 이것은 환자가 노안이 생겼을 때, 굴절수술 했던 것을 잠재적으로 되돌려 놓을 수 있다는 장점을 더해준다. 또한 렌티큘의 재삽입은 각막확장증(ectasia) 치료와 근시로 되돌아 가는 것을 가능하게 할 수 있다[5].

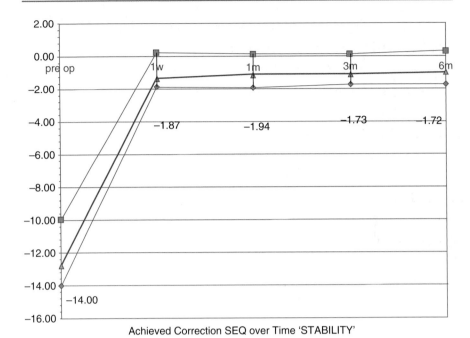

Achieved Correction SEQ over Time 'STABILITY'

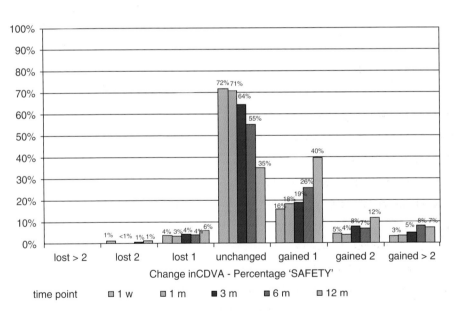

Change inCDVA - Percentage 'SAFETY'

참고문헌

1. Barsam A (2012) Surgical treatment of high myopia. Cataract and refractive surgery today: peer review. Available from: http://crstoday.com/2012/06/surgical-treatment-of-high-myopia/ . Accessed 19 Oct 2014
2. Lindstrom RL, Sher NA, Barak M et al (1992) Excimer laser photorefractive keratectomy in high myopia: a multicentre study. Trans Am Ophthalmol Soc 90:277-296; discussion 296-301.
3. Fazel F, Naderibeni A, Eslami F, Ghatrehsamani H (2008) Results of photorefractive keratectomy with mitomycin C for high myopia after 4 years. JRMS 13:80-87.
4. Tabernero J, Klyce SD, Sarver EJ, Artal P (2007) Functional optical zone of the cornea. Invest Ophthalmol Vis Sci 48(3):1053-1060.
5. Ang M, Tan D, Mehta JS (2012) Small incision lenticule extraction (SMILE) versus laser insitu keratomileusis (LASIK): study protocol for a randomised, non- inferiority trial. Trial 13:75

ReLEx®를 이용한 원시 교정　19

Walter Sekundo, Dan Z. Reinstein, Kishore Pradhan, Marcus Blum / 배신우

목차

19.1　ReLEx® FLEx를 이용한 원시 교정

ReLEx® 시술이 점점 대중화되고 있지만 여전히 몇 가지 단점이 있다. 그 중 하나는 현재 비쥬맥스 레이저에 원시를 교정할 수 있는 소프트웨어가 없는 것이다. 만약 모든 종류의 굴절 이상을 엑시머(excimer) 레이저 없이 교정 가능하다면, 펨토초 레이저 단독 시술로 올인원(all-in-one) 수술이 가능해 질 것 이다.

19.1.1 첫 번째 연구

저자는 2013년에 이 주제에 관한 첫 번째 논문을 발표했다[1]. 이 연구에서 200 kHz 비쥬맥스 펨토초 레이저를 사용하여 26명의 47 원시안에 대해 FLEx 수술을 시행하였다. 치료를 받은 47안 중 42안에서 최종적으로 9개월 간의 추적 관찰을 완료했다. 환자의 평균

나이는 42.3(±9.0)세였다. 수술 전 평균 구면굴절대응치(spherical equivalent, SE)는 +2.80 ± 1.3D(범위 +1.25~+4.0 D)였다. 저자들이 모든 수술을 진행했다. 절편 두께는 120 μm 였다. 현재 사용되고 있는 500 kHz 레이저에 비해 200 kHz 레이저에서 치료 시간이 길기 때문에, 대부분의 수술받은 눈에서 S "contact glass"를 사용했다. 그리고 절편 직경은 렌티큘 직경에 따라 7.0-8.5 mm 사이에서 결정되었다. 모든 환자에서 호의 길이(chord length) 50°로 상측 경첩(superior hinge)을 남겨 두었다. 렌티큘 직경은 환자의 암소시(mesopic) 동공 직경과 각막 직경(white-to-white distance)을 고려해서 6.2-7.6 mm로 정해졌다. 렌티큘의 최소 두께는 20-25 μm로 다양했다. 이 첫 번째 연구에서 렌티큘 가장자리 경사각 (oblique angle)에 의해 형성된 가성 전이구역(pseudo-transition zone)을 사용했다. 수술 후 9개월째, 목표한 굴절 수치에 대해 ±1.00 D이내인 경우가 64%, ±0.50 D이내인 경우가 38%였다. 47안 중 1안(2.1%)에서 2줄 이상의 시력 저하가 있었지만, 나안 시력이 20/40 이하인 경우는 없었다. 본 연구를 통해 원시 치료가 가능하고 치료 중심부를 잘 잡는 것이 문제가 되지 않는다는 것을 보여줄 수 있었지만, 경도에서 중등도 원시를 현대 엑시머 레 이저 교정과 비교했을 때 원시로 퇴행하는 비율(그림 19-1)을 받아들일 수 없었다[2]. 따라 서 몇몇 환자들은 엑시머 레이저 보강수술(enhancement)을 받았다. 또한 렌티큘에 단추

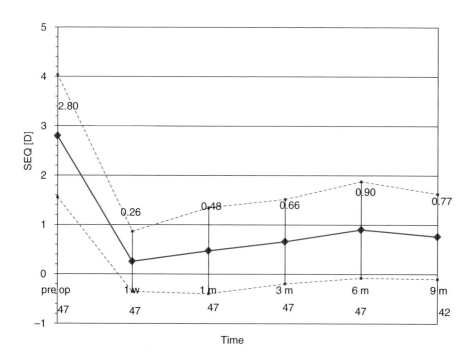

그림 19-1. 첫 번째 원시 교정 연구에서 9개월 경과 관찰기간 동안 굴절력 결과의 안정성(Stability) (Reprinted from Blum et al.)

구멍(buttonhole)이 형성되어, 광학부 중심에 잔여 렌티큘이 남는 심각한 합병증이 한 명에서 발생됐다. 각막지형도에서 "중심부 융기(central island)" 형태를 보였다.

19.1.2 두 번째 (진행중인) 원시 교정 FLEx 연구

　광학부에서 첫 번째 연구와 동일한 광학적 특성을 지녔지만 전이 구역(transition zone)으로 만들어진 부분에서 여러 차이가 있는, 향상된 형태의 렌티큘이 개발되었다(그림 19-2). 주요 특징 중에서 더 넓어진 전이 구역은 MEL 80 엑시머 레이저의 원시 절삭 방법에 대한 좋은 장기 임상결과에 근거한 것이다. 전이 구역 크기는 각막 곡률, 광학부 크기, 교정량에 따라 개인별로 결정되었다(그림 19-2).

　하지만 광학부 및 전이 구역의 전체 범위는 각막 흡착을 위해 사용되는 비쥬맥스 콘택트 글라스(contact glass)의 크기에 따라 제한되었다. 따라서 전체 렌티큘 직경을 최대화하기 위해 이전 연구 대부분의 눈에 사용된 작은 크기(S-size)의 콘택트 글라스가 아닌 중간 크기(M-size)의 콘택트 글라스를 모든 환자에서 사용하였다. 가능한 한 넓은 치료 구역을 얻기 위해, 렌티큘 가장자리와 절편 가장자리 사이의 간격(clearance)을 첫 번째 연구에서 사용된 1 mm에서 0.5 mm로 줄였다. 렌티큘과 절편의 크기를 계획할 때, 각막 직경 또한 고려되었다; 치료가 각막 정점(vertex)을 중심으로 이루어질 때, 카파(kappa)각을 가진 환자(치료 중심과 각막 중심이 일치하지 않을 수 있다)의 각막 직경 내에 절편 직경이 존재하는 것으로 확인되었다.

　두 연구 사이의 또 다른 차이점은 비쥬맥스의 펄스 속도(pulse frequency)가 200 kHz에

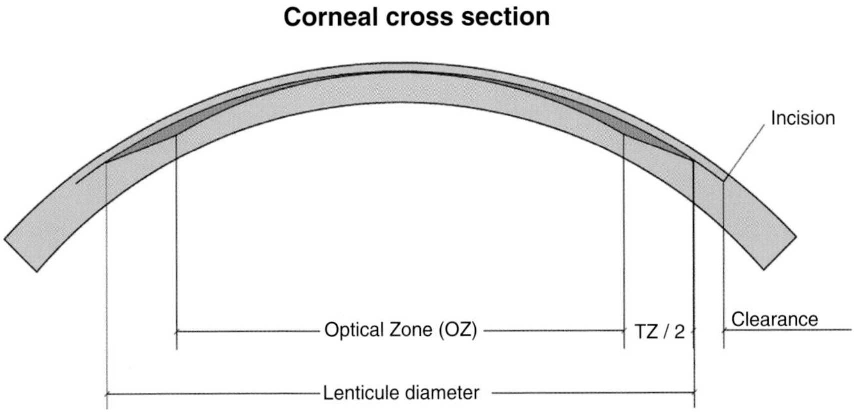

Corneal cross section

그림 19-2. 현재 연구에서 사용된 개선된 렌티큘 모양의 도해 (Diagram). 렌티큘 가장자리에서 더 넓어진 전이구역(Transition zone)과 중심부 최소 렌티큘 두께에 주목하시오.

서 500 kHz로 증가한 것이다. 펄스 속도의 증가는 전체 치료 시간의 증가 없이 새로운 형태의 렌티큘(증가된 광학부, 전이구역, 절편 직경)을 만들 수 있고, 이는 흡입 소실 위험과 관련된 안전성에 영향을 주지 않는 것을 의미한다.

첫 번째 연구에서 언급한 합병증 중 1 안에서 렌티큘 중심에 단추구멍(buttonhole)이 생긴 합병증 때문에[1], 렌티큘 중심부 최소 두께에 관한 문제에 많은 관심을 기울였다. 돼지 눈과 각막이식에 적합하지 않은 각막으로 많은 생체 외 실험 후, 이 값은 첫 번째 연구에서 쓰인 20 μm가 아니라 예외 없이 모든 눈에서 25 μm로 설정하였다.

윤리 위원회는 10안[첫 번째, 구면굴절이상 그룹(spherical cohort)]에 대한 선행 연구(pilot study)을 먼저 진행하고 이에 대한 9개월 자료를 보고한 뒤, 40안[두 번째, 구면난시 굴절이상 그룹(spherocylindrical cohort)]에 대한 연구를 진행할 것을 권유하였다. 따라서 현재 선행 연구 환자 5명의 9안에 대한 결과만 확인 가능하다(참고, 한 명의 환자가 한 쪽 눈이 정시였다).

수술 시 환자의 평균 나이는 55.5세(범위: 46-63)였다. 한 명(2안)은 남자, 나머지 4명은 여자였다. 수술 전 평균 현성 구면굴절대응치(spherical equivalent, SE)는 +1.82 ± 0.56 D (범위: +1.25~+2.75 D), 평균 구면굴절오차는 +1.89 ± 0.59 D(범위: +1.25~+3.00 D), 평균 난시는 -0.14 ± 0.18 D(범위: 0~-0.50 D)였다. 모든 환자가 노안 연령이었기 때문에 모든 환자에서 의도적으로 과교정을 하였다. 평균 목표 구면굴절대응치는 -0.86 ±0.41 D였고, 따라서 수술 전 구면굴절대응치를 고려하면 평균 목표 교정량(attempted SE)은 +2.69 ± 0.39 D(범위: +2.25~+3.50 D)였다.

평균 절편 직경은 8.46 ± 0.09 mm(범위: 8.4-8.6 mm), 광학부 크기는 모든 환자에서 5.75 mm였고, 평균 전이구역은 2.02 ± 0.14 mm(범위: 1.78-2.29 mm)였다. 펨토초 레이저 에너지는 180에서 160 nJ 사이에서 조정되었고, 레이저 스팟과 트랙 사이 거리는 4.5 μm로 고정하였다.

수술 후 1, 3, 6, 9개월에 목표 교정치의 0.5 D 이내인 경우가 각각 33%, 67%, 22%, 22%였고, 1.00 D 이내인 경우가 78%였다. 목표 교정량(attempted refraction)과 달성량(achieved refraction)의 비율(예측성, predictability)은 시간이 지남에 따라 감소하는 경향(regression)을 보였고, 수술 후 3-9개월 사이 2안에서 과교정된 것을 제외하고 모든 환자에서 약 0.5 D 정도의 원시 퇴행을 나타냈다. 치료 부위 중심이탈이나 다른 합병증은 없었다(그림 19-3). 대략 0.17 D 정도의 저교정이 있었으나, 모든 환자가 결과에 만족하였다. 이는 경도 근시를 목표로 수술을 하고, 이런 방식이 노안 연령 환자들에게 편안하게 볼 수 있는 거리를 제공했기 때문이다(그림 19-4). 계획대로, 2015년에는 더 많은 수의 환자를 대상으로 치료가 진행될 것이다.

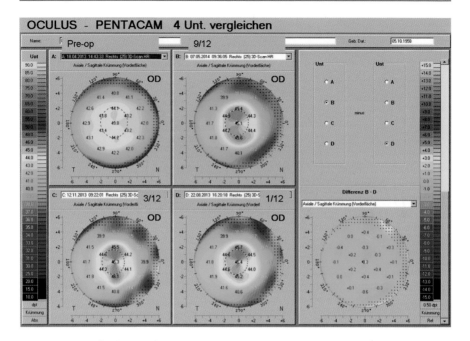

그림 19-3. 수술 후 각막중심부 곡률이 증가하고 중심잡기가 잘 된 수술 전과 후의 각막지형도 예시
(**a**: 수술 전, **b**: 9개월, **c**: 3개월, **d**: 수술 후 6개월). 펜타캠 척도상 6 mm 크기의 광학부를 측정했을
때, **b**와 **d**의 차이를 보여주는 각막지형도에서 (differential map) 미세한 변화만 보여주는 것에 주목
할 필요가 있다.

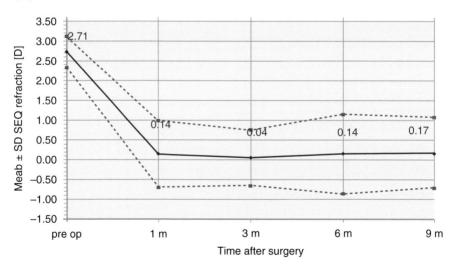

그림 19-4. 구면굴절대응치(Spherical equivalent) 변화로 보여지는 현성 굴절 검사값의 안정성
(Stability)

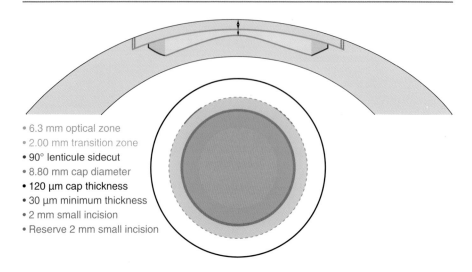

• 6.3 mm optical zone
• 2.00 mm transition zone
• **90° lenticule sidecut**
• 8.80 mm cap diameter
• **120 μm cap thickness**
• 30 μm minimum thickness
• 2 mm small incision
• Reserve 2 mm small incision

그림 19-5. Pradhan과 Reinstein 연구에서 사용된 원시 교정 스마일 렌티큘 기하학적 구조의 도해 (Schematic diagram)

19.2   ReLEx® 스마일수술을 이용한 원시 교정: 진행중인 연구

Pradhan과 Reinstein은 2014 APAC Meeting에서 2 mm 절개 2개를 사용한 원시 교정 스마일수술의 첫 결과를 발표했다. 저자들은 시력이 상실된 4안을 시작으로, 6안의 심한 약시안과 10안의 경도 약시안에 대한 다면적 연구를 계획하였다. 이 연구 이후, 최대 200안의 정상안에 대해 치료가 계획되어 있다. 렌티큘 모양은 앞서 언급한 것과 부분적으로 유사하지만, 광학부가 6.3 mm로 더 커지고, 전이 구역은 모든 환자에서 2 mm가 사용되었다. 최소 각막실질두께는 30으로 설정되었다(그림 19-5).

연구 대상에는 원시 +7.0 D, 난시 6.0 D까지, 21세 이상, 최대교정시력이 20/100 이하인 환자들이 포함되었다. 현성굴절검사와 Atlas 각막지형도 검사를 수술 전과 수술 후 1개월째 시행하였다. 20안이 연구에 포함되었고, 원고 작성 당시 11 안에서 1개월째 데이터를 분석할 수 있었다. MEL80을 이용해서 각막 정점(vertex) 중심으로 라식 수술을 받은 환자 중 구면과 난시 굴절이상이 ±0.50 D이내에서 일치하는 환자를 데이터베이스에서 무작위로 뽑아서, 광학부 크기가 6.50 또는 7.00 mm인 두 가지 대조군을 만들었다 (두 군 모두 전이 구역 크기는 2 mm였다). 평균 구면굴절대응치는 +4.68 ± 1.30 D (범위: +3.00~+6.42 D), 평균 굴절 난시는 1.09 ± 0.65 D (범위: 0.50-2.75 D)였다.

수술 후 평균 구면굴절대응치는 +0.10 ± 0.91 D (범위: -1.16~+1.50 D), 목표 구면굴절대응치에 대해 ±0.50 D 이내인 경우가 27%, ±1.00 D 이내인 경우가 82%였다(이 현

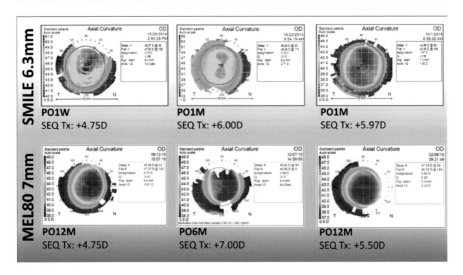

그림 19-6. 6.3 mm 렌티큘 직경을 가진 스마일수술과 7 mm 절삭 구역을 가진 라식 수술 환자의 치료된 광학부(Achieved optical zone) 크기를 비교했을 때, 스마일수술을 받은 환자에서 다소 우위(superiority)의 결과를 보여준다.

성굴절검사 결과는 실명 또는 심한 약시안에서 얻은 결과이다). 평균 구면수차(spherical aberration) 변화는 6.3 mm 스마일군에서 -0.49 μm였고, 이는 7 mm 라식군(-0.47 μm, p = 0.916)과 동등한 것으로 나타났다. 하지만 6.5 mm 라식군(-0.79 μm, p = 0.002)보다는 변화량이 적었다.

광학부 중심이 치료 목표 중심부와 벗어난 정도는, Atlas 접선 곡률 차이 지형도 (tangential curvature difference map)를 이용해서 광학부 중심과 각막 정점(치료 목표 중심부) 사이의 거리를 측정하여 분석하였다. 평균 광학부 중심 이탈(optical zone offset) 정도는 모든 군에서 차이가 없었다(p> 0.73). 6.3 mm 스마일군에서 0.30 ± 0.18 mm, 7 mm 라식군은 0.34 ± 0.26 mm, 6.5 mm 라식군에서는 0.29 ± 0.15 mm의 이탈을 보였다. 이것은 스마일수술에서 안구추적장치를 사용하지 않음에도 불구하고 광학부 중심 이탈 정도가 라식과 동등하다는 것을 보여주었다.

치료된 광학부(achieved optical zone) 평균 직경은 6.3 mm 스마일군에서 5.55 ± 0.35 mm로, 6.5 mm 라식군(4.65 ± 0.18 mm, p< 0.001)과 7 mm 라식군(4.93 ± 0.32 mm, p< 0.001)보다 더 넓은 것으로 밝혀졌다. 그림 19-6은 구면굴절대응치가 일치하는 라식과 스마일수술 환자의 수술 후 각막지형도 3가지 예시를 보여준다. 이 예시들은 스마일수술에 대해 고무적인(encouraging) 광학부 직경 및 중심 이탈 결과를 시각적으로 보여준다.

요약하면, 광학부 중심 이탈 정도는 각막 정점 중심으로 치료한 원시 교정 스마일수술과 라식에서 차이가 없었다. 구면수차가 6.3 mm 스마일군에서 6.5 mm 라식군 보다 덜 유발됐으며, 7 mm 라식군 과는 유발 정도에 차이가 없었다. 각막지형도상 치료된 광학부 (achieved optical zone) 직경은 6.3 mm 스마일군에서 6.5 mm, 7 mm 라식군보다 더 컸다. 망막검영법(retinoscopy)으로 검사한 굴절 변화는 비교적 정확한 것으로 보였지만, 노모그램(nomograms)을 개선하고 이를 관찰된 퇴행(observed regression) 상태와 균형을 맞추기 위해서는 좋은 시력을 가진 환자를 대상으로 장기적인 연구가 필요하다.

19.3   토의

첫 번째 연구는 펨토초 레이저만으로 원시 교정의 가능성을 보여주었지만, 현재 진행 중인 연구는 최신 엑시머 레이저를 이용한 교정과 비슷한 결과를 보였다. 이 연구를 통해 세 가지 주요 문제가 만족스럽게 해결된 것으로 보인다:

① 환자가 스스로 치료 중심부를 잡는 것(self-centration)이 치료 중심부 문제가 근시 치료에 비해 더 중요한 원시안에서도 잘 작용하는 것으로 보인다.
② 교정된 결과가 상당히 안정적이며 노모그램(nomogram) 개발에도 사용될 수 있을 것으로 보인다.
③ 위에서 설명한 렌티큘 변수 값들이 렌티큘을 안전하게 박리하고 제거하기 위한 요구사항을 충족시키는 것으로 생각된다.

근시 교정 스마일수술에서 알려진 장점 이외에도, ReLEx®를 이용한 원시 치료는 엑시머 레이저 플루언스(fluence)가 투사될 때 생기는 오류나 끊김(truncation, 절삭 구역보다 노출된 각막실질 기저부가 좁을 때) 등의 문제를 확실히 제거할 수 있다. 따라서 저자는 가까운 미래에 원시 교정 스마일수술이 굴절 교정 선택의 폭을 더 넓혀줄 것이라고 확신한다. 또한 조직을 추가하는 것과 반대로 조직을 제거하는 것에 근거한 원시 교정 각막 수술의 한계점도 확인할 수 있을 것이다.

참고문헌

1. Blum M, Kunert KS, Voßmerbäumer U, Sekundo W (2013) Femtosecond-lentikel-extraction (ReL-EX) corrections for hyperopia - fi rst results. Graefes Arch Clin Exp Ophthalmol 251:349-355.
2. Reinstein DZ, Couch DG, Archer TJ (2009) LASIK for hyperopic astigmatism and presbyopia using micro-monovision with the Carl Zeiss Meditec MEL80 platform. J Refract Surg 25(1):37-58.
3. Reinstein DZ, Archer TJ, Gobbe M, Silverman RH, Coleman DJ (2010) Epithelial thickness after hyperopic LASIK: three-dimensional display with Artemis very high-frequency digital ultrasound. J Refract Surg 26:555-564.

가역적 각막굴절수술(Reversible Corneal Refractive Surgery)의 개념 - 렌티큘 재이식(Lenticule Reimplantation)

20

Debbie Tan, Jodhbir S. Mehta / 이성준

목차

20.1 개요

굴절 렌티큘 추출(Refractive lenticule extraction, ReLEx®)은 미세각막절개도(microkeratome) 또는 엑시머레이저(excimer laser)를 사용하지 않고 펨토초레이저(femtosecond laser, FS)로 환자의 굴절 교정(refractive correction)에 해당하는 각막기질내 렌티큘(intrastromal lenticule)을 절단하는 새로운 각막굴절수술(corneal refractive procedure)이다[1]. 그런 다음 펨토초 렌티큘 추출(femtosecond lenticule extraction, FLEx)[2] 또는 최소절개 렌티큘 추출(small incision lenticule extraction, SMILE)[3, 4] 수술의 시행 여부에 따라 다양한 크기의 표면 절개를 통해 렌티큘을 제거한다.

스마일수술 형태의 ReLEx® 수술의 중요한 이점은 작은 주머니 절개(small pocket incision)를 통해 렌티큘을 추출하는 시술의 절편이 없는 특성(flapless nature)으로 절편(flap) 관련 합병증을 대부분 제거한다는 것이다. ReLEx®의 또 다른 잠재적 이점은 가역적인 굴절 수술(reversible refractive procedure)이 될 수 있다는 것이다: 완전한 굴절성 기질내 렌

티큘(fully intact refractive intrastromal lenticule in situ)의 제거로 재이식의 가능성을 허용
한다. 그러나 이를 달성하려면 추출된 기질 렌티큘(stroma lenticule)의 각막세포 생존력
(keratocyte viability)과 전반적인 아교질 구조적 무결성(collagen structural integrity)이 유
지되어야 한다. 동일한 환자에 대한 후속 재이식 또는 다른 환자의 동종이식 기증자 조직
을 위해 이 렌티큘을 보존한다는 개념은 최초의 가역적 레이저 굴절 수술(reversible laser
refractive procedure)의 기초를 형성했다.

이전 연구에서는 냉동 및 해동 과정이 각막 내피(corneal endothelium) 및 기질(stroma)
을 손상시키는 것으로 나타났지만[5-7], 냉동 보존(cryopreservation)을 사용하여 각막 조직
을 저장할 수 있음을 오랫동안 보여주었다[7-9]. 그러나 이제 추출된 렌티큘을 냉동 보존하
고 자가 기질 용적 복원(autologous stromal volume restoration)방법으로 기증자 각막에
재이식하는 것이 가능하다. 최근 연구에 따르면 기질 렌티큘(stromal lenticule)은 냉동 보
존 및 해동 후에도 생존 가능한 상태로 보존될 수 있다[10]. 기질 내 각막세포(intrastromal
keratocytes)는 생존 가능하고, 미분화되어 있으며, 신선한 조직에서 추출한 각막세포의 전
형적인 표지(marker)가 나타난다[10].

20.2　냉동보존기술

렌티큘에 대해 개발된 냉동보존 기술은 다음과 같다[10, 11]: 추출된 렌티큘을 인산염완
충식염수(phosphate-buffered saline, PBS), 완충 항생제/항진균 용액(antibiotic/antimycotic
solution)에서 세척한 다음 냉동바이알(cryovial)로 옮기고 10% 소태아혈청(fetal bovine
serum, FBS)을 포함하는 500 μl 배지에 재현탁시켰다. 무독성 동결보호제(nontoxic cryo-
protectant)로서, 10% FBS 및 20% 디메틸 설폭사이드[(dimethyl sulfoxide, DMSO); 시
그마(Sigma), St. Louis, MO]를 함유한 표준 동결 원액(stock freezing solution)을 첨가하
여 10% FBS 및 10% DMSO를 포함하는 최종부피 1 mL의 동결 용액(freezing solution)
을 만들었다. 이것은 액체 질소에서 동결되는 동안 렌티큘 내 세포 손상(intralenticular cell
damage)을 방지하는 데 도움이 되었다[12]. 기질 렌티큘(stromal lenticule)이 담긴 냉동바이
알(cryovial)의 동결은 -80°C 냉동고에서 냉동용기(cryo-container)내에서 제어된 냉각속도
로 밤새 수행되었고 다음 날 장기 보관(1개월)을 위해 액체 질소로 옮겨졌다. 이 접근법은
세포 내 얼음 형성으로 인한 손상을 줄이는 것으로 나타났다[11]. 1개월 후, 동결된 기질 렌
티큘(stromal lenticule)이 담긴 바이알을 37°C의 수조에서 빠르게 해동하고 PBS 용액으로
두 번 세척하여 동결보호제(cryoprotectant agents)를 제거하였다.

20.3   초미세구조적분석

투과전자현미경(transmission electron microscopy, TEM)에 의해 신선하고 냉동보존된 렌티큘에서 유사한 세포사멸(apoptotic) 및 정지 각막세포(quiescent keratocytes) 패턴이 관찰되었다[10](그림 20-1 a). 냉동보존 후, 렌티큘 아교질 섬유소 구조(lenticule collagen fibril architecture)는 단편화된 섬유소 또는 아교질 파괴 영역 없이 잘 보존되고 정렬된 구조로

a

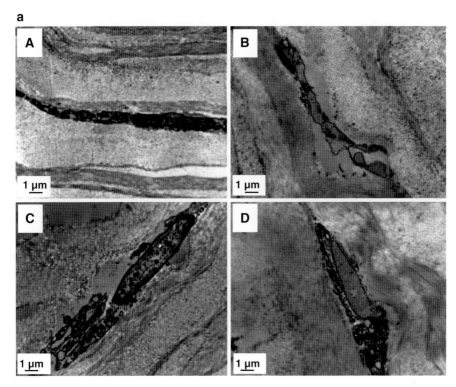

그림 20-1. **(a)** 각막세포keratocytes를 보여주는 기질 렌티큘(stromal lenticule)의 투과 전자 현미경 사진. **A, C**: 신선한 렌티큘(fresh lenticule). **B, D**: 냉동보존된 렌티큘(cryopreserved lenticule). **A, B**: 염색질 응축(chromatin condensation) 및 단편화(fragmentation), 세포사멸체(apoptotic bodies), 세포질 소실(loss of cytoplasm) 및 세포 수축(cell shrinkage)이 있는 세포사멸 각막세포(apoptotic keratocytes). **C, D**: 세포질(cytoplasm)에 불완전한 핵막 (nuclear membrane)과 액포(vacuoles)가 있는 괴사성 각막세포(necrotic keratocyte). 배율: 8900x.
(b) 아교질 섬유소(collagen fibrils)를 보여주는 기질 렌티큘(stromal lenticule)의 투과 전자 현미경 사진. **A, C**: 신선한 렌티큘(fresh lenticule). **B, D**: 냉동보존된 렌티큘(cryopreserved lenticule). **A, B**: 아교질 섬유소(collagen fibrils)의 횡단면. **C, D**: 아교질 섬유소(collagen fibrils)의 종단면. 배율: 50,000x

b

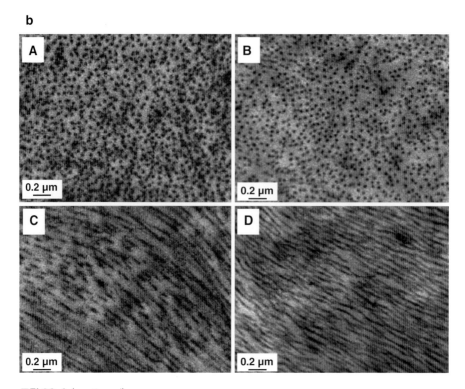

그림 20-1. (continued)

갓 추출된 렌티큘의 구조와 유사한 것으로 밝혀졌다. 이 규칙적인 아교질 구조와 조직은 해동 후에도 유지되었다(그림 20-1 b). 그러나 냉동보존 후 조직 수화(tissue hydration)로 인해 아교질 섬유소의 수에는 유의미한 변화가 없었음에도 불구하고(p= 0.09), 렌티큘 아교질 섬유소 밀도(lenticule collagen fibril density, CFD)가 냉동보존 후 더 낮았다(15.75 ± 1.56에서 12.05 ± 0.62, p= 0.02)[10]. 규칙적인 아교질 구조는 각막 투명도(cornea transparency)를 유지하는 핵심 요소 중 하나이다[13]. 따라서 렌티큘이 재이식을 위해 고려된다면 냉동보존 후 규칙적인 각막 아교질 구조의 유지가 중요하다.

20.4   세포사멸 검출

동결보존 후 TUNEL-양성 세포가 훨씬 더 많았고 주변부에 비해 렌티큘 중앙에서 DAPI로 염색된 세포 수가 비례적으로 감소하였다[10]. 그러나 전체적으로 TUNEL-양성 세포가 신선한 렌티큘과 냉동 보존된 렌티큘의 중앙보다 주변부에 더 많이 존재했다[10].

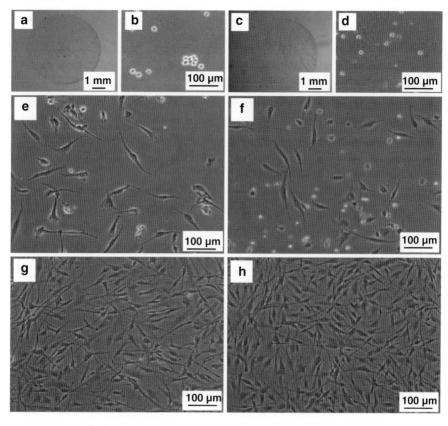

그림 20-2. ReLEx® 렌티큘에서 배양된 각막세포(keratocytes)의 대표 이미지.
(a, b, e, g) 신선한 시료. **(c, d, f, h)** 냉동보존 된 시료. **(a, c)** ReLEx® 렌티큘. **(b, d)** 아교질분해효소(collagenase)에서 최소 4시간 동안 효소 소화 후 자유 부동 기질 각막세포(free-floating stromal keratocytes). **(e, f)** 부착된 각막세포(keratocytes)는 배양 2일 째까지 방추형 섬유아세포(spindle-like fibroblastic cells)로 늘어나기 시작함. **(g, h)** 배양 7일 후 합류 기질 섬유아세포(confluent stromal fibroblasts)

이것은 중앙에 위치한 각막세포가 냉동보존 및 해동 과정에서 손상에 더 취약하지만 주변 손상이 FS 레이저에 의해 발생되었음을 의미한다.

20.5   시험관내 세포 생존력 및 유전자 발현 분석

생존 가능한 각막세포(keratocytes)는 신선한 렌티큘과 냉동보존 된 렌티큘 모두에서 배양할 수 있었고, 두 그룹 사이에 세포 형태(cellular morphology)나 증식 속도(prolifera-tion rates)에는 차이가 없었다[10, 13, 14](그림 20-2). 이것은 TEM 및 TUNEL 분석을 사용하여 죽은 각막세포(keratocytes)가 관찰되었지만 냉동보존 된 렌티큘 내에 분리 및 증식할 수 있는 생존 가능한 각막세포(keratocytes)가 충분했음을 시사한다.

유전자 발현은 각막세포 특이적 표지인자(keratocyte-specific markers)인 인간알데하이드탈수소효소(human aldehyde dehydrogenase 3A1, ALDH3A1) 및 케라토칸(keratocan, KERA)이 신선하고 냉동 보존된 각막세포(keratocyte)의 두 세포에서 모두 발견되는 것으로 나타났다[10]. 이 두 단백질 모두 각막 투명도(corneal transparency)유지에 관여한다[13, 14].

따라서 ReLEx®에서 추출한 기질 렌티큘(stromal lenticules)은 냉동 보존 후에도 생존할 수 있는 것으로 나타났다[10]. CFD가 감소했지만 전반적인 아교질 구조는 보존되었으며 각막세포 생존율(keratocyte viability)이 양호했다. 각막세포(keratocyte)는 각막 투명도 유지에 중요한 역할을 하는 것으로 나타났으며, 이는 향후 렌티큘을 재이식할 경우 중요할 수 있다[13-17]. 그러나 각막세포(keratocyte)의 세포가 제거된 각막 기질 단추(corneal stromal buttons)가 숙주 각막세포 이동(host keratocyte migration) 후 생존 가능한 것으로 나타났기 때문에, 냉동 보존 후 전반적인 아교질 구조적 무결성(collagen structural integrity)의 유지가 더 중요한 발견일 수 있다.

20.6   렌티큘 재이식

잠재적 가역성(potential reversibility)의 개념은 환자에게 수술 전 상태로 각막(corneas)을 회복할 수 있다는 확신을 제공하고, 향후 다른 치료를 가능하게 함으로써 환자에게 상당한 호소력을 가질 수 있다. 렌티큘 재이식(lenticule reimplantation)의 잠재적 사용에는 의인성 각막 확장증(iatrogenic corneal ectasia)의 교정이 포함되며, 여기서 얇아진 부위의 기질용적(stromal volume)이 회복된다. 이것은 확장 과정(ectatic process)을 추가로 저지하기 위해 추가 구조적 강화를 위해 렌티큘과 숙주 각막(host cornea) 모두에 수행되는 아교질 가교(collagen crosslinking)와 결합될 수 있다[19]. 또한 근시(near emmetropia)로 굴절 수술(refractive surgery)을 받은 이전 근시 환자(myopic patient)의 비우세(nondominant) 눈에 +1.5 또는 +2.0 D 도수로 재형성된 자가 렌티큘(autologous lenticule)을 재이식하여 단안시(monovision) 상태를 만드는 노안(presbyopia) 치료의 수단으로 사용할 수 있다[20]. 사전 동의(informed consent)와 혈청학적 검사(serology clearance)를 통해 노안(presbyopia)치료에 약간의 가능성을 입증하면서도 폴리머 생체 적합성(polymer biocompatibility) 및 각막 용해(corneal melting), 눈물막 두께(tear film thickness) 및 각막형태검사(corneal topography)의 변화, 각막 미란(corneal erosions) 및 인레이 주변 침착물(periinlay deposits)과 같은 합병증의 문제를 제거하는 합성 각막 굴절 인레이(synthetic corneal refractive inlay)와 동일한 방식으로 동종 생물학적 기질 내 인레이(allogenic biological intrastromal inlay)로 사용할 수도 있다[21-24].

자가 냉동보존 렌티큘 재이식 개념의 증명은 토끼와 장기 원숭이 모델에서 입증되었다[25, 26]. 토끼 모델에서 렌티큘 재이식은 수술 전 각막 두께를 회복시키고 단기간에 각막 혼탁과 상처 치유 반응을 최소화하는 것으로 나타났다[25]. 재이식 후 28일에 이식된 각막은 수술하지 않은 대조군 눈과 구별할 수 없었다. 원숭이에서 근시 교정(myopic correction) 후 자가 냉동보존 렌티큘 재이식의 안전성, 유효성 및 장기 결과가 추가로 평가되었으며, 각막 두께, 곡률 및 굴절상태 회복과 관련된 가역성의 가능성을 결정하는 데 중점을 두었다[26].

토끼는 한쪽 눈에서 –6.00 D ReLEx®[플렉스 (FLEx)] 교정을 받았고 반대쪽 눈은 수술하지 않은 대조군으로 사용되었다[27]. 해부학적 렌티큘 방향(anatomical lenticular orientation)을 유지하는 데 세심한 주의를 기울이면서 기질 렌티큘(stromal lenticules)을 경성 가스 투과(rigid gas permeable, RGP) 콘택트 렌즈[바슈롬(Bausch & Lomb)]로 옮겼다. 콘택트렌즈를 렌즈케이스에 넣었고 냉동보존 기술은 위에서 설명한 방법과 유사하게 실시하였다. 렌티큘의 재이식은 초기 ReLEx®[플렉스 (FLEx)]수술 후 28일 후에 수행되었다.

세극등(slit lamp) 사진에서 각막 투명도(corneal clarity)는 렌티큘 재이식 후 3일째부터 28일째까지 점진적으로 개선되었으며, 28일째에는 ReLEx®[플렉스 (FLEx)] 수술 전과 유사함을 보여주었다(그림 20-3 a). 이는 공초점 현미경검사(confocal microscopy) 측정을 기반으로 한 경계면 반사율(interface reflectivity)의 상응하는 감소와 일치했다: 렌티큘의 전방 및 후방 경계는 증가된 광반사율(light reflectance)을 나타내었고 재이식 후 3일째에 무세포였다. 14일째에는 두 경계면의 반사층(reflective layer)이 덜 두드러지고 각막세포(keratocytes)가 특히 렌티큘의 후방 경계면에서 관찰되었다(그림 20-3 b). 전방 및 후방경계의 반사율 수준(reflectivity level)은 연구 기간 동안 감소하는 것으로 나타났는데, 전방경계의 강도는 3일째 117.09 ± 20.67에서 28일째 83.73 ± 14.15로 감소하고 후방 경계의 강도는 3일째 105.15 ± 12.87에서 28일째 90.09 ± 14.10로 감소했다. 유의한 차이(p<0.05)는 두 경계면 모두에서 3일째와 대조군 사이 및 14일째와 대조군 사이에 관찰되었다. 재이식 후 최종 각막곡률 측정값(keratometry)은 수술 전 교정과 비교하여 -0.6 ± 0.8 D까지 감소하였다. AS-OCT에서는 재이식 후 3일째에 대조군에 비해 각막에 부종이 있는 것으로 나타났으나 이후 시점에서 정상으로 회복되었다(그림 20-4).

공초점 현미경(confocal microscopy)은 또한 3일에서 28일까지 정지 상태를 유지하고 형태와 활동에 변화가 없는 렌티큘의 중심 내에 상주하는 각막세포(keratocytes)를 보여주었다. 28일까지 전방 및 후방 렌티큘 경계(lenticular borders)에 재증식이 있었고 전방 및 후방 경계에 나타나는 각막세포(keratocytes)의 수가 증가했다. 증식하는 Ki67-양성 세포

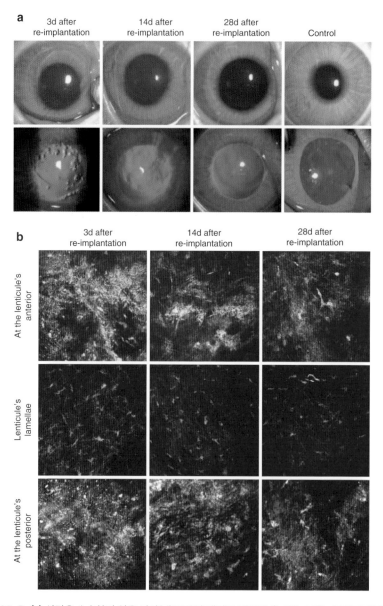

그림 20-3. (a) 상단은 수술하지 않은 각막(대조군)과 렌티큘 재이식 후 3일, 14일, 28일째 각막의 세극등(slit lamp) 사진을 보여준다. 하단은 대조군과 수술 후 각막의 역조명(retro illumination) 사진을 보여준다. (b) 렌티큘 재이식 후 3, 14, 28일째 각막의 생체 내 공초점 현미경 사진(in vivo confocal micrographs). 상단은 재이식된 각막 내 렌티큘의 전방 경계를 보여준다. 중간은 렌티큘의 박막층 (lenticule's lamellae) 내에 정지 각막세포(quiescent keratocytes)의 존재를 보여준다. 하단은 렌티큘의 후방 경계면을 보여준다. 렌티큘의 전방 및 후방 경계의 재증식(repopulation)은 28일째까지 발생한다[25].

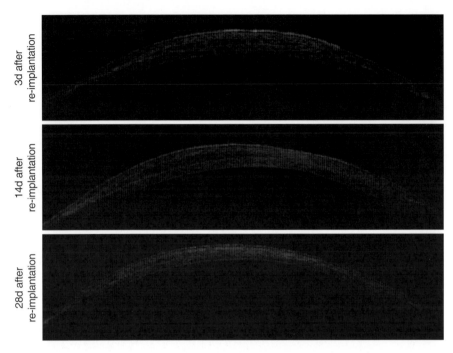

그림 20-4. 수술 후 각막의 일시적인 AS-OCT 이미지는 시간이 지남에 따라 조직 부종이 완화되는 것을 보여준다[25].

는 관찰되지 않았으며 면역조직화학적 염색(immunohistochemical staining)에서 렌티큘 내에서 소수의 세포소멸 TUNEL-양성 세포만이 발견되었다. 세포체 내에서 발견되는 수축성 세포골격 요소(contractile cytoskeletal element)인 팔로이딘(phalloidin)의 상대적으로 강한 염색에 의해 나타나는 세포 액틴(cellular actin)에 대한 양성 염색과 함께, 이는 렌티큘 경계(lenticular borders)의 재증식이 각막세포(keratocyte) 증식보다는 인접한 각막세포(keratocyte)의 세포 이동을 통해 발생했음을 암시한다. 이것은 아마도 부분적으로 렌티큘 자체에 생존 가능한 세포 집단이 포함되어 있기 때문일 것이다.

면역조직화학적 염색(immunohistochemical staining)에서 재이식된 각막에서는 근섬유아세포(myofibroblasts) 또는 섬유아세포(fibroblasts)가 검출되지 않았으며, 이는 a-SMA가 없는 것으로 나타났다. 이 두 세포 유형 모두 각막의 흉터 및 혼탁 형성과 관련이 있다[27, 28]. 백혈구 인테그린(leukocyte integrin) 62 (CD 18)는 소수의 세포에서만 발현되는 것으로 나타났으며 주로 렌티큘의 경계면에서 발견되었다; 이것은 각막 기질(corneal stroma) 내에서 다형핵 백혈구(polymorphonuclear leukocyte, PMN) 이동의 염증성 표지자 및 매개체이다. 일반적으로 각막 상피 세포(corneal epithelial cells)에서 발견되고 손상 후 각막 기질(corneal stroma)에서만 발견되는 테나신-C (tenascin-C)는 렌티큘 내에서 주로 전방 경계를 따라 검출되었다. 피브로넥틴(fibronectin)은 28일째 렌티큘의 전방 및 후방 경계를 따라 발현되었다. 피브로넥틴(fibronectin)과 테나신-C (tenascin-C)의 최소 발현에서 볼 수 있는 약한 치유 자극(weak healing stimulus), 렌티큘 재이식 후 및 염증의 미확인은 굴절 기질 재이식 수술(refractive stromal reimplantation procedures) 후 각막 선명도(corneal clarity)와 굴절 정확도(refractive accuracy)를 유지하는 데 유리하다.

　　원숭이 모델에서는 ReLEx®의 장기 효과를 연구하기 위해 8개의 눈, 렌티큘 재이식의 장기 효과를 연구하기 위해 14개의 눈, 면역조직화학 분석(immunohistochemical analysis)을 위해 대조군으로 2개의 눈을 사용하였다[26]. 눈은 –6.00 D ReLEx® [플렉스 (FLEx)] 근시 교정(myopia correction)을 받았고 추출된 렌티큘의 보관 및 냉동보존은 앞에서 기술된 대로 수행되었다[10, 25]. 렌티큘 재이식은 ReLEx® [플렉스 (FLEx)] 수술 후 4개월 후에 시행되었다. 각막 투명도(corneal clarity)는 재이식 후 3일차 2.43 ± 0.53에서 2주차 2.00 ± 0.58, 4주차 1.07 ± 0.73, 8주차 0.21 ± 0.27로 점진적으로 개선되었고 16주차에 0.14 ± 0.24로 안정화되었다. 8주차와 16주차에 재이식된 각막의 투명도는 수술 전 각막에 비해 유의한 차이가 없었다. 굴절 수술(refractive procedure)을 역전시키는 이 기술의 효과는 렌티큘 재이식 후 각막 두께, 곡률 및 굴절 오차 지수를 수술 전 값에 가깝게 복구함으로써 입증되었다: AS-OCT는 ReLEx® 전과 후의 각막 두께에서 유의한 차이(p< 0.001)를 보였으나, ReLEx® 전(425.05 ± 30.25 pm)과 렌티큘 재이식 후(423.76 ± 36.67 pm) 사이에 유의한 차이가 없었다. 각막곡률측정법(cornea keratometry)은 ReLEx® 수술 16주 후 각막이 편평해짐(54.1 ± 2.4 D)을 보였으나, 렌티큘 재이식 후 16주차에는 각막 중앙이 가팔라졌고 각막곡률측정값은 수술 전 각막과 유사하였다(58.0 ± 1.2D vs 58.6 ± 2.1 D, p= 0.506). ReLEx® 전과 재이식 후 각막 구면 오차(corneal spherical error)에는 유의한 차이가 없었다; ReLEx® 이전의 구면 오차(spherical error)는 -1.64 ± 0.56 D였으며, -6.00 D 근시 교정 후 16주차에 +4.29 ± 0.86 D가 되었으며(p< 0.001), 이는 눈이 의도한 교정으로부터 -0.07 ± 0.45D였음을 나타낸다. 굴절(refraction)은 렌티큘 재이식 후 16주차에 -1.64 ± 0.35 D로 회복되었다(p= 0.891).

　　공초점 현미경(confocal microscopy)을 이용한 분석에서 8주와 16주에 재이식된 렌티큘의 양쪽 경계면에서 각막세포(keratocytes)가 확인되었다. 8주째에는 렌티큘 중심 내에서 활성화되고 길어진 각막세포(keratocytes)가 관찰되었다. 그러나 16주째까지 대부분의 각막세포(keratocytes)가 정상 및 정지 상태를 나타냈고 수술 전 각막기질(corneal stroma)에서 관찰된 것과 유사했다. 8주째에 재이식된 렌티큘의 전방 및 후방 경계면을 따라 주로 존재하는 피브로넥틴(fibronectin)과 테나신(tenascin)에 의한 경미한 각막 상처 치유 반응(mild corneal wound healing reaction)이 있었고 이들 두 물질의 발현은 16주차까지 감소하였다(그림 20-5). 각막 기질(cornea stroma)에서 우세한 아교질 유형인 아교질 유형 I

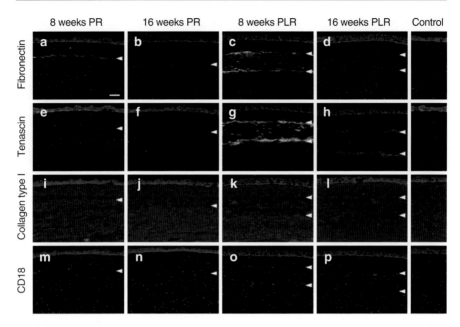

그림 20-5. 수술 후 중심 각막에서 피브로넥틴(fibronectin), 테나신(tenascin), 아교질 유형 I (collagen type I) 및 CD 18의 발현. **(a-d)** 피브로넥틴(fibronectin)은 주로 레이저 절개 부위나 렌티큘 경계면을 따라 나타났으며, ReLEx® 또는 굴절 렌티큘 재이식(refractive lenticule reimplantation) 후 시간이 지남에 따라 발현이 감소했다. **(e-h)** 테나신(tenascin)은 ReLEx® 후 8주와 16주에 절편(flap) 경계면을 따라 관찰되지 않았으나, 재이식 후 기질 렌티큘(stromal lenticule)의 경계를 따라 존재하였다. 염색 강도는 시간이 지남에 따라 약화되었다. **(i-l)** 아교질 유형 I (collagen type I)은 각막 기질(corneal stroma)의 전체 두께에서 균일하게 발현되었다. ReLEx® 후 및 재이식 후 각막에서 아교질 배열의 유의미한 이상은 관찰되지 않았다. **(m-p)** CD 18-양성 세포는 수술 후 모든 각막에서 보이지 않았다. 수술하지 않은 각막을 대조군으로 사용하였다. 화살표는 레이저 절개 부위 또는 렌티큘 경계면의 위치를 나타낸다. ReLEx® 후 PR, 렌티큘 재이식 후 PLR. 스케일(scale) 50 µm[26].

(Collagen type I)은 대조군과 수술 후 각막의 전 두께(full thickness)에서 균일하게 발현되어 정상적인 아교질 발현을 나타내며 각막 투명도(corneal transparency)를 유지하였다(그림 20-5). 백혈구 인테그린(leukocyte integrin) p2(CD 18)은 ReLEx® 후 및 이식 후 각막에서 발현되지 않았다(그림 20-5). 증식하는 Ki67-양성 세포 및 세포사멸 TUNEL-양성 세포는 렌티큘 내에서 발견되지 않았다. 재이식 후 8주차에 렌티큘의 전방과 후방부위에서 팔로이딘(phalloidin)의 염색이 상대적으로 강하게 나타났다(그림 20-6). ReLEx® 및 렌티큘 재이식 후 8주와 16주에 중심 각막에서 근섬유아세포(myofibroblasts)는 검출되지 않았다(a-SMA 부재로 나타남)(그림 20-7).

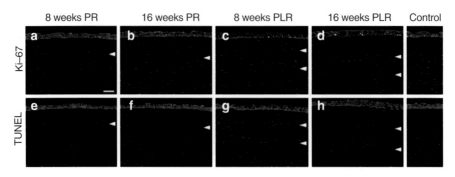

그림 20-6. 수술 후 중앙 각막에서 Ki-67, TUNEL 및 팔로이딘(phalloidin)의 면역형광 염색. **(a-d)** Ki-67 양성 세포(녹색 green)는 ReLEx® 및 굴절 렌티큘 재이식(refractive lenticule reimplantation) 후 8주와 16주에 각막 기질(corneal stroma)에서 발견되지 않았다. **(e-h)** 유사하게 TUNEL-양성 세포(녹색 green)의 존재는 각막 기질(corneal stroma)에서 검출되지 않았다. **a-h** 창에서 F-액틴(F-actin) 표지자(빨간색 red)인 팔로이딘(phalloidin)이 레이저 절개 부위 또는 렌티큘 경계면에서 관찰되었다. 그 존재는 시간이 지남에 따라 약화되었다. 핵은 DAPI (파란색 blue)를 사용하여 대조염색되었다. 수술하지 않은 각막을 대조군으로 사용하였다. 화살표는 레이저 절개 부위 또는 렌티큘 경계면의 위치를 나타낸다. ReLEx® 후 PR, 렌티큘 재이식 후 PLR. 스케일 바(scale bar) 50 µm[26].

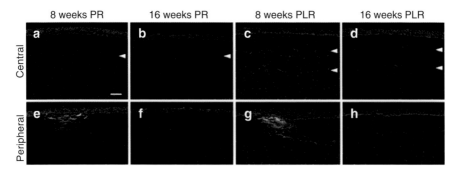

그림 20-7. 수술 후 중앙 각막과 말초 절편(flap)에서 평활근 액틴(a-smooth muscle actin, a-SMA)의 발현. **(a-d)** 근섬유아세포(myofibroblasts)의 표지자인 a-SMA[녹색(green)]는 ReLEx®와 굴절 렌티큘 재이식 후 8주와 16주에 중심 각막에 존재하지 않았다. **(e-h)** a-SMA [녹색(green)]는 절편(flap) 주변에서 발현되었고 ReLEx® 및 렌티큘 재이식 후 8주째에 상피하 F-액틴(F-actin)[빨간색(red)]과 함께 국소화되었지만, 상기 두 수술 실시한 후 16주째에는 존재하지 않았다. **a-h**창에서 a-SMA [녹색(green)]는 F-액틴(F-actin) 표지자[빨간색(red)]인 팔로이딘(phalloidin)으로 이중 면역염색 되었다. 화살표는 레이저 절개 부위 또는 렌티큘 경계면의 위치를 나타낸다. ReLEx® 후 PR, 렌티큘 재이식 후 PLR. 스케일 바(scale bar) 50 µm[26].

기질 용적 복원(stromal volume restoration)을 위한 현재의 임상 방법은 외과적 절개와 숙주 기질을 기증자 기질 조직으로 대체하는 전부층판각막이식(anterior lamellar kerato-plasty)의 다양한 기술에 주로 국한되어 있다[29]. 이는 기술적으로나 외과적으로 까다롭고 이식 거부반응이 초래될 위험이 있다[30]. 상층각막렌즈이식(epikeratophakia)은 1990년대 유행한 기질 용적 복원 기술(stromal volume restoration technique)의 또 다른 방법으로, 숙주 각막 상피(host corneal epithelium)를 제거하고 숙주 상피(host epithelium)가 치유될 오버레이 동종이식(overlay allograft)으로서 냉동 기증자 각막 렌티큘(cryolathed donor corneal lenticule)를 보우만막(Bowman's membrane)에 봉합하여 고정하는 것을 포함했다[31, 32].

그러나 부정확한 굴절결과(imprecise refractive outcomes)와 경계면 흉터(interface scar-ring)와 같은 수술 후 합병증으로 인해 이 기술이 널리 보급되지 못했다. 대조적으로 렌티큘 재이식을 포함하는 ReLEx®는 층판 정확도(lamellar accuracy) 및 굴절 교정(refractive correc-tion) 면에서 상당한 이점이 있을 뿐만 아니라 자가 임플란트(autologous implant)에 사용할 때 조직 거부의 위험과 수술 후 장기간의 국소 면역 억제의 필요성을 피할 수 있다. 염증과 상처 치유 과정의 상대적 부재(relative absence)[25, 26]는 기질 내 수술(intrastromal procedure)의 결과로써 표면 관련 상처 치유 시술(surface-related wound healing procedure)을 포함하는 상층각막렌즈이식(epikeratophakia)에 비해 경계면 혼탁(interface haze)이 더 적다.

20.7 노안치료에 대한 잠재성

이전에 근시 교정을 위해 ReLEx®를 받은 적이 있는 노안 환자에서 단안시력 교정을 달성하기 위해 2차 굴절 수술(secondary refractive surgical procedure), 즉 라식 수술을 수행하기 위한 가능성이 스마일수술의 토끼 모델에서 입증되었다. 각막 혼탁과 염증 세포는 수술 후 초기 생체 내 공초점 현미경(in vivo confocal microscopy)에서 재이식된 렌티큘의 전방 및 후방 경계에서 관찰되었으며 5주 간의 추적관찰(Follow-up)기간 동안 점차적으로 해소되었다. 이 관찰은 각막 선명도의 점진적인 개선이 관찰된 세극등(slit-lamp) 검사에 의해 확인되었다. 모든 사례에서 미만 층판 각막염(diffuse lamellar keratitis)과 같은 합병증은 관찰되지 않았다. 피브로넥틴(fibronectin), CD11b, Ki67, TUNEL의 면역조직화학염색은 렌티큘 재이식 5주 후 대조군 각막과 차이가 없었다.

전방 분절(anterior segment) OCT는 렌티큘(enticule) 재이식 및 라식수술 후 일시적인 각막 비후를 보여주었으며, 이는 염증 반응 및 각막 부종에 기인한 것으로 보인다. 재이식된 렌티큘은 전방 기질의 엑시머 레이저 절삭(excimer laser ablation) 후 더 얇아졌다. 공초점 현미경(confocal microscopy)으로 전방 및 후방 기질-렌티큘 경계면(stromal-lenticular interfaces)이 확인되었으며, 재이식 후 1주째에 양쪽 평면에서 증가된 반사율(reflectance)

및 무세포성(acellularity)을 관찰하였다. 각막세포 재증식(keratocyte repopulation)은 재이
식 후 빠르면 3주 후에 나타났다. 라식 후, 엑시머 레이저로 절삭된 기질 평면과 일치하는
산재된 입자가 있는 고반사 및 무세포 층이 전방 경계면(anterior interface)에서 관찰되었
다. 스마일수술 후 라식을 시행한 눈과 단독 라식을 시행한 눈 사이 경계면의 반사율 수준
은 유의한 차이가 없었고(p= 0.310), 또한 유사한 수의 염증 세포(p= 0.304)와 사멸 세포
(p= 0.198) 뿐만 아니라 피브로넥틴(fibronectin)의 패턴 및 발현 수준도 유사했다. 이러한
결과는 이전에 스마일수술 및 이후 렌티큘 재이식을 받은 각막에 라식을 시행한 후 자연
그대로의 눈(virgin eyes)과 비교하여 각막 조직 반응 및 수술 후 초기 각막 혼탁 발생에 유
의한 차이가 없음을 시사한다.

20.8   인간에서 렌티큘의 잠재적 사용

ReLEx® 스마일수술을 시행하는 눈의 수가 증가하고 부산물로 추출된 렌티큘이 증가
함에 따라 냉동보존을 사용하여 이러한 렌티큘을 장기간 보존하기 위해 조직 은행(tissue
banks)이 설립되었다. 인간에 대한 첫 번째 보고서에서 스마일수술로 근시 기증자로부터
얻은 동종이계 렌티큘(allogeneic lenticule)을 무수정체증(aphakia)에 수반되는 고도 원시
(high hypermetropia)의 교정을 위해 젊은 개인에게 이식했다[34]. 비쥬맥스를 사용하여 주
머니 층판 절개부(pocket lamellar incision)를 만든 다음 상부 경계면을 분리하고 작은 절
개부를 통해 기증자 렌티큘을 삽입했다. 1년 후 망막검영 굴절력(retinoscopy refraction)은
+7.50 -3.00 x 150 이었고, 구면 등가 감소(spherical equivalent reduction)는 5.52 D, 평균
각막 곡률력(mean keratometric power)은 2.91 D 증가했다. 후방 표면 변화(후방 표면 높
이가 전방으로의 중앙 돌출로 인해 크게 변화됨) 및 상피 리모델링(epithelial remodeling)
으로 인해 의도된 교정의 50%만이 달성되었다. 그러나 이전 원숭이 및 토끼 연구에서 확
인된 수술 후 1년 동안 부작용(adverse side effects)은 관찰되지 않았다.

그 후 냉동보존 렌티큘을 사용한 저도 원시(lower hyperopia)에 대한 두 번째 연구에
서 안전성(safety), 유효성(efficacy) 및 재현성(reproducibility) 측면에서 유망한 결과를 보
여주었다[35]. 원시 환자에 대한 임상 시리즈에서 비쥬맥스® FS 레이저를 사용하여 160 ㎛
깊이와 4 mm 각막상부 절개 부위에 직경 7.5 mm 주머니를 만드는 렌티큘 이식 기술[FS
레이저 기질 내 렌티큘 이식(FS laser intrastromal lenticular implantation, FILI)]이 사용되
었다. 렌티큘은 동물성 전염(zoonotic transmission)의 위험을 줄이기 위해 소 혈청 알부민
(bovine serum albumin)을 인간 조직 배양 배지(human tissue culture media)로 교체하는
것을 제외하고는 앞서 설명한 대로 냉동보존되었다[10]. 렌티큘의 평균 냉동보존 기간은
96일(19-178일)이었다. 이전에 Barraquer[36]가 가정한 바와 같이 환자의 각막에 생성된 주

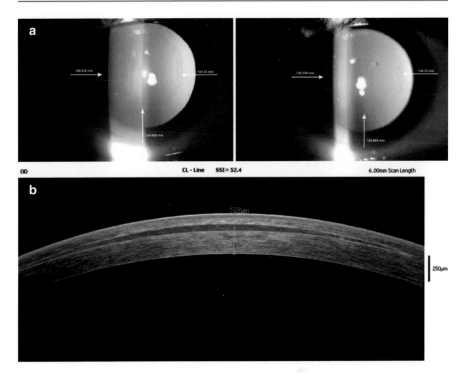

그림 20-8. (a) 오른쪽 눈의 +6.5 D 원시를 교정하기 위해 FILI 시술을 받은 32세 여성의 연속 디지털 사진(16x). 사진은 수술 후 15일째와 6개월째에 촬영되었다. 렌티큘의 가장자리에서 윤부(limbus)까지의 거리를 3개 지점에서 측정하고 방문할 때마다 확인하여 센터링 및 위치 이동을 확인했다.
(b) +6.5 D 원시로 치료받은 눈의 수술 후 6개월째 전안부 빛간섭 단층촬영(anterior segment optical coherence tomography)에서 선명하고 중심이 잘 맞는 렌티큘을 보여준다[35].

머니(pocket)에 두께와 굴절력이 알려진 렌티큘을 추가삽입하여 각막을 더 가파르게 만들었다. 세이벨(Seibel) 주걱(spatula)으로 절개를 열고 주머니의 평면(plane of pocket)을 분리(dissect)했다. 그런 다음 냉동보존된 렌티큘의 중앙에 염료(gentian violet dye)로 표시를 하고 주머니에 삽입하여 중앙을 동공 중앙(pupillary center)과 정렬했다. 굴절 결과의 불확실성과 노모그램(nomograms)의 새로움(novelty) 때문에 모든 환자의 이식을 위해 160 μm의 깊이가 선택되어 의사가 필요할 경우 나중에 표면절삭 보강수술(enhancement with surface ablation)을 위해 뚜껑(cap)에 적절한 조직을 가질 수 있도록 했다(그림 20-8).

　모든 눈은 중앙 3 mm 영역(zone)에서 전방 각막곡률측정법(anterior keratometry)의 평균 변화가 3.5 D인 중심 각막 경사(central corneal steepening)가 있었다. 모든 눈에서 후방 각막 곡률(posterior corneal curvature)의 평균 0.33 D 편평화(flattening)가 있었고, 이는 얇

은 것에 비해 두꺼운 렌티큘에서 더 많이 보였다(그림 20-9). 모든 눈에서 수술 후 Q 값은 더 음값(평균 Q값이 -0.38에서 -0.89로 변함)이 되어 과뾰족형의 이동(hyperprolate shift)을 시사한다. FILI 후 비구면의 이러한 변화는 조직 추가 후에 예상되지만 관찰된 변화는 원시 라식(hyperopic LASIK)후에는 많이 나타나지 않았다[37]. 조직첨가술 (tissue additive procedure) 후 각막의 모양은 중간 주변 조직(mid-peripheral tissue)을 절삭하여 각막을 가파르게 만드는 굴절교정레이저각막절제술(photorefractive keratectomy) 및 라식과 같은 조직절제술(tissue subtractive procedures)에 비해 더 자연스럽다. 레이저 수술에 의한 원시의 교정은 높은 굴절 오차에서 유의미한 퇴행(significant regression in higher degrees of refractive errors) 및 고차 수차(HOAs)의 유도(induction of higher-order aberrations) (HOAs)와 관련될 수 있다[38, 39]. FILI 후 총 HOAs는 정상 허용 값 내에서 유지되었으며 수술 후 유의한 증가를 보이지 않았다(p> 0.05). 이 시술은 모든 눈이 ±1.0 D 이내의 잔여 구면 등가(residual spherical equivalence)를 갖는 중등도 원시의 치료에서 예측 가능했지만 고도 원시[예: 무수정체증(aphakia)]의 치료에서는 결과가 매우 정확하지 않았다: 무수정체의 눈(aphakic eye)은 잔여 구면대응값(residual spherical equivalence) +4.1 D를 가졌다.

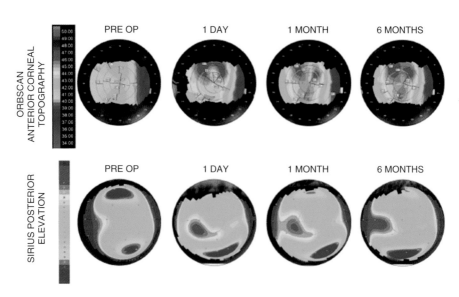

그림 20-9. +6.5 D 원시가 있는 눈에 대한 FILI 수술 후 6개월 동안의 Orbscan 앞 각막 표면 형태 검사(Orbscan anterior corneal surface topography) (위) 및 Sirius 뒤 올림(Sirius posterior elevation)(아래)[35]

20.9 결론

　기술된 냉동보존 기술은 인간 대상자에서 사용하기 위해 ReLEx® 후에 추출된 굴절 렌티큘을 장기간 보관하는 안전한 방법인 것으로 보인다. 예비시험 결과(preliminary results)는 렌티큘의 재이식이 근시 교정용 ReLEx® 시술 후 기질 용적을 회복하고(restoring stromal volume) 낮은 수준의 원시(low levels of hyperopia)를 치료하기 위한 실행 가능한 기술임을 보여준다. 작은 광학 노안 렌티큘(small optic presbyopic lenticules)으로 재형성되는 렌티큘을 조사하는 추가 연구가 현재 진행 중이다.

　동종이식 렌티큘(allograft lenticules)의 경우, 각막 이식을 위해 안구 은행 각막 조직 기증자에게 요구되는 것과 유사한 기증자의 사전동의 및 완전한 혈청학적 평가(full serological evaluation)가 필요하다.

참고문헌

1. Blum M, Kunert K, Schroder M, Sekundo W (2010) Femtosecond lenticule extraction for the correction of myopia: preliminary 6-month results. Graefes Arch Clin Exp Ophthalmol 248:1019-1027.
2. Sekundo W, Kunert K, Russmann C et al (2008) First efficacy and safety study of femtosecond lenticule extraction for the correction of myopia: six month results. J Cataract Refract Surg 34:1513-1520.
3. Sekundo W, Kunert KS, Blum M (2011) Small incision corneal refractive surgery using the small incision lenticule extraction (SMILE) procedure for the correction of myopia and myopic astigmatism: results of a 6 month prospective study. Br J Ophthalmol 95:335-339.
4. Shah R, Shah S, Sengupta S (2011) Results of small incision lenticule extraction: all-in-one femtosecond laser refractive surgery. J Cataract Refract Surg 37:127-137.
5. Capella JA, Kaufmann HE, Robbins JE (1965) Preservation of viable corneal tissue. Cryobiology 2:116-121.
6. Eastcott HH, Cross AG, Leigh AG, North DP (1954) Preservation of corneal grafts by freez-ing. Lancet 266:237-239.
7. Oh JY, Kim MK, Lee HJ, Ko JH, We WR, Le JH (2009) Comparative observation of freeze-thaw-induced damage in pig, rabbi, and human corneal stroma. Vet Ophthalmol 12:50-56.
8. Halberstadt M, Bohnke M, Athmann S, Hagenah M (2003) Cryopreservation of human donor corneas with dextran. Invest Ophthalmol Vis Sci 44:5110-5115.
9. Oh JY, Lee HJ, Khwarg SI, Wee WR (2010) Corneal cell viability and structure after transcor- neal freezing-thawing in the human cornea. Clin Ophthalmol 4:477-480.
10. Mohamed-Noriega K, Toh KP, Poh R et al (2011) Cornea lenticule viability and structural integrity after refractive lenticule extraction (ReLEx) and cryopreservation. Mol Vis 17:3437-3449.
11. Hunt CJ (2011) Cryopreservation of human stem cells for clinical application: a review. Transfus Med Hemother 38:107-123.
12. Hayakawa J, Joyal EG, Gildner JF et al (2010) 5 % dimethyl sulfoxide (DMSO) and pen-tastarch improves cryopreservation of cord blood cells over 10 % DMSO. Transfusion 50:2158-2166.
13. Hassell JR, Birk D (2010) The molecular basis of corneal transparency. Exp Eye Res 91:326-335.
14. Pei Y, Reins RY, McDermott AM (2006) Aldehyde dehydrogenase (ALSH) 3A1 expression by the human keratocyte and its repair phenotypes. Exp Eye Res 83:1063-1073.
15. West-Mays JA, Dqivedi DJ (2006) The keratocyte: corneal stromal cell with variable repair phenotypes. Int J Biochem Cell Biol 38:1625-1631.
16. Jester JV (2008) Corneal crystalline and development of cellular transparency. Semin Cell Dev Biol 19:82-93.

17. Fini ME, Stramer BM (2005) How the cornea heals: cornea-specific repair mechanisms affecting surgical outcomes. Cornea 24:S2-S11.

18. Amanos S, Shimomura N, Yokoo S, Araki-Sasaki K, Yamagami S (2008) Decellularizing corneal stroma using N2 gas. Mol Vis 14:878-882.

19. Caster AI, Friess DW, Schwendeman FJ (2010) Incidence of epithelial ingrowth in primary and retreatment laser in situ keratomileusis. J Cataract Refract Surg 36:97-101.

20. Goldberg DB (2001) Laser in situ keratomileusis monovision. J Cataract Refract Surg 27:1449-1455.

21. Waring GO 4th, Klyce SD (2011) Corneal inlays for the treatment of presbyopia. I nt Ophthalmol Clin 51:51-62.

22. Dexl AK, Ruckhofer J, Riha W, Hohensinn M, Rueckl T et al (2011) Central and peripheral corneal iron deposits after implantation of a small-aperture corneal inlay for correction of presbyopia. J Refract Surg 27:876-880.

23. Evans MD, Prakasam RK, Vaddavalli PK, Hughes TC, Knower W et al (2011) A perfluo-ropolyether corneal inlay for the correction of refractive error. Biomaterials 32:3158-3165.

24. Mulet ME, Alio JL, Knorz MC (2009) Hydrogel intracorneal inlays for the correction of hyperopia: outcomes and complications after 5 years of follow-up. Ophthalmology 116:1455-1460.

25. Angunawela RI, Riau A, Chaurasia SS et al (2012) Refractive lenticule re-implantation after myopic ReLEx: a feasibility study of stromal restoration after refractive surgery in a rabbit model. Invest Ophthalmol Vis Sci 53(8):4975-4985.

26. Riau AK, Angunawela RI, Chaurasia SS, Lee WS, Tan DT, Mehta JS (2013) Reversible fem-tosecond laser assisted myopia correction: a non-human primate study of lenticule re-implantation after refractive lenticule extraction. PLoS ONE 8(6), e67058. doi: 10.1371/ journal.pone.0067058.

27. Wilson SE (2002) Analysis of the keratocyte apoptosis, keratocyte proliferation, and myofibroblast transformation responses after photorefractive keratectomy and laser in situ keratomileusis. Trans Am Ophthalmol Soc 100:411-433.

28. Netto MV, Mohan RR, Sinha S, Sharma A, Dupps W, Wilson SE (2006) Stromal haze, myofibroblasts, and surface irregularity after PRK. Exp Eye Res 82:788-797.

29. Bromley JG, Randleman JB (2010) Treatment strategies for cornea ectasia. Curr Opin Ophthalmol 21:255-258.

30. Klebe S, Coster DJ, Williams KA (2009) Rejection and acceptance of corneal allografts. Curr Opin Organ Transplant 14:4-9.

31. Kaminski SL, Biowski R, Koyuncu D, Lukas JR, Grabner G (2003) Ten year follow-up of epikeratophakia for the correction of high myopia. Ophthalmology 110:2147-2152.

32. Spitznas M, Eckert J, Frising M, Eter N (2002) Long-term functional and topographic results seven years after epikeratophakia for keratoconus. Graefes Arch Clin Exp Ophthalmol 240:639-643.

33. Lim CHL, Riau AK, Lwin NC, Chaurasia SS, Tan DT, Mehta JS (2013) LASIK following small incision lenticule extraction (SMILE) lenticule re-implantation: a feasibility study of a novel method for treatment of presbyopia. PLoS ONE 8(12), e83046.

34. Pradhan KR, Reisntein DZ, Carp GI et al (2013) Femtosecond laser-assisted keyhole endo- keratophakia: correction of hyperopia by implantation of an allogeneic lenticule obtained by SMILE from a myopic donor. J Refract Surg 29:777-782.

35. Ganesh S, Brar S, Rao PA (2014) Cryopreservation of extracted corneal lenticules after small incision lenticule extraction for potential use in human subjects. Cornea 33(12):1355-1362.

36. Barraquer JI (1993) Refractive corneal surgery. Experience and considerations. An Inst Barraquer 24:113-118.

37. Chen CC, Izadshenas A, Rana MA et al (2002) Corneal asphericity after hyperopic laser in situ keratomileusis. J Cataract Refract Surg 28:1539-1545.

38. Goker S, Kahvecioglu C (1998) Laser in situ keratomileusis to correct hyperopia from +4.25 to +8.00 diopters. J Refract Surg 14:26-30.

39. Pesudovs K (2005) Wavefront aberration outcomes of LASIK for high myopia and hyperopia. J Refract Surg 21:S508-S512.

특별한 사례의 스마일수술

21

Moones Abdalla, Osama Ibrahim / 이성준

목차

이 책의 앞부분에서 언급했듯이 스마일수술은 정상 각막에서 뛰어난 효능과 정확성을 보여주었다. 다른 굴절 기술보다 독특하고 특별한 장점이 있으며 절편이 없고(flapless) 덜 침습적이다. 또한 더 나은 생체역학적 안정성(biomechanical stability)[1]과 함께 각막 내에서 필요에 따라 해당 기법을 조정하고 집중시킬 수 있는 능력은 스마일수술을 이 장에서 논의될 특별한 사례(special cases)를 처리하는 합리적인 기술로 만들었다.

21.1 스마일수술과 교차결합(CXL)

이론적으로 스마일수술은 절편(flap)을 생성하지 않으며 렌티큘 위의 기질을 거의 건드리지 않고 남겨둔다. 이는 각막 생체역학(corneal biomechanics)의 변화를 최소화하는

절차로서 라식에 비해 생체역학적인 이점(biomechanical advantages)이 있다[2, 3]. 그러나 이러한 스마일수술의 생체역학적 이점에 대해 발표된 연구는 그다지 많지 않다.

스마일수술에서 굴절 기질 조직 제거(refractive stromal tissue removal)는 더 깊은 기질에서 일어나 더 강한 전방 기질을 손상시키지 않고 남겨두므로 주어진 굴절 교정에 대해 라식보다 더 큰 인장 강도(tensile strength)를 가진 각막이 남는다[4, 5]. Randleman의 데이터를 기반으로 모델은 스마일수술 후 인장 강도(postoperative tensile strength)가 굴절교정레이저각막절제술 보다 약 10%, 라식보다 25% 더 높을 것으로 예측했다[6].

의심스러운 각막형태검사(suspicious topography)나 얇은 각막(thin corneas)으로 인해 기존의 레이저 시력 교정이 선호되지 않는 경우, 스마일수술과 기질 내 아교질 교차결합(intrastromal collagen cross-linking, CXL)을 결합하면 스마일수술 단독의 안전성(safety), 예측 가능성(predictability) 및 안정성(stability)이 추가될 것으로 예상했다. 또한 잠재원추각막(forme fruste keratoconus, FFKC) 또는 초기 원추각막(early keratoconus)이 있는 눈에서 CXL과 스마일수술을 결합하면 각막을 강화하여 확장성 질환(ectatic disease)의 진행을 막는 동시에 나안 시력(unaided vision)개선에 대한 환자의 요구를 충족시킬 수 있다고 추론했다. 이 전향적 연구(prospective study)에는 라식에 적합하지 않은 각막형태검사(topography) 소견이 있거나 FFKC가 진단된 근시성 난시(myopic astigmatism)를 앓고 있는 18명의 환자의 34개 눈이 포함되었다. 또한 최소 1년 동안 안정적인 굴절 및 각막형태검사 소견을 가졌으며, CDVA > 0.7 (Snellen decimal), 중심 각막 두께(central corneal thickness) > 460 μm 및 연령 > 21세의 환자가 포함되었다.

21.1.1 수술 기법

스마일수술은 비쥬맥스(VisuMax®) 500 kHz 레이저를 사용하여 수행되었다. 모든 사례는 100 μm 절편(cap)과 최소 300 μm의 잔여 기질층(residual stromal bed)을 가지고 있었다. 등장성 리보플라빈(isotonic riboflavin)을 5분 간격으로 3회 주머니에 주입(intrapocket injection)한 다음 18mW/cm2를 사용하여 5분간 UV 조사(irradiation)했다. 생체역학적 안정성(biomechanical stability)은 Corvis® ST를 사용하여 평가되었으며, IOP와 변형 진폭(deformation amplitude)을 측정하고 상호 연관성을 조사하였다.

21.1.2 결과

평균 환자 연령은 29.4 ± 5.63 (22-35)이었다. 수술 전 평균 굴절력(mean preoperative refraction)은 -3.97 ± 1.87 D 구면(sphere) (범위: -6.0~-1.25) 및 -2.85 D 실린더(cylinder) (범위: -0.75~-4.25)였다. 수술 후 평균 구면굴절력(mean postoperative spherical refraction)

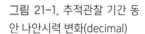

그림 21-1. 추적관찰 기간 동안 나안시력 변화(decimal)

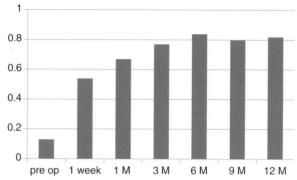

은 -0.14 ± 0.73 D (범위: -1.25~+1.5), 평균 난시(mean astigmatism)는 -0.38 ± 0.45 D 였다. 추적관찰(follow-up) 종료 시 72%는 ±0.5 이내, 89%는 ±1.0 D 이내였다. 평균 UCVA의 변화는 (그림 21-1)에서 보여주고 있다. 혼탁으로 인한 시력 회복 지연이 관찰되었으며 수술 후 1-3개월에 개선되는 것으로 나타났다.

21.1.3 각막형태적 변화

예 1(그림 21-2), 예 2(그림 21-3), 원추각막(keratoconus)의 가족력이 있는 −5 스페어 (sphere), -1 실린더(cylinder)를 가진 24세 남자 환자: 라식에 대한 금기 사항으로 간주되는 요인의 결과로써 스마일수술과 CXL을 시행하기로 결정했다.

수술 후, CXL의 점진적인 효과로 인해 더 편평해진 것이 관찰되었으며 시간이 지남에 따라 더 많은 안정성을 얻은 것으로 짐작된다. 이러한 점진적인 편평화(flattening) 패턴은 약 35%의 사례에서 관찰되었다.

Corvis® 기술을 사용하여, 평균 변형 진폭(mean deformation amplitude)은 수술 전 1.38 mm ± 0.29였다. 수술 1개월 후 평균 변형 진폭은 1.19 mm ± 0.29로 감소했다. 이후 추적관찰 기간 동안 의미있는 변화는 없었다(자세한 내용은 동영상 2 및 3 참조).

지금까지 치료된 모든 사례는 1년까지의 추적관찰 기간 동안 각막형태적 안정성 (topographic stability)을 보였다. (그림 21-4)는 스마일수술과 CXL을 결합한 후 각막의 Scheimpflug 이미지를 보여준다.

결론적으로 스마일수술과 주머니속 교차결합(in-the-pocket cross-linking)은 기존의 레이저 굴절 수술(conventional laser refractive surgery)이 금기인 환자에서 안전하고 예측 가능하며, 안정적인 치료 옵션이 될 수 있다. 일시적인 혼탁 형성(transient haze formation)과 관련된 지연된 시력 회복(delayed visual recovery)은 위에서 기술한 CXL 요법을 사용한 이 절차의 일시적인 결점이었다. 이 결합된 수술의 가능한 최상의 결과를 보장하기 위해 추가 후속 조치, 더 많은 샘플, 다양한 리보플라빈 제제 및 적용 기술을 연구해야 한다. 게다가 현재 이 접근 방식의 경계를 모른다: 이것은 아래의 다음 사례 보고서에서 볼 수 있는 것처럼 추가적인 전향적 연구에서 규명되어야 할 것이다.

21.2 진행성 원추각막에 대한 각막내 링 이식(ICR)후 스마일수술과 CXL결합: 사례 보고서

이전에 CXL을 시행한 원추각막 환자(keratoconus patients)에서 스마일수술을 시행하면 교차결합된 조직(cross-linked tissue)이 제거되므로 원추각막(keratoconus)의 진행 및 재발을 우려하여 다시 주머니 내 CXL(intra-pocket CXL)을 시행하였다.

이것은 11개월 전에 양쪽 눈에 ICR을 이식한 양측성 원추각막 bilateral KC를 앓고 있

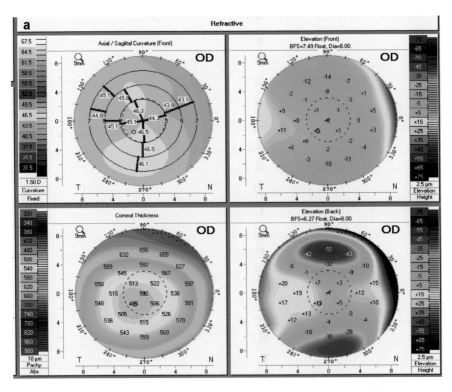

그림 21-2. **(a)** 굴절 수술(refractive surgery)을 받으려는 22세 남성의 Pentacam® 이미지는 라식(LASIK)에 대한 금기로 간주되는 하측두엽 가파름(inferotemporal steepening)이 있는 얇은 각막을 보여준다. 따라서 스마일수술과 CXL을 결합하여 시행했다(combined SMILE and CXL). **(b)** 동일한 환자의 Pentacam® 이미지에서 수술 후 3개월째에 각막형태적 안정성(topographic stability)을 보였으며, 모든 사례에서 확장(ectasia)의 증거는 관찰되지 않았다.

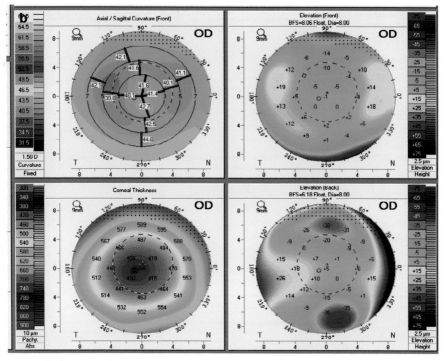

그림 21-2. (continued)

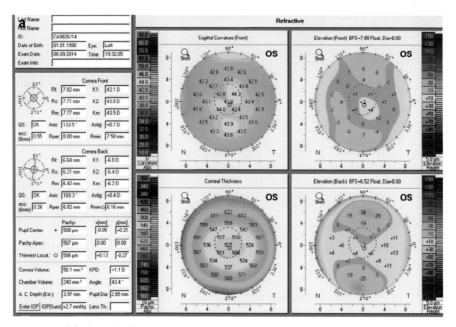

그림 21-3. (a) 이것은 환자 왼쪽 눈의 불규칙한 각막형태검사(irregular topography)를 묘사한다. 특히 각막두께지도(pachymetry map)와 후방 각막형태(posterior float)은 규칙적으로 나타난다. (b) 수술 후 1개월 각막형태검사: 아래 가파름(inferior steepening)이 나타남. (c) 수술 후 3개월 후 전방 각막(anterior cornea)이 더 편평하고 얇아짐.

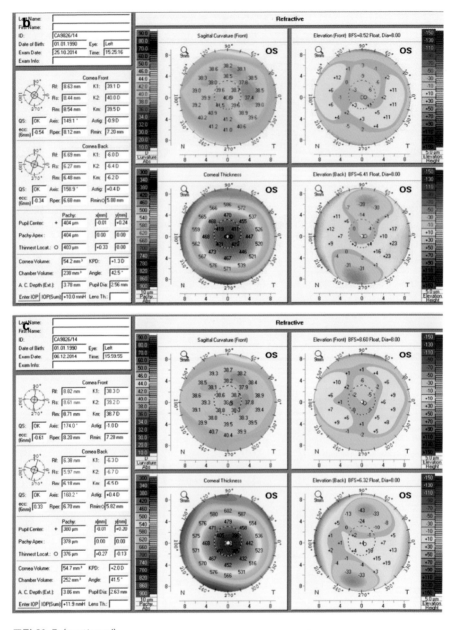

그림 21-3. (continued)

는 29세 여성의 사례 보고이다. 환자 왼쪽 눈의 나안시력(UCVA)은 0.3이었고 현성 굴절력(manifest refraction)은 -1.5, 5.0 x 65이었다. 이 굴절은 7개월 동안 안정적이었고 교정시력 (CDVA)는 0.8이었다. ICR에 의해 질병이 일시적으로 안정화되었음에도 불구하고 환

그림 21-4. 스마일수술과 CXL을 병합시행(combined SMILE and CXL)후 각막의 CXL 경계선(CXL demarcation line)을 확인하시오.

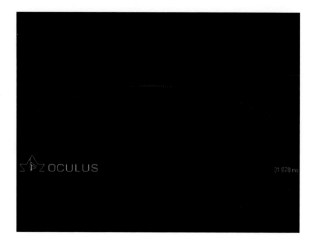

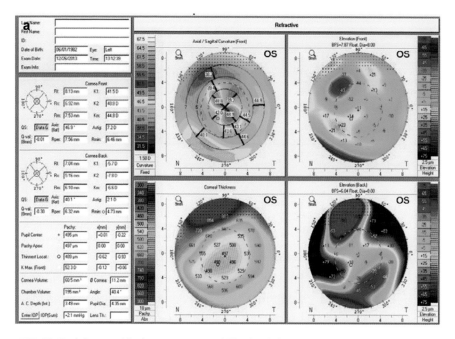

그림 21-5. (a) ICR 시술 후 post-ICR, 스마일수술 이전(before SMILE)의 각막형태적 결과(topographic results)를 보여주는 Scheimpflug 이미지. (b) ICRs을 시행한 원추각막(keratoconus)에서 스마일수술을 위한 레이저 설정(laser settings)

Corneal surgery – SMILE   OD○ | ●OS

Diagnostic data

Cornea vertex distance [mm]:	12.00
Manifest	
Sphere [D]:	-1.50
Cylinder [D]:	-5.00
Axis [°]:	65
Corneal radius [mm]:	7.53
Mean K-reading [D]:	44.82
Pachymetry [μm]:	489

Treatment data

Treatment pack size:	S	**Nomogram info**	
Suction time [hh:mm:ss]:	00:00:31	Refraction, Version 2.2	
		Lenticule data	
Cap data		Optical zone [mm]:	5.00
Diameter [mm]:	6.00	Transition zone [mm]:	0.10
Thickness [μm]:	100	Thickness [μm]:	Min: 10 Max: 66
Side cut angle [°]:	70	Side cut angle [°]:	130
Incision position [°]:	120	**Refractive correction**	
Incision angle [°]:	57	Sphere [D]:	-1.50
Incision width [mm]:	3.00	Cylinder [D]:	-5.00
		Axis [°]:	65

Expected result

SMILE cuts created.

Remaining refraction	
Sphere [D]:	0.00
Cylinder [D]:	0.00
Axis [°]:	65
RST [μm]:	323

그림 21-5. (continued)

자는 나안시력(unaided vision)이 좋지 않아 만족하지 못했다. 경성콘택트렌즈(rigid contact lens)는 옵션이 아니었다. 환자의 각막형태검사는 (그림 21-5)에 나와있다.

ICR 후 잔여 굴절 오차(residual refractive error)를 교정하는 것은 어려울 수 있다. 각막형태검사 유도 굴절교정레이저각막절제술(topography-guided PRK)는 옵션이지만 더 높은 굴절오차의 교정에는 적합하지 않다[19, 20]. 스마일은 ICR 후 잔여 높은 굴절오차(residual high errors)를 교정하는 옵션이지만 링 세그먼트(ring segments) 내에 렌티큘을 배치하려면 세심한 수술 전 계획이 필요하다.

21.2.1 치료 매개변수

치료 매개변수(treatment parameter)는 ICR 사이의 영역으로 조정되었다. 따라서 표준 스마일수술과 달리 광학 영역(optical zone)은 5 mm로 선택하고 뚜껑(cap)의 전체 직경은

그림 21-6. (a) 압평(applanation)
과 렌티큘은 ICR 사이에 완벽하
게 중앙에 있다. ICR은 위치 지
정 구멍(positioning holes)
으로 인해 쉽게 식별된다. (b)
뚜껑(cap)은 ICR 위에 있으나
100 μm 두께는 오래된 ICR 터
널(old ICR tunnel)을 간섭하
지 않을 만큼 충분히 깊지 않
다. 3 mm 개방 절개(opening
incision)가 상비강 사분면
(superonasal quadrant)에 형
성된다. (c) 렌티큘 추출의 스냅
샷

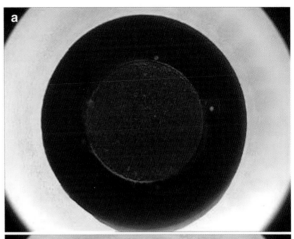

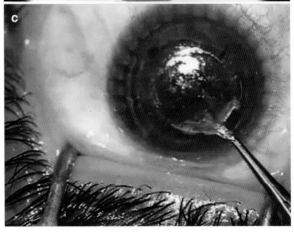

6 mm다. 추가 매개변수는 (그림 21-5 b)와 같다. 에너지 설정(energy settings)은 레벨 25(약 125 nJ)로 매우 낮게 설정되었으며 점/트랙 거리(spot/track distance)는 층판 절단(lamellar cuts)의 경우 3 μm, 수직 절단(vertical cuts)의 경우 2 μm으로 감소했다. 중심잡기(centration)는 정확히 ICR 영역에 위치하도록 설정하였다.

21.2.2 수술 절차

수술은 (그림 21-6 a-c)에 간략하게 요약되어 있다(자세한 내용은 동봉된 동영상 참조). ICR 이식을 위한 초기 터널이 동일한 비쥬맥스 레이저로 시행되었기 때문에 중심잡기(centration)는 매우 쉬웠다.

21.2.3 결과

스마일수술 후 3개월째에 환자의 나안시력은 수술 전 BCVA (= 0.8)에 도달했다.

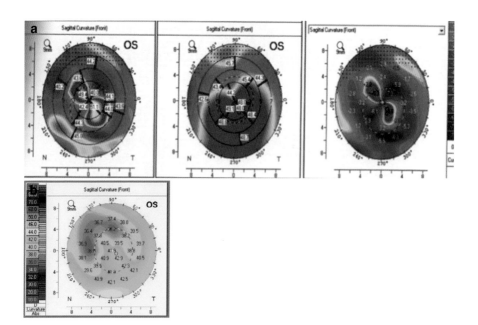

그림 21-7. **(a)** 즉각적인 수술 후 차등 각막형태검사(differential topography) (sagittal map)는 난시의 효과적인 감소를 보여준다[왼쪽에서 오른쪽으로: 수술 전, 수술 후, 그리고 차등 각막형태검사 (differential topography)]. **(b)** 스마일수술 후 3개월째에 전방 각막표면이 더 규칙화되어 나안시력 (UCVA)은 0.8이 된다.

21.3   전체층각막이식술 후 근시 및 난시를 교정하기 위한 스마일수술

투명 각막 이식편(clear corneal grafts)을 얻는 빈도가 높고 수술 기법이 향상되었음에도 불구하고, 전체층각막이식술(penetrating keratoplasty, PKP) 후 각막 난시(corneal toricity)와 고도 근시(high myopia)는 시력 결과(visual outcome)의 주요 제한사항이다. 각막이식술(keratoplasty) 후 고도 난시(high astigmatism) 발생률은 10-30%로 다양하며 원추각막(keratoconus)에 대한 PKP 시술 이후 더 높다[7]. 각막 상처 치유(corneal wound healing)의 예측할 수 없는 특성과 수술에 대한 생체역학적 반응(biomechanical response)은 수술 후 굴절 이상(refractive surprises)으로 이어질 수 있다[8].

PKP 후 굴절오차(post-PKP errors)에 대한 라식에서, 절편 자체가 절편 생성(flap creation)의 수직 원주 각막절개술(vertical circumferential keratotomy)에 의해 형태가 변화(shape changes)되기 때문에, 절편 생성(flap creation)이 난시와 고위 수차(higher-order aberrations)를 유발할 수 있다[9, 10]. 이 효과는 이식편/숙주 흉터 조직(graft/host scar tissue)을 통해 절단될 때 확대된다. 또한 원추각막(keratoconus), 두꺼운 절편(thick flaps) 및 깊은 레이저 절삭(deep laser ablation)으로 인한 PKP 환자에서 라식 수술 후 각막확장증(post-LASIK ectasia)이 발생할 위험이 증가한다[11].

스마일수술에서는 다른 수술법(굴절교정레이저각막절제술 또는 라식)[12-15]에 비해 절편을 만들지 않고 작은 수직 절개(small vertical incision)만 이루어지므로 각막 표면(corneal surface)의 외상을 최소화한다. 이는 이식편의 치유 흉터(graft's healing scar)를 보존하는데 도움이 되고, 질병 가능성이 있는 주변부 각막을 피하게 된다.

PKP 시술 이후 사례에서 스마일수술은 이식편 내 렌티큘(lenticule within the graft)의 중심잡기의 이점이 있어 이전 절개 흉터 조직의 절단을 피하여 치료 결과를 더 잘 예측할 수 있다. 또한 기존에 원추각막(keratoconus)이 있는 환자는 절편 절단(flap cut)이 수용 각막(recipient cornea)에 있는 경우 원추각막(keratoconus)의 재발 위험이 더 높을 수 있다.

본 연구는 다음 선정기준(inclusion criteria)으로 수행되었다:

- 맑은 중심 각막(Clear central cornea)
- 교정시력(Corrected distance visual acuity, CDVA) >0.5
- 최소 각막 두께(Minimal corneal thickness) 500 µm 이상
- 최대 각막곡률측정치(Maximum keratometric readings) <55 D
- 구면렌즈대응치(Spherical equivalent) >-5 D
- 거부반응 없이 1년 이상 안정적인 이식편
- 모든 봉합사는 수술 최소 3개월 전에 제거해야 한다.
- PKP 시술 이후 기간 >18 개월

- 이식편 직경은 6 mm 이상

    이전에 PKP 및 잔여 근시성 난시(residual myopic astigmatism)가 있는 13명 환자의 13개의 눈이 연구에 등록되었다. Pentacam 이미징 및 두께 측정값은 레이저 시력 교정에 허용되는 범위 내에 있었다. 절차와 가능한 이점 및 위험에 대해 환자에게 설명하고 각 환자로부터 동의(informed consent)를 얻었다. 수술 전, 현성굴절검사(manifest refraction, MR), 나안시력(uncorrected distance visual acuity, UDVA) 및 교정시력(corrected distance visual acuity, CDVA)을 기록하였다. 수술 중 뚜껑(cap)과 렌티큘 직경(lenticule diameters)은 이식편의 중앙에 오도록 계산되었다. 다른 매개변수[광학 영역(optical zone), 전이 영역(transition zone), 렌티큘의 최소 두께]는 굴절 오차의 정도, 이식편의 가장 얇은 위치 및 뚜껑(cap) 아래의 잔여 기질 두께(residual stromal depth)를 기반으로 했다. 동일한 측정값(MR, UDVA 및 CDVA)을 수술 전, 수술 후 1개월, 3개월 및 6개월에 획득하고 기록했다. 굴절 수술을 보고하기 위한 표준 그래프가 사용되었다[16-18].

21.3.1 치료 매개변수의 예

    처리 영역(treatment zone)은 5.4 mm, 뚜껑(cap)은 6.0 mm로 선택된다. 다른 모든 매개변수는 위에서 언급한 ICR 시술 이후 스마일수술(post-ICR SMILE) 설정과 동일하다.

23.3.2 수술 절차

    수술은 (그림 21-8 a, b)에 간략하게 요약되어 있다(자세한 내용은 동봉된 동영상 참조).

21.3.3 결과(Results)

    평균 수술 전 굴절력은 -4.54 ± 1.46 D 스페어(sphere) (범위: -8.75~-1.25) 및 -4.65 D 실린더(cylinder) (범위: -1.5~-7.0)였다. 수술 후 평균 스페어(sphare)는 -0.56 ± 0.73 D (범위: -1.75~+1.5), 평균 난시는 -0.98 ± 0.45 D (최대 –3.5)였다. (그림 21-9 a-c)는 시력 결과를 보여준다.

    대부분의 경우 수술 후 각막형태적 실린더(postoperative topographic cylinder)는 현성굴절(manifest refraction) 횟수의 거의 두 배인 것으로 나타났다. (그림 21-10)은 복잡하지 않은 경우의 차등 지도(differential map)를 보여준다.

    수술 중 불규칙한 각막형태검사(topography)로 인해 한쪽 눈이 절편(cap)에 단추 구멍

그림 21-8. (a) PKP 시술 이후 각막(post-PKP cornea)이 조심스럽게 압평된다. 숙주-이식 접합부(host-graft junction)는 이 스냅샷 이미지에서 쉽게 인식될 수 있다. (b) 렌티큘(lenticule), 뚜껑(cap), 개방 절개(opening incision)가 이식편(graft)에 국한된다.

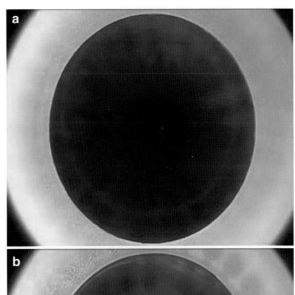

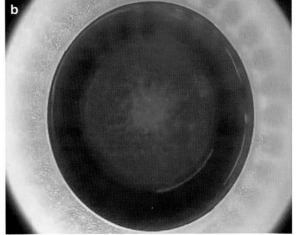

이 발생했다. 가파르고 편평한 부분이 있는 불규칙한 나비 넥타이 패턴(irregular bow tie pattern)의 각막이 편평한 부분에 단추 구멍을 얻는 것을 관찰했다. 따라서 합병증과 예측할 수 없는 결과를 피하기 위해 규칙적인 각막형태검사(topography)를 선택하는 것이 중요하다. 이 연구에서 사용된 100 pm 초과의 두꺼운 절편(cap)도 천공 위험을 줄이는 데 기여할 수 있다.

결론적으로 각막이식술 후 근시 및 난시 교정을 위한 스마일수술은 특히 이러한 변형된 각막에서 굴절이상(ametropia)과 난시(astigmatism)의 정도를 고려할 때 양호한 시력결과를 보이는 재현 가능한 시술이다. 그러나 매개변수를 이식편 크기에 맞게 수정하고 조정해야 한다. 불규칙한 각막은 피해야 한다.

그림 21-9 **(a)** 추적관찰 기간 동안의 평균 UCVA. **(b)**추적 관찰 기간 동안의 평균 CDVA. **(c)** 손실(lost) 및 획득 시력선 (gained visual acuity lines) 의 함수로서의 안전 매개변수 (safety parameters)

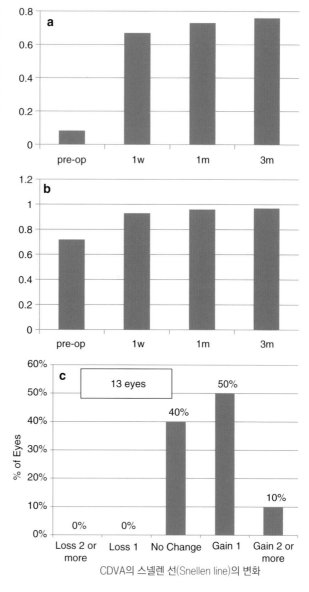

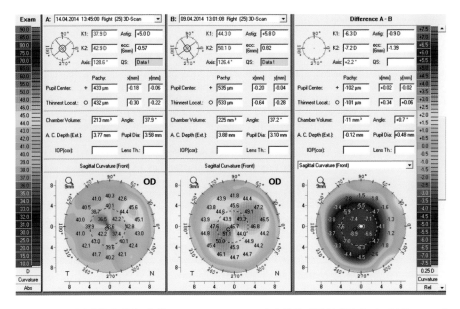

그림 21-10. 복잡하지 않은 사례(uncomplicated case)의 차등 각막형태검사 지도(differential topography map)

참고문헌

1. Dan Z, Timothy J, Marine Gobbel (2014) Small incision lenticule extraction (SMILE) history, fundamentals of a new refractive surgery technique and clinical outcomes. Reinstein et al. Eye and Vision 1:3. http://www.eandv.org/content/W3.
2. Mastropaqua L et al (2014) Evaluation of corneal biomechanical properties. Bio Med Res Int Article ID 290619, 8 pages. http://dx.doi.org/10.1155/2014/290619.
3. Reinstein DZ, Roberts C (2006) Biomechanics of corneal refractive surgery. J Refract Surg 22:285.
4. Schmack I, Dawson DG, McCarey BE et al (2005) Cohesive tensile strength of human LASIK wounds with histologic, ultrastructural, and clinical correlations. J Refract Surg 21:433-445.
5. Randleman JB, Dawson DG, Grossniklaus HE et al (2008) Depth-dependent cohesive tensile strength in human donor corneas: implications for refractive surgery. J Refract Surg 24: 85-89.
6. Troutman RC, Gaster RN (1980) Surgical advances and results of keratoconus. Am J Ophthalmol 90:131-136.
7. Azar DT, Chang JH, Han KY (2012) Wound healing after keratorefractive surgery: review of biological and optical considerations. Cornea 31(suppl 1):S9-S19.
8. Guell JL, Velasco F, Roberts C et al (2005) Corneal flap thickness and topography changes induced by flap creation during laser in situ keratomileusis. J Cataract Refract Surg 31:15-119.
9. Pallikaris IG, Kymionis GD, Panagopoulou SI et al (2001) Induced optical aberrations following formation of a laser in situ keratomileusis flap. J Cataract Refract Surg 28:1737-1741.
10. Binder PS (2003) Ectasia after laser in situ keratomileusis. J Cataract Refract Surg 29:2419-2429.
11. Wei S, Wang Y (2013) Comparison of corneal sensitivity between FS-LASIK and femtosec-ond lenticule extraction (ReLEx flex) or small-incision lenticule extraction (ReLEx smile) for myopic eyes. Graefes Arch Clin Exp Ophthalmol 251:1645-1654.
12. Sekundo W, Kunert KS, Blum M (2011) Small incision corneal refractive surgery using the small inci-

sion lenticule extraction (SMILE) procedure for the correction of myopia and myopic astigmatism: results of a 6 month prospective study. Br J Ophthalmol 95:335-339.

13. Shah R, Shah S, Sengupta S (2011) Results of small incision lenticule extraction: all-in-one femtosecond laser refractive surgery. J Cataract Refract Surg 37:127-137.

14. Vestergaard A1, Ivarsen AR, Asp S, Hjortdal J0 (2012) Small-incision lenticule extraction for moderate to high myopia: Predictability, safety, and patient satisfaction. J Cataract Refract Surg. 38(11):2003-2010. doi:10.1016/j.jcrs.2012.07.021. Epub 2012 Sep 14.

15. Waring GO 3rd (2000) Standard graphs for reporting refractive surgery. J Refract Surg 16:459-466.

16. Reinstein DZ, Waring GO III (2009) Graphic reporting of outcomes of refractive surgery [editorial]. J Refract Surg 25:975-978.

17. Dupps WJ Jr, Kohnen T, Mamalis N, Rosen ES, Koch DD, Obstbaum SA (2011) Standardized graphs and terms for refractive surgery results. J Cataract Refract Surg 37:1-3.

18. Kymionis GD, Kontadakis GA, Kounis GA et al (2009) Simultaneous topography guided PRK followed by corneal collagen cross-linkage for keratoconus. J Refract Surg 25(9):807.

19. Kanellopoulos AJ Short and long-term complications of combined topography guided PRK and CKL (the Athens Protocol) in 412 keratoconus eyes (22-7 years follow-up). http://laservi- sion.gr/wp-content/uploads/2012/CKLcompsEposter-AAO11.pdf.

20. Kankarriya V, Kymionis G, Kontadakis G, Yoo S (2012) Update on simultaneous topo-guided photorefractive keratoconus immediately followed by corneal collagen cross-linkage for treatment of progressive keratoconus. Int J Keratoconus Ectatic Corneal Diseases 1:185-189.

스마일수술을 어떻게 홍보할 것인가? 22

Jean-François Faure and Bertram Meyer / 김국영

목차

굴절 교정 수술 시장의 경쟁이 심해지는 상황에서 스마일수술을 하는 안과의사는 잘 준비되어 있어야 한다. 안과의사들은 지나치게 정보가 많은 환자들을 상대해야 한다. 이 챕터는 수술하는 안과의사가 스마일수술 시 겪게 되는 일반적인 상황들을 돕기 위해 작성되었다. 그들에게 전체 펨토초레이저 굴절 교정 수술의 좋은 마케팅 전략에 있어 성공할 수 있는 열쇠를 제공하는 것이다.

스마일수술은 각막절편이 없는 100% 펨토초레이저 굴절 교정 치료로 단일 단계로 이루어진 수술이다. 펨토초레이저는 각막을 곡률을 변화시키는데 사용된다.

새로운 레이저 기술의 홍보를 위한 세가지 키워드는 다음과 같다:

- 각막 절삭기를 이용하지 않음
- 각막절편이 없음
- 시술 과정 전체를 펨토초레이저를 이용한 시술

22.1 환자 모집을 위한 기술들

의료 광고는 국가 간에 많은 차이점이 있다. 진료기관의 환자와의 커뮤니케이션을 설정하기 의료 홍보와 관련해 존재하는 법적 의무사항을 챙기고, 공공기관에 문의하는 것이 필수적이다. 스마일수술에 대한 정보를 전달하는 방법이 해당 국가의 법률과 일치하는지 확인해야 한다.

굴절 교정 수술의사는 정확하고 진실한 정보 광고를 제공할 윤리적 의무가 있다. 직접 광고가 갈등이나 불법의 원인이 되는 경우 사용할 수 있는 다른 자료와 방법이 있다. 굴절 교정수술이 필요한 잠재적 환자들 사이에서 스마일수술에 대한 관심을 불러일으키는 데 굴절 수술 센터에 도움이 되는 몇 가지 기술들이 있다.

22.1.1 진료실 안에서 요령

프리미엄 센터에서 사용할 수 있는 우수한 기술에 대한 브랜드 인지도를 만들자.

① *전단지*

전단지는 굴절 수술 센터에 있는 환자에게 제공되거나 세미나 중에 배포될 수 있다. 스마일수술 기법의 세부 사항 및 장점, 안과전문의 자격 및 직원 자격 등의 여러 하위 주제를 포함할 수 있다. 전단지는 펨토초레이저, 수술 장비 및 굴절 교정 수술관련 장비를 구성하는 모든 수술 전 기술 장치에 대한 정보를 널리 공유하는데 도움이 될 수 있다.

요점: 전단지는 수술관련 장비와 직원의 자질을 강조한다.

② *영상지원*

여기에는 수술 기법과 장점을 설명하는 짧은 클립과 스마일수술을 선택한 환자의 실제 사례 등이 포함될 수 있다. 이 짧은 정보의 비디오는 대기실에 있는 비디오 화면 뿐만 아니라 대규모 공개 웹사이트(예: YouTube)에서도 방송될 수 있다.

요점: 동영상은 인터넷 정보용으로 이용하여 전파시키기 쉽다.

③ *대기실*

대기실은 '신기술' 정신에 맞아야 하고, 디자인과 가구는 현대적이어야 한다. 영상이나 브로셔는 환자의 대기시간을 단축시켜주고 일반적인 상담을 받으러 오시는 분들이나 환자분들이 스마일수술에 대해 더 알고 싶어 하는 욕구를 불러일으킬 수 있다.

요점: 대기실은 굴절센터의 쇼룸이며 항상 잠재적인 굴절교정수술 환자의 발원지이다.

④ *자격을 갖춘 직원*

안과 수술 의사는 자신이 최고의 광고임을 기억해야 한다. 환자들은 안과의사 개인

의 성격과 함께 의료진의 첫인상에 반영되는 이미지에도 매우 주의를 기울인다. 그들
은 가능한 한 많은 요건들을 갖추고 있어야 하며 스마일수술을 포함하여 시행하는 굴
절 수술 방법을 잘 알고 있어야 한다. 이런 것들은 직원, 진료소, 그리고 진료소의 긍정
적인 이미지를 환자에게 줄 것이다. 그런 것들 모두가 환자에게 제공된 치료의 품질과
진지함을 대표한다고 할 수 있다.

요점: 굴절 교정 센터 직원과 안구 수술 의사의 행동이 스마일수술에 대한 최고의
광고이다.

22.1.2 진료실 밖에서 요령

모든 수준에서 더 높은 홍보효과를 달성하기 위한 메시지와 장려책을 전파하는 캠페
인에 모든 사람을 참여시키도록 해야한다. 캠페인은 특히 청소년을 대상으로 해야 한다.

① *Website*

스마일수술은 모든 근시 환자가 사용할 수 있는 굴절 수술 기법이다. 환자의 프로
필은 신기술에 대해 잘 알고 있는 사람들과 일치한다. 그들은 최첨단 수술 기술에 대한
요구도가 있다. 이러한 환자는 인터넷 마케팅을 통해 쉽게 모집할 수 있다. 술자의 진
료소, 진료실 및 수술 가격을 보여주는 웹사이트에 대한 투자는 확실히 비용대비 효율
적이다. 잠재적인 굴절교정수술 후보군이 그의 시력을 맡길 안구수술의사에 대한 정
확한 설명은 특히 중요하다(그림 22-1, 그림 22-2). 스마일수술은 몇몇 애니메이션이나
그림으로 예시를 들어 쉽고 자세히 설명할 수 있다. 자주 묻는 질문에 대한 답변을 제
공하는 섹션을 삽입할 수 있다. 웹사이트 운영 능력이 있는 직원이 관리하는 경우라면,
사람들이 직접 질문하고 이메일로 소통할 수 있는 섹션도 포함할 수 있다. 첫 번째 검
사를 예약하는 섹션은 대부분의 사람들이 더 멀리 방문하고 싶을 때 쉽게 할 수 있도록
해준다. 정기적인 업데이트와 장기적인 웹사이트 운영 가능성을 보장하기 위해, 스마
일수술에 대한 과학 논문이 있는 섹션을 만들 수 있다. 이 웹사이트는 또한 환자들에게
수술 전과 후의 경험을 공유할 수 있는 포럼을 제공할 수 있다. 환자들 간에 부정적인
커뮤니케이션을 방지하려면 이 포럼은 자격 있는 관리자의 통제 하에 있어야 한다. 웹
사이트를 최적화하기 위해서는 더 나은 검색 엔진 결과를 위한 광고 캠페인에 투자하
는 것이 의미 있을 수 있다(=검색엔진 최적화, Search engine optimization, SEO). 다양
한 검색엔진 결과들의 전체적인 의미통합과정은 자연스러운 참조자료로써 정보를 개
선해줄수 있다. 웹 사이트를 관리하는 이 마지막 부분은 시간과 돈의 낭비를 방지하기
위해 관리 전문 회사에 위임할 수 있다.

그림 22-1. 저자중에 한명의 웹사이트 예시. "지역 영웅" 주의에 따라, 수술 전문의가 먼저 첫 화면에 제시된다. 첫 페이지에 너무 과도한 정보 없이 다음 두 가지를 동시에 강조한다; 당신의 안과수술전문의는 레이저시력교정의 진정한 전문가이며, 물론 고급수술기법인 "SMILE" 수술을 할 수 있음을 보여준다. 시력교정수술의 잠재적인 고객이 다른 버튼을 화면에서 클릭할 때 기타 모든 세부 정보를 제공한다.

　　　요점: 스마일수술 대상이 될 수 있는 잠재적 환자의 프로필과 잘 맞는 웹 사이트의 운영
② 소셜 네트워크 서비스(*Social networks*) (e.g., Facebook, Xing, Google+, etc.)
　　　환자에게 소셜 네트워크 플랫폼과 "굴절수술" 대화방에서 상호 작용과 긍정적인 코멘트를 요청하라. 그들이 다른 사람들과 그들의 수술에 대한 긍정적인 경험을 공유하고 스마일수술 전, 도중, 그리고 후에 여러분의 클리닉에서 긍정적인 분위기를 추천하도록 격려하라. 긍정적이고 감정적인 논평은 수술에 대한 걱정과 두려움을 잠재울 수 있다.
③ *전통적인 인쇄 매체, 라디오 및 TV*
　　　일간 신문이나 라이프스타일 잡지(항공, 철도 잡지 등 포함)에 사설이나 광고를 설치하고 TV와 라디오에 영리하고 광고효과가 뛰어난 지점을 설정할 수 있다. 그러나 이

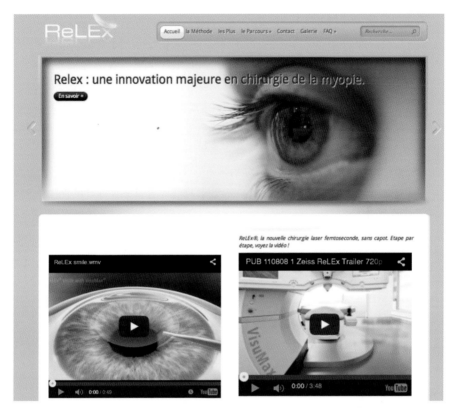

그림 22-2. 이 웹 사이트는 미래의 환자 기대치에 초점을 맞춘 스마일수술 전용사이트이다. 레이저 기술을 보여주는 짧은 비디오를 볼 수 있다.

러한 모든 활동은 매우 비용이 많이 들고, 많은 손실을 발생할 수 있고, 또한 경쟁업체에 간접적인 이익을 줄수도 있는 점을 유념하자. 마지막으로, 우리가 잡고 싶은 "젊은 레이저 세대"는 전통적인 미디어보다 인터넷 매체에 더 익숙하다는 것을 알아야 한다.

④ 스마일수술 전문가 네트워크 구축, 관리 및 개발

이 네트워크는 환자에게 굴절 교정 수술을 의뢰할 가능성이 있는 모든 의료 전문가로 구성된다. 물론 굴절 교정 수술을 하지 않는 다른 안과의사들도 참여하며, 안경사, 검안사, 일반 개업의들도 참여한다. 그들은 의료 전문가로서, 굴절교정수술에 대한 정보를 퍼뜨리는 좋은 방안을 알고 있다. 이들 사이에 환자들이 굴절교정수술로 의뢰될 때 금전적 관계가 없으므로 신뢰를 가질 수 있다. 수술 의사들과는 달리, 그들은 의뢰하기 용이한 근접성에서 유용성을 얻는다. 그들의 의견과 조언은 더 자주 요청하고 경청해야 한다. 환자를 소개함으로써, 주변 전문가들은 수술 과정의 시작에서부터 함께 하며, 환자들은 이런 과정에서 좋은 기분을 느끼게 된다. 이미 구축된 관계에 따라, 직원 클리닉의 한 구성원이 이러한 건강 전문가들을 방문하여 스마일수술을 소개할 수 있다. 그 메시지는 완전하고 정확하며 이해하기 쉬워야 한다. 전문가들 사이에 제공된 정보는 일반 대중을 대상으로 한 정보와는 달라야 한다. 기술적 세부 사항, 수술 후 결과, 수술 후 환자의 편안함, 그리고 의도하지 않은 효과와 그 관리법 등을 이야기해주는 것이 더 적절하다. 두 번째 단계에서는 의뢰가 환자의 굴절 수술 치료 과정에 통합되어야 한다. 클리닉은 좋은 관계를 유지하기 위해 그들을 파트너로 간주해야 한다. 수술 후 보고서를 발송할 수 있으며, 특별한 경우 다른 안과의사가 수술 후 사후관리를 담당할 수 있다. 좋은 관계를 유지하기 위해 스마일수술 관련 언론 리뷰를 다루는 뉴스레터를 이메일이나 편지로 매월 보낼 수도 있다. 때때로 굴절 교정 센터는 관련 현안들에 대한 회의를 주체할 수도 있다.

요점: 환자 의뢰 네트워크는 효과적인 정보의 연속된 교류로 구성된다. 이러한 눈 관리 경로의 시작에서부터 네트워크 구성원들은 서로 파트너로 인식되어야 한다.

⑤ *전화 통화*

대부분의 국가에서, 텔레마케팅은 비윤리적인 것으로 인식되거나 불법적으로 간주된다. 하지만 다른 의사소통 방법 덕분에, 잠재적인 스마일수술 대상 환자들은 더 많은 정보를 요구할 수 있다. 전화를 받는 사람은 굴절 수술에서 스마일수술 기술에 대해 잘 알고 있을 것이다. 그들은 대부분의 질문에 답할 수 있어야 한다. 그렇지 않으면 수술에 관심 있는 사람들이 스마일수술이 정교하고 확실한 수술이라는 것과 거리가 멀다는 인상을 받을 수 있다. 특히 의료 분야의 신기술은 대부분의 환자를 두렵게 합니다. 굴절 수술 후 그들은 안경 없이 완벽한 시력을 원하며, 확신이 없는 임상 시험과 같은 수술에 참여하고 싶지는 않을 것이다.

요점: 전화 통화는 텔레마케팅을 통한 직접 광고로 구성되지만 다른 커뮤니케이션 방식에 대한 추가 지원으로 간접적인 광고 역할을 할 수 있다.

⑥ *가격 정책*

윤리적인 고려와 입법과 관련하여 가격을 변화시키기 어렵다. 굴절교정 수술 시장에서 수술에 대한 수요는 가격과 상대적으로 높은 상관관계를 가지고 있는 것을 잘 알 수 있다. 가격이 내려갈수록 그 수요는 높아진다. 스마일수술은 최첨단 굴절 수술 개념과 연결되어야 한다. 이 수술은 저비용 수술이 아니다. 다른 굴절 수술 기술 중 가격 포지셔닝과 관련하여 가장 높은 수준에 가격을 형성해야 한다. 가격책정에는 사용된 수술 의사의 기술과 수술 도구 및 장비들에 대한 비용이 포함되어 있음을 알아야 한다. 굴절교정레이저각막절제술 또는 라식 비용은 스마일수술보다 저렴해야 한다.

요점: 스마일수술은 가장 정교한 굴절 수술 기법이기 때문에 가장 비싼 가격이 책정되어야 한다.

⑦ *상품권 및 인센티브*

환자가 친구, 가족 또는 다른 사람에게 수술 후 병원을 추천하고 이후 굴절 수술 절차(특히 스마일수술)로 이어지는 경우, 추천인에게 일종의 감사로 "경제적인 상품권"을 제공하거나 수술 진행예정인 환자에게 약간의 할인을 제공할 수 있다. 그럼에도 불구하고, 이러한 마케팅 방식은 항상 민감하게 다루어야 하며, 세밀함과 관련된 요령이 필요하다.

⑧ 입소문

이것은 스마일수술에 잠재인 대상 환자들을 끌어들이는 마지막이지만 가장 중요한 방법 중 하나이다. 환자들은 그들 주변 사회구성원들에게 스마일수술에 대해 이야기한다. 만약 그들이 수술 후 굴절 시각적 결과에 만족한다면, 이것은 당신의 홍보 활동에 특별한 긍정적인 결과를 가져올 수 있다. 유명하고 잘 알려진 사람들 또는 영향력 있는 사람들에게 스마일수술을 시행하는 것은 비용이 덜 들지만 정말 효과적이다. 수술 후 치료 기간 동안 수술한 의사들은 환자들의 경험을 다른 사람과 공유하도록 요청할 수 있으며, 짧은 비디오 클립을 인식하거나 증언을 온라인에 게시할 수도 있다. 이런 유명한 사람들은 항상 한 발 앞서가는 사람들로 여겨진다. 만약 그들이 스마일수술을 선택했다면, 그것은 최첨단 기술의 굴절 교정 수술에 있어 가장 적합한 기술임을 확인해 주는 것이다.

요점: "입소문"은 이미 스마일수술을 경험한 환자들에 의해 이루어지도록 장려되어야 한다.

22.2 굴절 수술 대상자를 스마일수술 굴절교정 환자로 유도하는 기술

모든 라식 환자를 스마일수술 대상으로 바꿀 수 있다.

최신 정보를 추구하는 환자들은 우수한 결과를 제공하는 고급 서비스와 더 진보된 수술 기술을 선호한다. 당신이 행하는 기술을 믿어라.

첫 번째 케이스: 환자는 굴절 수술 과정에 대해 아무것도 모르는 환자의 경우이다. 그에게 스마일수술에 대해 직접 이야기해라. 라식이나 굴절교정레이저각막절제술 등의 다른 굴절교정수술 절차에 대해 말할 필요가 없다.

두 번째 케이스: 환자는 라식이나 굴절교정레이저각막절제술 절차를 알고 있지만 스마일수술에 대해서는 아무것도 모르는 경우이다. 환자가 수술을 스마일수술을 바꾸도록 객관적 자료를 가지고 이야기해라.

세번째 케이스: 스마일수술에 대해 알고 있고 이 수술을 받길 원하는 경우이다. 이 치료의 장점을 알려주는 것은 쉽다. 당신은 그에게 어떤 방법으로 이 수술법을 알 수 있었는

지 물어봐야 한다. 이러한 과정을 아는 것은 수술의가 의사소통 하며 스마일수술을 받도록 유도하는 방향으로 발전할 수 있는 방법이다.

몇 가지 방법들은 굴절교정 수술 의사들이 잠재적으로 굴절 교정수술을 받을 환자들 사이에서 스마일수술로 전환하는 것을 도울 수 있다. 환자의 수술에 이르는 경로에 대한 이 두 번째 부분은 스마일수술을 지원하고 굴절교정수술의가 설득력을 가질 수 있게 돕는 핵심 주장들 완전한 목록을 제공한다.

22.2.1 미래의 환자들과의 토론

스마일수술의 장점을 환자들에게 설득시키기 위해 수술전문의는 관련 설명에 시간을 들여야 한다. 전달되는 정보는 환자 지향적이고 이해하기 쉬운 표현으로 전달되어야 한다. 설명하는 동안 브로셔를 이용한 설명이 도움이 될 수 있다. 스마일수술은 최소한의 제약으로 최대한의 환자 보호를 제공하는 확립된 굴절 교정 수술로 환자에게 소개되어야 한다.

레이저 시력 교정수술의 미래는 다음과 같다.

- 100% 각막절삭기 사용 안 함
- 100% 각막절편을 만들지 않음
- 100% 전체과정을 펨토초레이저를 이용한 시술

① *장비품질*

수술장비의 품질은 비행기를 탈 때처럼 중요하다. 비행기 승객들은 조종사의 기술과 항공기의 기술을 신뢰해야 한다. 이런 확신을 가지려면 환자가 미래의 시력교정수술의사와 좋은 관계를 유지해야 하는 것은 물론 수술 시설도 신뢰해야 한다. 외과 시력교정수술의사는 환자와 신뢰관계를 조성하고 그가 스마일수술에 성공하기 위해 사용하는 기술적 장치의 장점과 자질을 강조해야 한다. 스마일수술은 최첨단 굴절교정 수술 기법을 대표한다. 이 굴절 수술에는 가능한 수술용 일회용품을 사용하는 것이 더 편리할 것이며 보다 나은 수술 안전성이 보장된다.

② *펨토초레이저*

전 세계 굴절 시장에서 스마일수술이 가능한 레이저는 단 하나뿐이다. 레이저 비쥬맥스(Carl Zeiss Meditec AG)는 시력 예측 가능성과 효용성, 안정성 및 정밀도와 같은 다양한 이점을 제공한다. 스마일수술의 성공과 뛰어난 시력교정 결과는 어느정도는 이 장비의 품질에 기인한다. 레이저 굴절 수술의 3세대인 최신 펨토초레이저 수술을 대표한다. 이 펨토초레이저가 제공하는 이점은 미래에 굴절교정수술을 할 환자가 쉽게 이해할 수 있다.

③ *최소 절개 사이즈*

펨토초레이저를 사용하면 2.5 mm 미만의 절개로 최소 침습적 시술이 가능하다. 이로 인한 직접적인 결과로 수술 후 더 나은 각막 무결성을 제공한다. 각막의 상층부가 많이 손상되지 않고 유지되며, 이는 각막 생체역학적 안정성을 유지하여 최대한의 보호능력을 제공한다.

④ *수술 후 안구건조증 감소*

각막의 수술후 영향이 미미하기 때문에 수술 후 며칠 동안 환자의 편안함은 다른 수술 기법에 비해 좋은 편이다.각막 상층부는 손대지 않은 채 남아 있고 각막 신경 부분은 2.5 mm 미만으로 절개된다. 각막 신경의 자극은 눈물 분비과정에 일부 관여한다. 스마일수술은 이러한 각막 신경을 보존하기 때문에 눈물샘 분비의 저하가 덜 되고 수술 후 건조함이 줄어든다. 스마일수술이 안구건조증을 덜 유발한다는 점을 강조해야 한다.

⑤ *단일 단계의 시술법*

전체 펨토초레이저를 이용한 굴절 교정 수술은 환자를 다른 침대로 옮길 필요가 없는 단일 단계 시술이다. 이것은 환자의 수술에 대한 스트레스를 줄인다.

⑥ *각막절편이 없는 시술*

각막절편을 만들지 않는 시술로 각막절편관련 합병증으로 인해 수술 후 시력을 잃을 위험이 없다. 인체 조직을 절삭하여 들어 올리고 다시 넣는 것은 수술 중과 수술 후에 중요한 일이다. 스마일을 사용하면 절삭면에 대한 세균의 감염의 위험이 크게 감소한다. 또한 각막절편을 들어올리는 과정이 없다는 것은 관련된 절편 합병증[예: 미세 줄무늬(microstriae), 접힘(folds), 탈구(dislocation) 등]이 없음을 의미한다.

⑦ *빠른 레이저 작동시간*

스마일수술 중 렌티큘을 만드는 것은 가장 짧은 시간의 시술이다. 환자 측에서는 레이저 시술 시간이 25초 이상 지속되지 않는다는 사실을 알게 하여 안심시킬수 있다.

⑧ *편안한 장비*

수술 중 환자의 편안함도 장점으로 고려되어야 한다. 환자는 인텔리전트 머리조정부(intelligent head)를 가지고 있는 침대에 누워 있다. 환자의 위치 및 최소 움직임을 모니터링하여 치료 중에 시스템이 자동으로 위치 조정된다.

⑨ *콘택트 글라스의 자연스러운 디자인*

콘택트 글라스의 디자인은 안구 표면의 해부학적 구조에 맞게 만들어졌다. 콘택트 글라스의 곡면 형태는 각막의 모양과 유사해 3차원 곡면 렌티큘 생성 과정에서 절단면이 뒤틀려 생기는 시력 합병증을 피한다.

⑩ *부드러운 각막흡입*

다른 굴절 교정 레이저 시술에 비해 실제 각막 흡입 시간이 짧고 환자에게 불편함이 없다. 환자의 눈에 효과적인 각막흡입은 렌티큘이 생성되기 4초 전에 시작된다. 다른 레이저 굴절교정시술에 비해 눈에 가해지는 압력은 훨씬 적지만 시술 중 눈의 위치를 유지할 정도의 세기를 가지고 있다. 이것은 안압관련 합병증을 방지한다.

⑪ *안전자산 및 지속된 수술 제어*

디지털 비디오 카메라가 장착된 수술 현미경은 외과의사가 전체 시술 중에 시각적인 제어를 통해 최대한의 안전을 보장한다. 고정밀 광학에 연결된 펨토초레이저의 정밀도는 굉장히 세밀한 레이저 빔을 제공한다. 그 결과로 높은 수준의 정확성, 높은 예측 가능성 및 매우 정밀한 시력 결과를 제공한다.

⑫ *무소음 무취*

다른 시술에 비해 비쥬맥스는 소음과 냄새가 없는 수술을 할 수 있어 환자에게 훨씬 덜 불편하고 덜 불안감을 초래한다.

⑬ *수술 전 기술 장치*

각막지형도 및 웨이브프론트 분석기의 품질은 수술 전에 측정한 정밀도를 보장한다.

⑭ *빠른 시력 회복*

스마일수술 후의 시력 회복은 라식 때와 거의 같고 굴절교정레이저각막절제술보다 훨씬 빠르다. 수술 며칠 후, 거의 모든 환자들은 수술 전 시력이 완전히 회복된다.

⑮ *스포츠 행위를 빨리 할 수 있는 시술*

스마일수술은 각막 결함이 없고 덜 침습적인 시술이기 때문에, 환자들은 수술 후 거의 즉시 스포츠 행위에 복귀할 수 있다. 잠재적인 기계적 충격이나 세균의 침입으로 인한 합병증의 위험성은(수영의 경우) 제로에 가깝다.

⑯ *굴절교정레이저각막절제술(photorefractive keratectomy, PRK)의 진정한 대안*

환자의 생활 방식이나 직업상 라식 수술을 금지하기도 한다. 스마일수술이 시장에 출시되기 전 플랩 없는 시각·굴절 재활을 위한 해결책은 굴절교정레이저각막절제술뿐이었지만, 운동이나 일하는 어려움을 초래하는 경우가 있다. 군인, 소방관, 경찰관, 그리고 신체접촉 스포츠를 하는 사람들은 이제 훌륭한 대안을 가지고 있다. 스마일수술은 특히 그들을 위한 주된 기준 수술법이다.

⑰ *환자는 수술 직후 "화장"을 할 수 있다.*

절개량이 2.5 mm 미만이라 수술 다음날 화장을 바로 다시 하는 것이 가능하다.

⑱ *보호용 하드 커버 불필요*

전 펨토초레이저 굴절 수술은 각막 생체역학적 스트레스를 최소로 유발한다. 각막 절편이 없는 시술이므로 기계적 합병증을 피하기 위해 수술 후 보호막을 착용할 필요가 없다.

스마일수술은 굴절수술 시장의 기술적 부분뿐만 아니라 환자의 수술 후 삶의 방식에도 혁명을 일으킨다. 스마일수술 후에, 환자들은 거의 합병증의 위험 없이 즉시 일상 활동에 복귀할 수 있다. 스마일수술은 수술에 최소 제약 조건을 가지고 있으며, 수술 후 최대한의 편안함을 제공한다.

22.3 최종 유해 사례

굴절 수술의 좋은 마케팅은 모든 장점을 나열하는 것뿐만 아니라 관련된 근본적인 부작용과 그것을 관리하는 방법에 대해서도 이야기하는 것이다. 만약 굴절교정수술의사가 어려움에 직면했을 때 어떻게 해야 하는지 환자들도 안다면, 환자는 수술 시 더 안전하다고 느낄 것이다. 스마일수술 기법을 사용하면 수술 후 장기적인 시각적 결과에 영향을 주지 않으면서 관리하기 쉬운 수술 전 및 수술 후 부작용이 거의 없다. 스마일수술이 매우 정교한 굴절수술 기법이라 해도 결코 위험성이 없는 것이 아님을 환자에게 전달하는 것이 중요하다.

22.3.1 수술 후 부작용

수술 후 3가지 주요 부작용은 매우 드물며 발생하더라도 시력을 잃지는 않는다.

① 흡입 손실

펨토초레이저 두 번째 단계에서 환자 접촉부는 환자의 눈을 부드러운 압력으로 고정한다. 0.75%의 경우, 전체 렌티큘 생성 종료 전에 흡입이 해제될 수 있다. 흡입이 해제된 시간에 따라 스마일수술 절차를 다시 시작할 수 있다. 매우 드문 경우이긴 하지만, 특정 경우에는 재시작이 불가능하고 굴절교정수술 절차를 완료할 수 없을 수 있다. 이러한 경우 환자는 굴절교정레이저각막절제술 또는 기존 일반 라식 수술방법으로 수술을 다시 예약하는 것이 더 안전하다는 것을 쉽게 이해할 수 있을 것이다.

② *잘못된 층의 박리*

각막절삭면의 박리에 있어 어려움은 렌티큘 형성과정 0.6% 정도에서 발생한다. 환자 입장에서는 수술 시간이 늘어나기 때문에 불편할 수 있다. 굴절교정수술의사는 더 요령 있게 렌티큘 박리를 천천히 진행해야 한다.

③ *주절개창 부위에 근처에 발생하는 2차 절삭선*

이 현상은 과도한 기계적 강도의 절삭 혹은 레이저 절삭도중 환자의 눈 움직임으로 인해 발생할 수 있다. 이는 모든 절삭준비과정의 0.3% 미만에서 발생한다. 특별한 관리가 필요 없고, 각막 회복 상태를 점검하는 고식적인 경과관찰 조치만 필요하다.

22.3.2 일반적인 수술 후 부작용

수술 후 회복 기간은 보통 4-5시간이다. 일부 환자는 시야가 흐려지거나 안구가 건조하거나 빛 민감도가 높아질 수 있다. 이러한 부작용은 라식 수술과 스마일수술에서 흔히 발생하며 예측할 수는 없으며 개별 환자의 특성에 따라 양상이 달라진다.

모든 수술 후 부작용들이 그렇듯이 그것들은 환자들에게 수술 후 불편함의 이유가 되지만, 대부분 일시적이고 장기적으로 시각 손실이나 각막 손상을 일으키지 않는다.

22.3.3 절삭면에 남아 있는 각막상피세포

대개 시축에 발생하지 않지만, 일부 각막 상피 세포는 절삭면 안에 남아 잠재적으로 성장할 수 있다. 시력, 시야에 문제가 발생할 경우 간단하게 Nd:YAG 레이저 처치 혹은 절삭면의 간단한 재세척을 통해 이러한 세포를 충분히 제거할 수 있다. 렌티큘 추출 시 약 0.6%에서 발생한다고 알려져 있다.

22.4   스마일수술 마케팅의 고전적인 실수

스마일수술을 시행하고 있거나 시행할 예정인 모든 굴절교정수술의사들은 이 기술의 좋은 이미지를 부여하는데 기여할 의무가 있다. 스마일 기술의 발전에 기여하고 환자의 기술 이해를 위해서, 그들은 환자들에게 설명하는 동안, 스마일수술 마케팅의 고전적인 실수들을 피하기 위해 그것에 대해 알아야 한다.

22.4.1 굴절교정수술 의사의 의도와 환자의 의도 혼동

환자들의 진정한 바람은 최고의 자격과 최고의 임상 결과를 가진 굴절교정수술의사에게 수술을 받는 것이다.

스마일수술법이 환자에게 소개될 때, 가장 처음 확신시켜주어야 할 두 가지는 뛰어난 시각적 결과와 수술의 안전성이다. 수술 기법에 대한 증명은 이 이후에 생각해야 한다. 환자에게 설명하는 동안 수술의 임상적 이점에만 초점을 맞추는 것이 아니라 환자에 대한 전반적인 미래 경험을 설명하는 것이 중요하다.

22.4.2 임상시험을 받는 이미지

굴절교정 수술 후 환자들은 그저 특이적인 위험 없이 선명한 시력결과를 원한다. 스마일수술을 새로운 개념으로 제시해서는 안 된다. 새로운 굴절 수술 도구로 진행하는 새로운 굴절교정 방법일 뿐이다. 이런 개념은 최근 것이 아니다. 안경이나 콘택트렌즈 없이 환자에게 시각적 이점을 제공하기 위해 각막 형태를 바꾸는 것은 모든 기존에 각막 굴절 교정 수술과 동일하다. 25년 이상의 레이저 굴절 교정 수술 경험이 작은 절개창을 이용한 렌티큘을 추출하는 수술법 개발에 녹아들어 있다.

22.4.3 틈새시장으로서 스마일 도입

스마일수술은 구면렌즈오차만 있는 근시 환자들에게만 혹은 최신 기술을 선점할 수 있는 환자만 사용할 수 있는 수술 기법이 아니다. -1.00~-10.00 디옵터의 근시 및 -5 디옵터까지의 난시까지 교정 가능한 레이저 굴절 교정 수술의 기준 치료이다. 스마일수술을 이용한 원시 혹은 노안 교정술이 조만간 시중에 나올 전망이다.

22.4.4 라식이나 굴절교정레이저각막절제술 기법에 대한 반감

스마일수술이 최첨단 굴절교정 수술 기술이라 해도 라식이나 굴절교정레이저각막절제술은 여전히 좋은 굴절교정수술법이 될 것이다. 스마일수술을 만들고 발전시키기 위한 정보와 경험을 제공하는 약 25년간의 라식과 굴절교정레이저각막절제술의 좋은 임상 결과가 있다.

요점: 이 새로운 스마일수술기법으로 환자를 놀라게 하면 안된다. 이것은 새로운 기술이 아니라 더 정확하고 예측 가능하며 안전한 레이저를 사용하는 굴절교정수술임을 알려주어야 한다. 현재 당신의 손에서 치료된 모든 근시 환자들은 스마일수술의 혜택을 받고 있다는 점을 지적하라.

22.5　결론

앞으로 몇 년 안에, 스마일수술은 분명히 가장 많이 시행되는 굴절 교정 수술로 확실히 자리잡을 것이다. 훌륭한 굴절 교정 수술 의사들은 스마일수술을 트레이닝할 수 있을 것이다. 그들의 기술력과 마케팅 전략이 차이를 가져올 것이다.

부록

『스마일수술』은 아래와 같은 표기 방식을 준수하여
작성하였으니 참고하시기 바랍니다.

원서	번역서
SMILE	스마일수술
LASIK	라식
PRK	굴절교정레이저각막절제술
Fs-LASIK	펨토초 라식
ReLEx®	ReLEx®
VisuMax®	비쥬맥스
EPC	입사동공중심
Leticule	렌티큘
dissector	박리기
spatula	주걱
forceps	포셉 또는 집게

* dissector, spatula, forcep이 특정 상품명인 경우, 영어로 표기

Index

국문 찾아보기

번호

영문 찾아보기

A

B

C

T

V

Y